下田街道の風景

橋本敬之著

特定非営利活動法人伊豆学研究会刊

序文

地元新聞である伊豆新聞・伊豆日日新聞の紙面を借りて、下田街道を三島から下田まで、集落ごとの情報を集めて記録しておこうという企画で始まりました。街道の風景としたので、公益財団法人江川文庫に所蔵している古い村絵図と伊能忠敬の測量隊が測量して歩いた道で下田街道の復元をできるかぎり行いました。また、これも江川文庫の所蔵する村明細帳や出版された古い旅行記にはそれぞれの土地をどのように表現していたか、路傍の石造物も現代の私たちに何かを語りかけているのではないか、すでに忘れてしまっている原風景がどこかに残っている気がして、文章を書き始めました。

下田街道は三島を起点にすれば下田が到着点であり、下田が出発点なら三島が終点になります。三島を伊豆の入り口と捉え、下田までの道程を記述しました。基本的には、街道の風景ですが、少し離れた場所も紹介してきました。書き足りない集落もありますが、それぞれの地域について知る手がかりになれば幸いです。

今回、出版物にするため、表現を変えた部分や付け足した部分もあります。今までも下田街道を紹介する出版物はありました。しかし、静岡県教育委員会が出版した『下田街道調査報告書』

も正確な街道の復元を行ったものではありません。基本、見開きで完結、写真を1枚つけて、それぞれの集落を表現する形を取りました。また、各章の扉に、下田街道の復元図を国土地理院発行の2万5千分の1の地形図に落としました。

伊豆は幸いなことに戦災に遭わず、戦後の高度経済成長期に乱開発にも乗り遅れたため、豊富な歴史資料が残っています。しかし、高齢社会と過疎により、地域資料が失われつつあります。地域に残されている古い資料を参考に文章を温めてきました。今後も、それらが残され、活用されることを期待して今回の文章を仕上げました。上梓に当たって公益財団法人江川文庫、また、各地元で資料を保管して下さっているお宅には大変お世話になりました。感謝申し上げます。そして、本稿が地域の歴史を知る手がかりとなれば幸甚です。

特定非営利活動法人伊豆学研究会理事長　橋本　敬之

序文

目次

総　説

1 下田街道概観

下田街道は江戸時代の脇往還で、下田往還ともいい、三島から下田までの約75キロメートルの距離をいう。現在でも旧下田街道とか言ったり、また、下田へ通じる国道136号や414号を指すこともある。

三島宿から狩野川沿線を南下し天城峠を越え、下田へ通じる。東海道の三島宿三嶋大社の前から、三島宿南見付(言成(いいなり)地蔵付近)を出てまっすぐ南下、狩野川を西に見、そのまま、さらに南へ向かい、天城峠を越えて下田まで通じている。下田の起点は「道玄橋」(道軒橋)と考えられている。

『増訂豆州志稿』に、湯ケ野(河津町)から下田に至る藤原山越はすこぶる嶮岨なり、梨本より河津浜辺通り下田に至れば5里11町26歩(約21キロ)とある。慶長12年(1607)、大久保長安によって金を江戸へ運ぶための天城越えルートの整備が指示されていることから、これ以後、現在知られている下田往還のルートが拓かれるようになったと考えられる。

宝暦8年(1758)に書かれた「湯ケ島村(伊豆市)差出帳」(足立家文書)に「下田海道」「下田往来」とあり、湯ケ島村より梨本まで天城山の内、道法6里(約24キロ)の間、御用状を運んだり、役人の通行したりする時は、人足出すことになっているので、他の宿場の手助けはしない、とある。また、宝永7年(1710)に記載された「市山村(伊豆市)指出シ帳」には、奥伊豆下田御番所への往来があり、人馬継立ては市山・湯ヶ島両村で1か月の内15日の順番で、南は梨本(河津町)まで、北に向かって立野(伊豆市)まで行う代わりに、東海道三島宿への助郷は天城山越えがあるので出て行かない、とある。一方梨本村は、貞享5年(1688)「沢田村覚書」に記されたものを見ると、梨本・大鍋・小鍋・湯ヶ野・下佐ケ野・筏場・矢野(いずれも河津町)の7か村で下田番所より江戸へ向かう時の天城越え通行の手伝いをした、とある。難所である天城越えのため、南北の入口にある村の対応が記されている。これから三島から下田までの宿場を中心に、街道の風景を点描したい。

明治22年の伊豆交通路案内

2　下田街道の宿場と途中の峠、橋

三島～下田間の距離は19里（約75キロ）。全国の測量を行い、地図を作成した伊能忠敬は伊豆の測量と地図の作成も手がけた。最初に伊豆を訪れたのは享和元年（1801）である。この時は主に海岸線の測量を行った。伊豆の2回目の測量は文化12年（1815）で、測量隊としては第9次となるが、この時は、忠敬が高齢のため参加せず永井甚左衛門を隊長として文化13年までかけて測量、地図の作成を手がけた。現在の道と、伊能の地図との違いも紹介しながら、3項以降の文でお伝えしたい。

幕府の役人が江戸を出立して下田に到着するまで下田往還を利用して通常6日を要した。幕府の役人の荷物の運搬や休泊する村を継立て村、または宿場という。また、継立てのことを伝馬ともいう。伊能忠敬測量隊が三島から下田まで休泊する宿場継立て村は、大場中島・原木・大仁・本立野・湯ケ島・梨本・茅原野・箕作などである。最初、四日町も継立村であったが、江戸時代中期に原木に変更した。箕作・茅原野は5年交代で伝馬を勤めた。

江戸時代の下田街道の道幅は、基本的には2間（約3・6メートル）である。南條～宗光寺間にある北伊豆一の難所といわれる横山坂切通しの横断発掘調査を行った結果、幅2間と1尺の排水溝をもっていた。

往還整備について、享保20年（1735）「下佐ケ野村（河津町）差出帳」に、往還道の掃除場等は村々切にして村内だけを行う、しかし、天城山峠から梨本村境までの2里半程の場所は毎年川津組村々すべてが出かけていって道作を行った、という。

江戸時代の下田往還は狩野川を渡らずに通過する道順となっていた。ただし、大仁だけは渡らなければならず、渡し舟を利用した。大河川に架かっているのは嵯峨沢橋だけで、あとは支流か小河川である。橋は舟運の邪魔になり、災害時の流路の確保の障害になったことにより、架橋は小河川か、支流であった。

下田街道唯一狩野川を渡る渡船の場所に架かる大仁橋

第1章 下田街道入り口三島宿

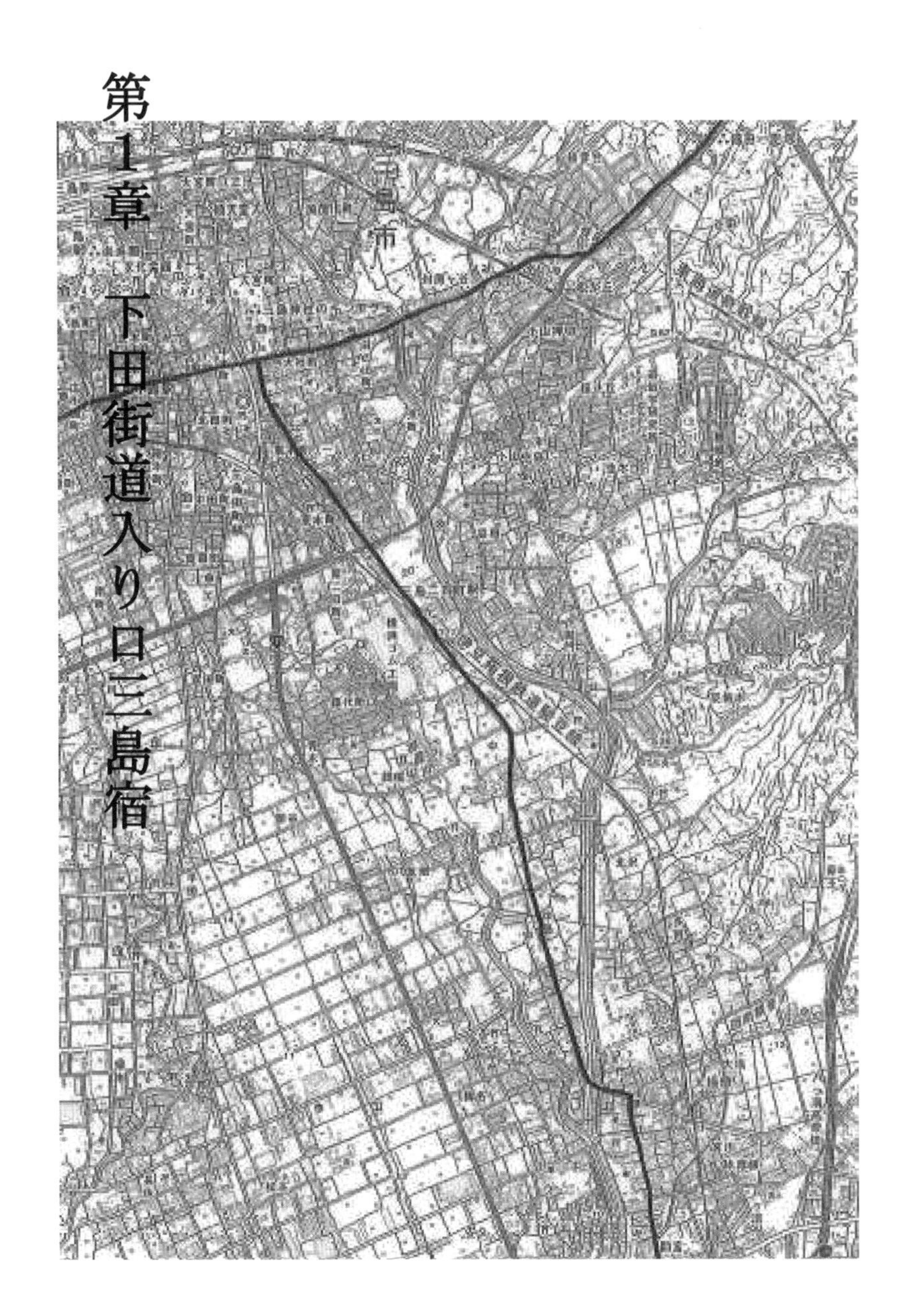

3　下田街道の入口三島宿　文化や産業の交流点

慶長6年(1601)徳川家康は宿駅制度を設け、最終的には東海道に53の宿駅を設置、三島宿は江戸日本橋から数えて11番目の宿となった。三島は古くから「水の都」と呼ばれ、水が豊かな土地柄である。これは富士山の伏流水が各所に湧水となってわき出ているからで、それらが南へ流れ下る川となり、そこから幾筋もの水路や堀が掘られ町景を形成している。

箱根越えは鎌倉後期には東海道の本道である足柄路と並ぶ要路となり、三嶋大社の門前町として、また鎌倉への宿場町として発展し、国府にかわって三島が地名として用いられるようになっていく。3代将軍家光は参勤交代の制度を開始し、各大名の東海道往来が多くなり、箱根に関所が設けられると、三島宿は江戸防衛の役割を担うようになった。また、東西を結ぶ東海道と南北を結ぶ下田往還・甲州道との交差する位置にあった三島宿は、さまざまな地域の文化や産業の交流地点ともなっていた。

『東海道分間延絵図』によれば新町川(現大場川)を板橋で渡り、新町・長谷町・伝馬町、北に延びる金屋町、南に延びる宮倉町を過ぎて三嶋大明神大鳥居に至る。大鳥居から左脇に高札が立つ。社前から南方向に市ヶ原町・二日町(下田往還)が延び、社の西側で甲州道(佐野街道)が分かれる。

近世の宿駅制度が始まった当初の三島宿は、東は新町に東見付があり、川原ヶ谷村境を流れる神川(かんがわ)

（現　大場川）に架かる新町橋で、この西側に見付土手が造られた。西は広小路源兵衛川石橋に西見付があり、北見付は樋口家文書「三島宿図」に記載があるが、場所ははっきりしない。

　下田街道からの入口に当たる南見付は『根府川通見取絵図』によると、「字大境石橋」の五反田から三島宿となっているが、手前の字二日町に石橋があり、ここが実際の南見付と考えられる。二日町の言成（いいなり）地蔵堂境内には「見付橋掛け替え」と刻まれた橋材があり、この付近から発掘されたと伝えられる。

三嶋大社鳥居越しに市ヶ原町を望む戦前の絵はがき、関守敏氏提供

4 三島宿の規模と機能　盛んな地回り経済

近世社会は人々の移動が禁止され、農業従事に縛られていたと教科書的にいわれるが、実際にはそういうことはない。これは、明治政府が江戸時代を否定しないと、新しい社会を人々が受け入れられないという危惧によるものである。江戸時代は徒歩による旅行が中心であったが、多くの旅行案内が書かれたり、十返舎一九による『東海道五十三次』のような旅行小説や旅日記が出版されていることからも、自由な旅行があったことがわかる。

伊豆の人々は伊勢参りや訴訟等で江戸へ出かけ、帰宅する前に三島の旅籠で待機する。到着すると自分の村へ連絡を入れ、村から逆迎えとして三島宿まで仲間が迎えに出かける。そこで、無事の帰宅を祝って翌日、帰村することになる。

宝暦9年(1759)「三島宿差上帳」(萩原家文書)によると、宿場の家数1910、人数4288。酒屋16(造酒屋)・本陣2・旅籠屋74・茶屋19・鍋屋1(以上軒数)、医師5・暦師1・紺屋7・大工23・石屋2・左官3・桶屋9・鍛冶屋10(以上人数)の記載がある。一般的に三島女郎衆といわれる飯盛り女を置くのは茶屋である。江川文庫に残る天保年間の史料によると、米屋や魚屋、青物屋など生活必需品を扱う店をはじめ、宿場ならではの、薬屋、油屋、畳屋、髪結、茶漬屋など多くの店舗が並んでいたことが知られる。こうした店で販売する商品は、近郊の農村から届けられるし、また、近郊からはこれら商店を目指して、購入するために来訪することになる。このような経済活動を地回り経済という。

宿場の運営に当たるのは問屋場という。江戸へ向かう下り荷、京都方面へ向かう上り荷を次の宿場へ届けるのが役目である。問屋場の役人は荷物の受け入れと出荷を日々帳面に付けて確認する。また、東海道を運ぶ飛脚便の飛脚宿もある。これらの飛脚は伊豆からの飛脚便も扱った。吉田村(伊豆の国市)から訴訟のため江戸に出ていた村役人は、滞在費が不足すると三島の飛脚問屋に依頼して、飛脚に託して手紙と滞在費を送ってもらっていた。

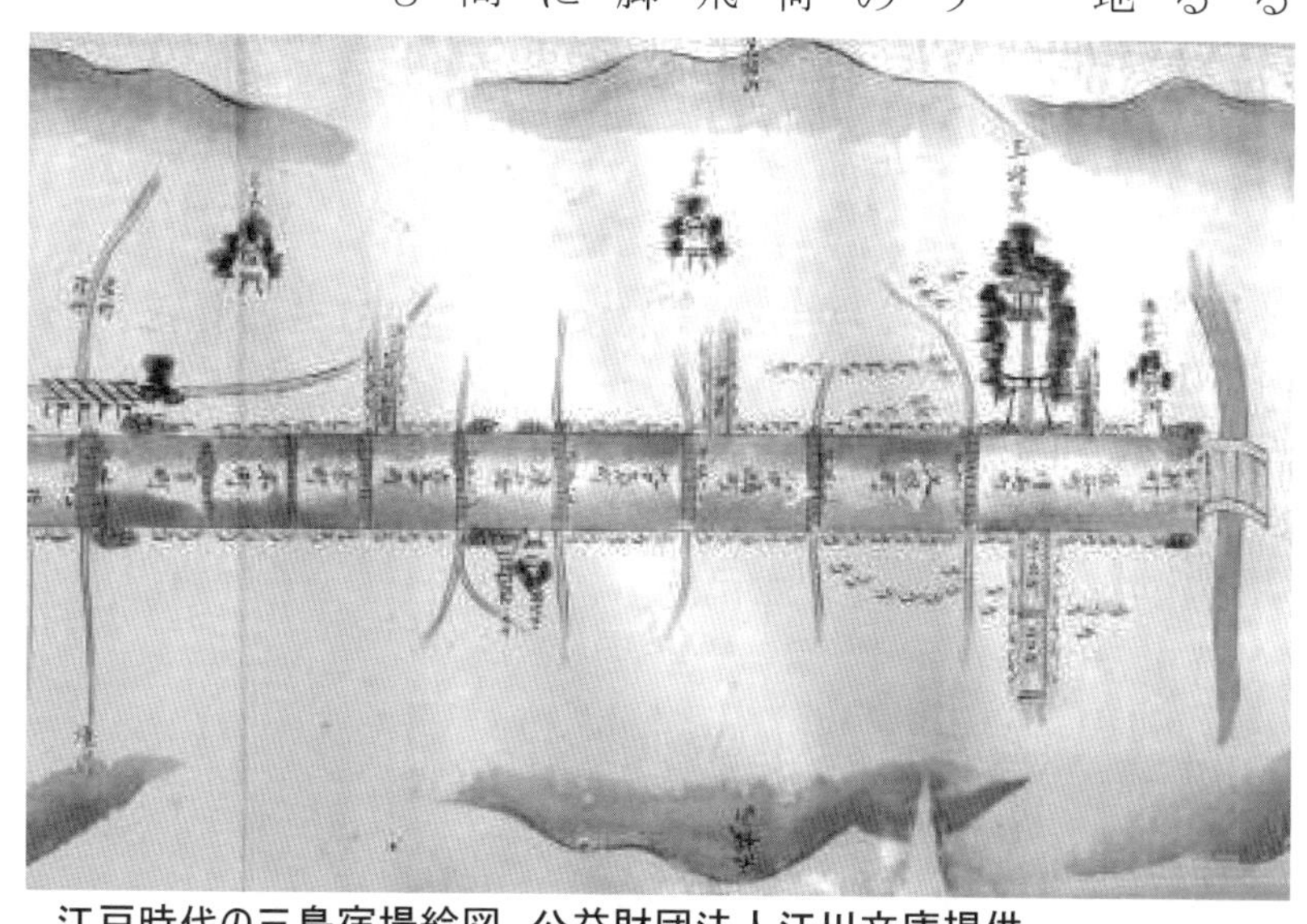

江戸時代の三島宿場絵図、公益財団法人江川文庫提供

5 三島宿と伊豆の村々 助郷で協力

三島宿久保町の街道の両側には旅籠屋が並んでいた。街道の幅は4間(約7メートル)。この町には問屋場もあり、宿場の中心地であった。小中島・大中島町は南北を川に挟まれた「中ノ島」だった。世古・樋口の両本陣はじめ、3軒の脇本陣もこれら町内にあった。その後、参勤交代が開始され、東海道の交通量が増加した。

三島宿は東に「天下の険」と謳われた箱根山を控え、参勤交代、朝鮮通信使・琉球例幣使通行など東海道の重要な宿場であった。東海道が整備され、三島宿をはじめ、東海道各宿に伝馬朱印状・定書が下されたのが慶長6年(1601)である。元和2年(1616)箱根越えを東海道の本道にすることが決定され、箱根に宿が開設されたのは元和4年である。これ以後、箱根越えが東海道の主要道となり、三島宿がその宿場として大きな役割を果たすことになる。

三島宿が荷物を継ぎ送るのは西は沼津宿、東は箱根宿を通り越して小田原までと決まっていた。険しい箱根八里を往復するため、強健な馬でも2年で使いものにならなくなり、公用の輸送に支障を来すこととなった。そこで、三島宿で用意した継ぎ送り人馬だけでは不足のとき、継ぎ送り伝馬の手伝いに駆り出された。これを助郷という。

寛永14年（1637）助馬制度が定められて以来、通行量が多くなるにしたがって、助郷範囲が広がった。伊豆各村々は三島宿に対して上りは沼津宿まで、下りは箱根宿には伝馬制度がなかったので小田原までの継ぎ送りが必要であった。元禄7年（1694）から三島宿への助郷は伊豆一国から駿東郡の村も出役の対象となり、「定助（じょうすけ）」「大助（おおすけ）」による助郷にかわった。その後、享保10年（1725）に再び助郷の割替えがあり、それまで「定助」「大助」と区別していた制度を廃止してこれら村々は「定助」とし、それより遠い村を「加助」とした。定助は68村・高3万242石、高100石に対して1疋ずつの割当となり、幕末まで多少の変化はあるが継続される。明治3年（1870）に本陣・脇本陣の名称は廃止され、同5年には伝馬所、助郷ともに廃止されて宿の役目は終わった。

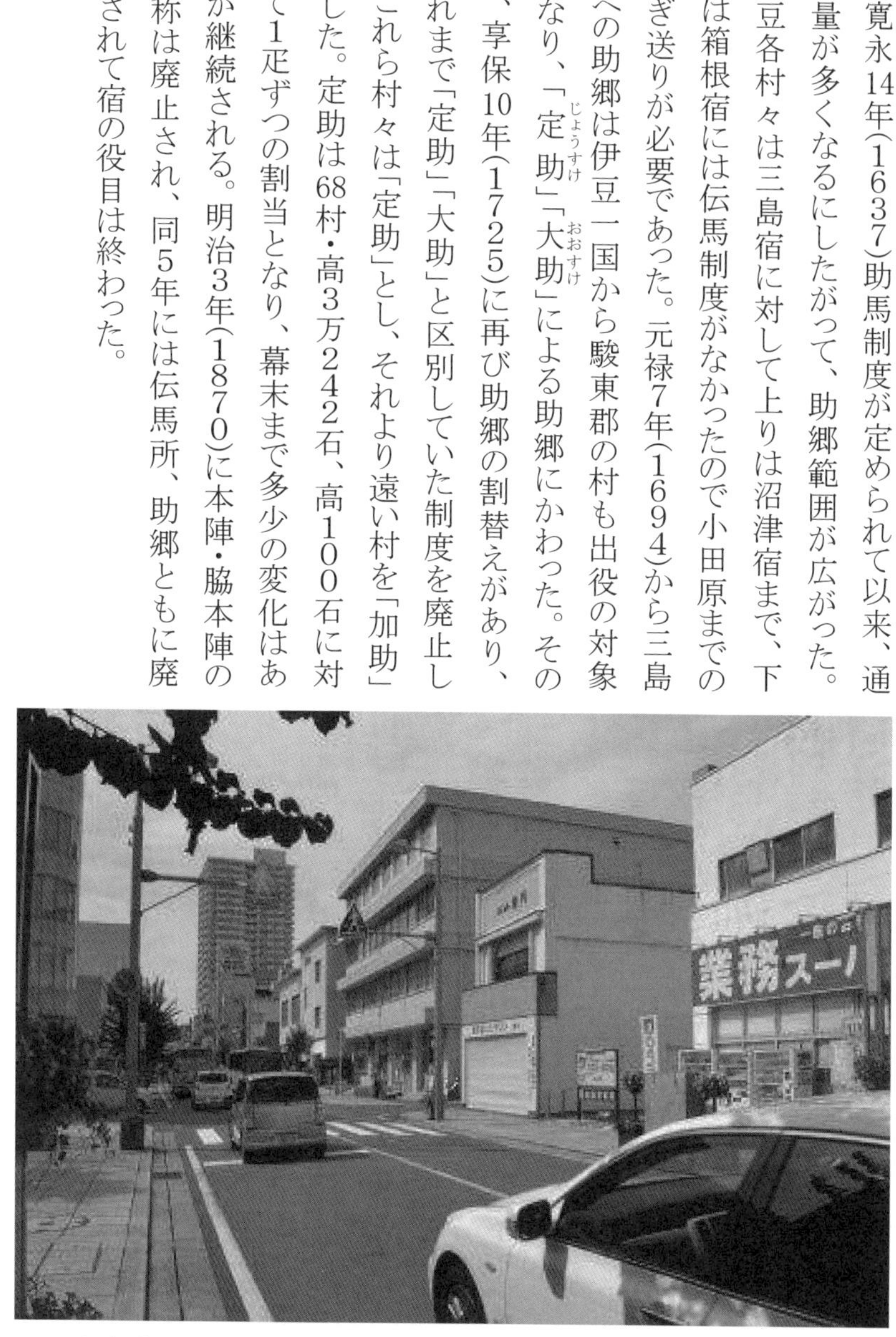

三島商店街、郵便局の位置が問屋場跡

6 三島宿と伊豆の村々 三島市役所の地に代官役所

三島宿の田町には、宝暦9年（1759）まで三島代官役所が置かれていた。その後、韮山代官出張（でばり）陣屋となる。この場所は現在の三島市役所である。役所の北東隅には陣屋稲荷があり、往時を偲ぶことができる。

三島代官は、伊豆国の三島代官支配地内の支配地を20～27、8か村ずつ12の「組」に分け、それぞれに大名主を置いて組内村々の支配管理にあたると同時に担当手代を置いて支配に当たった。組は三島・谷田・田中・狩野・内浦・東浦・大見・松崎・仁科・加納・河津・稲生沢組と三島付6か村である。

代官の役所のことを陣屋ともいう。貞享元年（1684）に書かれた門野原村（伊豆市）の「指出帳」（小森家文書）に「三島陣屋の修覆、陣屋の守衛に当たるための陣屋守給は大見・狩野・田中・三島・谷田の5組より出している、また、三島代官が持つ米蔵の番人給与もこの5組から出し、もちろん修復費用も出している」とある。沢田村（河津町）では貞享5年「澤田村覚書」（『河津町の古文書』）には「三島御殿の組垣費用と人足は命令があった時に出すが、三島にある米蔵へ年貢を納めていない、ただし、その修復費用の分担は受け持っている」としている。

貞享元年の内浦（現沼津市、沼津市に合併前は田方郡）に残る「村覚帳」（『豆州内浦漁民史料』）によれば、三島に鷹部屋や御殿、牢屋があり、その入用や番人給与等を負担している。前後するが、正保2年(1645)伊浜村(南伊豆町)に残る「人馬改帳」には、三島鷹部屋惣囲いのこと、箱根道作りのこと、上洛・官人通行につき三島出役のこと、三島・熱海御殿普請のこと、江戸かざり・六尺給のこと、鷹餌のこと、瓜木江戸出しのことが記載されている。

三島鷹部屋は楽寿園の南辺りに土地宝典などで小字として残っているのを確認できる。餌は主にウズラが使われたが、犬肉も餌となり、伊豆各地から差し出させられた。伊豆の各村々から下田街道を歩いて三島宿まで往復した。

三島代官役所があった市役所、敷地内に陣屋稲荷が名残りを留める

7 下田街道の起点・三嶋大社

三島宿の概説、伊豆の村々との関わりを6回にわたって述べてきた。ここから、ようやく伊豆への街道に入ることになるが、起点である三嶋大社にお参りして、街道を歩き始めたい。

当社は、古くは三島明神という。祭神は大山祇命（おおやまつみのみこと）と積羽八重事代主命（つみはやえことしろぬしのみこと）。大山神命は山と海に神徳を発揮する神、積羽八重事代主命は航海の神であり、福をもたらす恵比寿神として信仰される。三島神は、もと伊豆国賀茂郡にあり、平安中期以降に現在の場所に移ったと考えられている。さかのぼると、伊予（いよ）国（愛媛県）の大三島（おおみしま）にある大山祇（おおやまずみ）神社の神が伊豆三宅島に移り、三宅島から伊豆白浜に移ったという伝承もある。

鎌倉幕府を開いた源頼朝は治承4年（1180）4月27日、平家追討を命じた以仁王の令旨が「伊豆国北条館」にいた源頼朝のもとに届き、同年8月17日、平家追討のため伊豆韮山で旗揚げ、三嶋大社の例祭を期して挙兵、山木判官平兼隆を討った。頼朝が将軍になって以後、将軍は伊豆山権現・箱根権現の二所詣出に、三嶋大社を加え三所詣出として度々参詣した。将軍の三嶋社参詣は宗尊親王の文応元年（1260）が最後である。

明治4年（1871）5月14日該社が官幣大社に列せられ、伊豆の一宮として崇拝されている。

安政元年（1853）の大地震で鳥居や本殿が倒壊した。「古老に聞く会の記録」に80歳（1895生）の人が「三嶋大社の鳥居の石は小豆島から取り寄せ、狩野川を黒瀬橋で上げそこから車で運ぶ、これはかなり知られた話で、車はおそらく大八車で馬に牽かせたであろう」という。

1月7日に行われる「お田打ち」、8月15～17日の例祭にあわせて行われる三島囃子技術保存会による「三島囃子」は静岡県無形民俗文化財に指定されている。その他、1月17日奉射祭（ほうしゃさい）、2月3日節分祭、2月17日祈年祭、9月中旬木犀の夕、11月15日七五三祝祭、11月20日恵比須講、11月23日新嘗祭（にいなめさい）、12月31日除夜祭が行われる。

下田街道の起点となる三嶋大社を下田街道側から見る

8　三島二日町　言成地蔵・間眠神社や三島測候所跡

下田街道を南下すると大社郵便局左奥周辺に祐泉寺、法華寺などがある。祐泉寺は、永禄10年(1567)、市ヶ原廃寺の旧伽藍地に北条幻庵の子新三郎氏信(綱重)が創建、もとすじかい橋近くにあった白鳳時代の仏塔の中心礎石を本寺に移設したという。

さらに南下して街道左に言成(いいなり)地蔵がある。貞享4年(1687)春、播磨国(兵庫県)明石の城主松平若狭守直明によって手打ちにされた小菊を供養する地蔵。明石の城主の行列が三島宿を通過する際、6歳の娘小菊が前を横切り、手打ちにされた。命乞いをした小菊は「何でも言い成りになりますから、命だけはお助け下さい」と願い出たが、聞き入れられなかった。その小菊を手厚く葬るために建てられた。「駿河百体地蔵尊」の一つで、新田次郎は『からかご大名』で小菊哀話を著した。願い事を叶えてくれるという地蔵尊である。

源頼朝が源氏再興の大願を立て、三嶋大社百日丑刻祈願の折り、その帰り道に境内の松の大樹の下でしばしばまどろんだということから、この名がついたと伝えられる間眠神社にも足を伸ばしたい。二日町の地名は毎月2日に市(いち)が開かれたことからついたといわれ、間眠(まどろみ)神社はその市の神でもある。祭礼は8月1日。7月31日・8月1日に伊豆の国市長崎の金子稲荷で間眠神社の大しめ縄作りを行い、奉納する。御神体が洪水で流され三島市東本町に流れ着いたという由緒から、長崎の人たちが間眠神社にしめ縄を奉納するようになったという。長さ約4メートル、胴回り2・5メートル、重さ120kgという大注連縄である。

街道をさらに南下して国道1号の高架の前の信号を左折して奥に入ると三島測候所がある。昭和5年(1930)三島気象台出張所として設置された。三島市内で最初の鉄筋コンクリート2階建て(建築面積193㎡)で、玄関にレトロな雰囲気のステンドグラスがある。平成15年(2003)3月無人化に伴い廃止された。同18年12月8日、「元測候所庁舎」として国の有形文化財に登録された。同20年敷地は分譲され、建物は公園の一部として保存されている。

三島測候所跡

9　三島二日町　2　横浜ゴムと森永

下田街道を南下して、伊豆箱根鉄道横断するところに、横浜ゴム(株)三島工場がある。大正6年(1917)10月に発足した、本社を東京に置く会社で、三島工場は、戦時中の昭和18年(1943)、三島市錦田にあった中島飛行機の関係でここに設立されて飛行機のタイヤを製造していた明治ゴム三島工場の土地・施設を、戦後、昭和21年3月借り受けた。明治ゴム会社の従業員も全員新会社に移り、乗用車のタイヤ・チューブ等の製造を続け、同25年2月正式に新会社へ権利を移譲し、現在に至っている。

横浜ゴムのすぐ南隣が森永製菓の工場である。三島工場は、昭和9年(1934)森永煉乳株式会社と極東煉乳三島工場が合併、昭和煉乳株式会社を創立したのが始まりである。極東煉乳は、ミルクのほか、バターやアイスクリームも製造し、盛大に事業を行っていた。そのまた、極東煉乳の前身が、三島町長になった花島兵右衛門が明治29年(1896)8月三島町に創業した煉乳製造所である。

煉乳の原料である牛乳の供給のため付近の農家に乳牛の飼養を勧めた。また、三島付近のみならず北狩野村蓄牛信用組合のように修善寺地方からは農家共同で搾乳して大仁駅から汽車輸送で、丹那地方からは馬車で運搬し花島煉乳場へ供給した。大正6年(1917)に個人経営から極東煉乳株式会社と改めた。花島煉乳は金鵄ミルクが日本海軍の御用達となり、スイスのネッスルと世界シェアを分け合うほどになった。

一方、明治32年(1899)に会社設立した森永製菓は東京赤坂で創業を開始、大正7年(1918)田方郡錦田村日本煉乳錦田工場が竣工。日本煉乳株式会社と合併、錦田煉乳工場において森永ドライミルクの製造開始、これが国内粉乳製造の始まりとなる。三島に食品工場が多いのはこのような事情による。

極東煉乳、三島市郷土資料館提供

10 中（三島市） 下田街道最初の継立て場、大場へ

二日町の横浜ゴム、森永製菓の工場の横を流れる用水は、中郷地区へ農業用水を供給している。この用水は、楽寿園内にある小浜池に湧く富士山の湧水を引いているが、水温が低いため、一旦三島市冨田町にある貯水池の中郷温水池で暖めてから配水している。

二日町の横浜ゴム、森永製菓の工場の横を流れる用水は白滝公園を水源とし、南流して、二日町の西にある中郷温水池から配水する中郷用水とともに中郷地区に用水を供給する。楽寿園内にある小浜池の湧水は水温が低いため、一旦三島市冨田町にある貯水池で暖めている。

近代の下田街道は、明治17年（1884）地方税補助道路となり、明治24年（1891）2月25日韮山村長ら、国道編入を内務大臣あて請願した結果、同26年改良工事が開始された。『上狩野村誌』（上狩野村役場、大正2）に明治26年より34年まで継続して下田街道を改修とある。明治40年第1類道路に編入となり、国道昇格となった。

明治20年（1887）、中学校の社会科や高等学校の日本史の教科書でおなじみのフランス人画家ビゴーが修善寺温泉や熱海温泉で静養する。その時たくさんの風景画を描き、ビゴーが発行を続ける『トバエ』掲載したが、三島から大場へ向かう情景を「米の栽培 三島付近」として掲載し

た。

しばらく南下すると左に手無地蔵がある長松庵に着く。下田街道沿いにある地蔵で、伝説によると、昔、この地蔵が化けて通行人を驚かしていた。ある晩、若侍が通りかかると鬼女が現れたので、無我夢中でその左腕を切り落とした。すると翌日地蔵の左手がなかったという伝承が残る。『伊能忠敬測量日記』文化12年5月2日条にも「手無地蔵堂、右大将が手を切り給うと申し伝う。」とある。地蔵堂の中にある手無地蔵は秘仏とされ、60年に1度の開帳、普段は毎年7月23日の祭日に「お前立（まえだち）」(本物に似せた像)を見ることができる。手無地蔵の脇に唯念名号碑（ゆいねんみょうごうひ）があり、地蔵堂では念仏講が行われている。

この周辺の耕地には古代の条理遺構をよく観察することができ、三島市中島の上舞台遺跡は、8世紀~9世紀の伊豆国に関係する官衙遺跡か、または田方郡衙に関連した遺跡と思われている。主要遺構として掘立柱建物跡、竪穴住居跡があり、出土遺物では墨書土器、灰釉陶器が出土した。

手無地蔵堂

11 中島（三島市）　在庁と在庁道

在庁とは三嶋大社の鍵取りのことをいった。在庁が歴史上初めて登場するのは、北朝正慶2年（元弘3年、1333）、護良親王が北条氏一族を伊豆国在庁北条遠江守前司時政子孫東夷等と称し、追討を命じている史料である（「護良親王令旨」〈大山寺文書、『静岡県史　資料編5』〉）。『増訂豆州志稿』などによると、初め在庁職は多呂村（三島市）に居住、後に谷田、安久、中島村等移った、源頼朝が三島明神を崇敬し、毎年4度の祭礼の時参詣しようと誓ったが、鎌倉からでは遠く、伊豆国の由緒正しい者7人を撰んで同社大祭の時、征夷大将軍の装束を与えて輪番で代参を申し付けた、という。

在庁職であった家の苗字で、多呂氏を確認でき、中島村（三島市）に居住した三嶋社（三嶋大社）の在庁を間宮村（函南町）の溝口氏が一時勤めていた。幕末には中島伊達家が代々勤める。

在庁が三嶋大社まで詣でる道を在庁道または頼朝道ともいう。間眠（まどろみ）神社（三島市東本町、旧二日町）の前を南北に延びる道で、明治の初め頃まで続いたと伝わる。在庁道の全容は明らかになっていないが、中島の氏神である左内神社、梅名の氏神である右内神社を通過したのではないかと考えられている。

左内神社は江戸時代は「阿米都知（あめっち）明神」と称し、明治19年（1886）2月火災に遭い、翌20年4月梅名区に移転新築、昭和16年（1941）改築された。右内神社は、慶長9年（1604）の棟札によると石川家成が願主で禰宜は朝立甚兵衛となっている。家成の文書に「うなぎの宮」とあるので、氏子はうなぎを食さなかったという伝えがある。また、近くに梅名川に連なる「うなぎの池」と呼ばれる池があり、そこには三嶋大明神の使者といわれた鰻（うなぎ）が川を下って集まり、冬越えをしたといわれる。対岸の中島左内神社とともに三島明神の守護神として下田街道の両側に鎮座した。左内神社・右内神社とともに田植え終了後の7月17日に行われる「天王さん」の祭は疫病退散、害虫払を祈念し、盛大に行われる。また、両社とも左内神社・右内神社とも『延喜式』神名帳所載の田方郡「阿米都瀬気多知命神社（あめつせけたちの）」、「伊豆国神階帳」の「従四位上河原の明神」に比定する説がある。

右内神社の鳥居と参道

第2章　最初の継立て場　大場

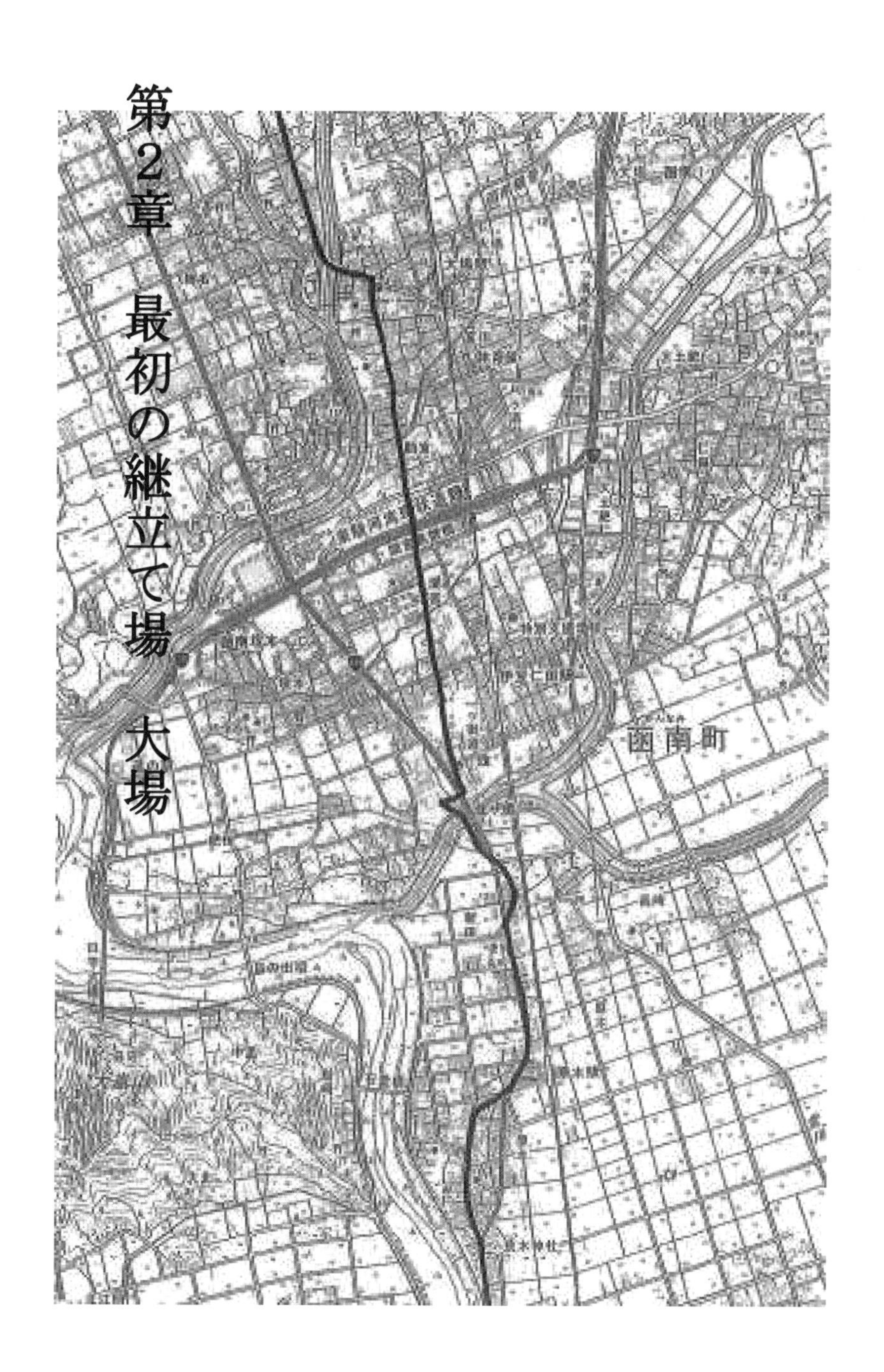

12 大場(三島市) 1 大場橋

三島市大場の狩野川の支流の大場川に架かる橋。橋際には「南無妙法蓮華経」と書かれた文化5年(1808)供養塔がある。

『豆州志稿』に、「大場、中島、両村ノ間ニアリ、石造ニシテ長十三間下田往還ニ係ル」とある。『豆州志稿』は安久村(三島市)の豪農秋山富南が編さん、寛政12年(1800)に完成、出版した伊豆の地誌書である。これに手を加え、増訂したのが小坂村(伊豆の国市)の萩原正平・正夫父子で、「増賀茂川ノ下流大場川ニ架ス、明治十六年(1883)木橋ニ改造シヤヽ完美ナリ」とある。因みに下田街道の西にあるバイパス(現国道136号)との間の安久に秋山富南翁の墓がある。

文政7年(1824)下田奉行として赴任する小笠原長保が下田への途次の情景をまとめた紀行文『甲申旅日記』に、「中島村、村の中に蛇が橋(文章の前後関係から大場橋)といふ橋あり。長さ十四五間、切り石にて作りたり」と記述されている。当時は、木造橋や土橋が中心であったが、大場橋は、石橋であったことが記されている。

江戸時代の大場橋を遡って関係史料をみると、貞享元年(1684)「吉田村覚書帳」(『大仁町史　資料編二近世』)に大場橋普請の記載があり、「大場橋が破損した時は、人足と川をまたぐ橋用の木を出し、そのほかは出さなかった」としている。享保17年（1732）の架替えから伊豆一国の役普請となり、費用は伊豆全体から集め、大場村・中島村で架替え工事を行った（中島落合家文書「寛政9年差出帳」）。宝暦10年（1760）にも架替えの記録が残る（丹那川口家文書）。

江戸時代は、下田街道では蛇ヶ橋とともに、伊豆一国の国役普請で建設・補修されていた橋で、それだけ重要な位置を占めていたことがわかる。狩野川には架橋されず、最上流の嵯峨沢橋（伊豆市）だけが架橋されていた。ここでは、川幅が狭く渡るに十分な幅であった。狩野川を横断するのは、大仁の渡ししかないが、全て、川を渡るためには、渡し舟の利用しかなかった。

江戸時代は伊豆一国で架けられた大場橋

13 大場(三島市) 2 最初の継立場・大場村

下田街道の継立ては東海道ほど厳密ではなかった。そのため、宿駅(宿場)機能もはっきりしていない。東海道の場合は、問屋場で必ず宿駅の荷物改めを行い、次の宿場へ送る作業を行った。宿場の利益を守るため、宿駅を飛ばして次の宿へ荷物を運ぶ付通しはできなかったが、下田街道の場合は、休憩所、あるいは宿泊施設といった程度のものであった。

しかも、大場村まで三嶋大社からそれほど離れている距離ではないのでなおさらである。ここは根府川往還との合流地点で、熱海峠を越えて来る根府川往還(熱海街道)がここから下田街道と同じ街道となって北上する。下田街道は三嶋大社が終点となるが、根府川往還は大社の西側を北上する甲州街道ともいう街道で裾野方面へ続く。これから、下田街道はさらに南下するが、根府川往還は熱海・軽井沢・平井が継立場で、大場まで来る。

大場村は近代になっても重要な拠点で、現在では伊豆箱根鉄道の本社もここに置かれている。江戸時代も同様で、伊豆の年貢米の米値段を決める相場は、三島・大場・大仁・下田の10月の新米の売り値段の平均を取って決まった。近世初期は四日町も入っていたが、中期以降、この4か所での平均値段となった。

職人も多く集まり、明治元年(1868)「大場村明細帳」に、家数93軒、人数389の村で、鉄炮鍛冶師国友太吉・鎌鍛冶1・木挽1・畳師1・提灯師2・商人1が記載されている。川舟1艘は大場川より御薗村まで通じて、それより狩野川を使って沼津宿まで通船し荷物の運搬を行っていた。

大場駅東側の県営住宅の場所には、昭和52年まで森永製菓(株)大場工場があり、同19年日本で最初のペニシリンが生産された。伊豆箱根鉄道(株)本社のところに、クジラの皮を主体とする軍靴や皮製品を製造する共立水産鉱業(株)の工場が昭和15~同28年の間操業していた。

大場神社の境内社のうちの八坂神社は7月6日祭日(平成5年から第1土曜日)に、太鼓の音に鼓舞された10数人の若者が裸で神輿を担ぎ掛け声を出しながら練り回る。麦からや藁が燃やされ、炎に照らされて暴れ回る担ぎ手に向かって周囲から水が掛けられる、夏越(なご)しの裸祭りである。

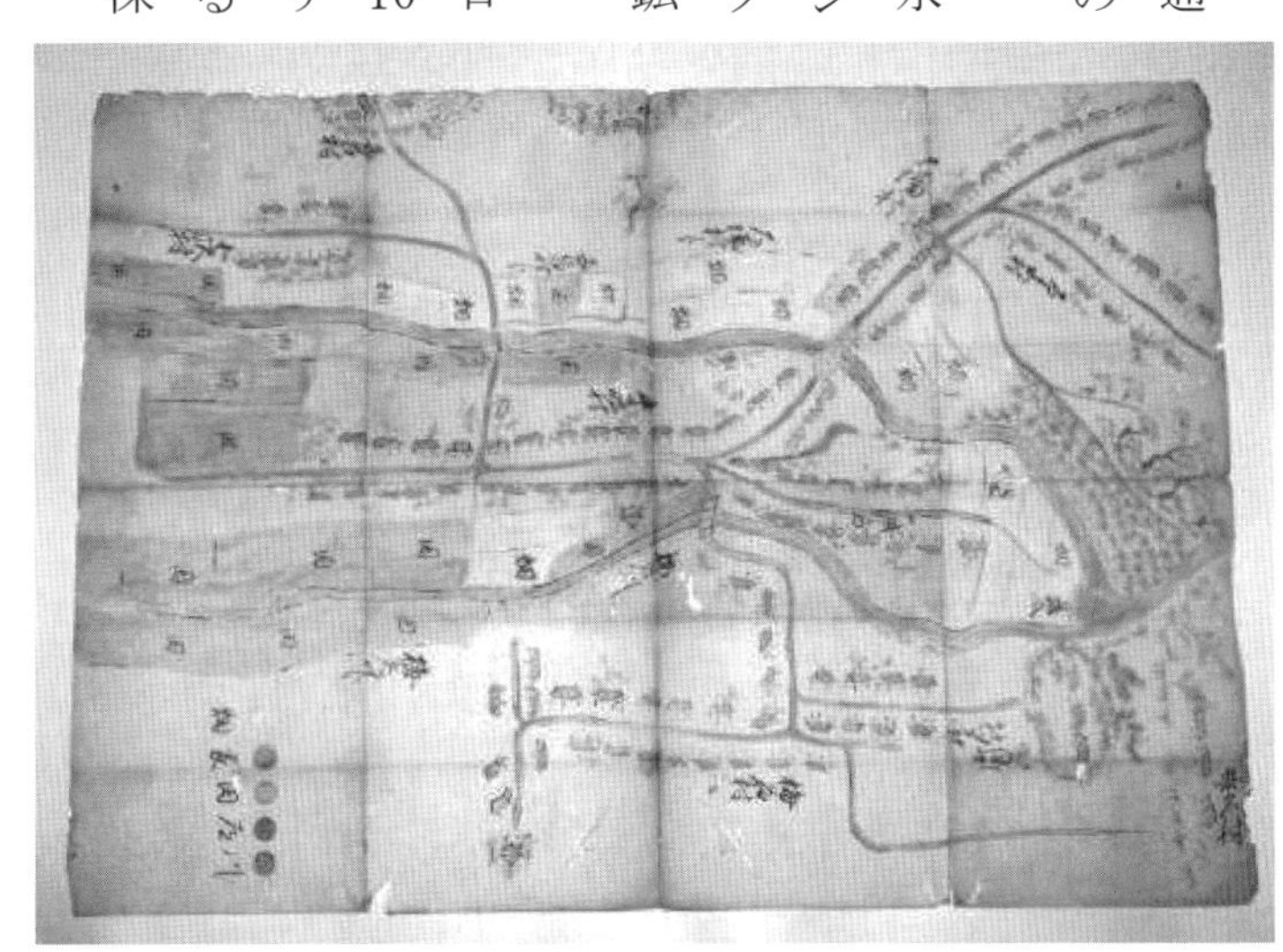

中島村絵図、伊達家旧蔵、三島市郷土資料館提供

14 間宮村（函南町） 1 広渡寺に大場の久八

下田街道は大場村を南下して右折する。しばらくすると右側に「侠客大場の久八の墓」という大きな標柱を目にする。大場の久八は文化11年（1814）10月2日田方郡間宮村生まれの幕末の侠客。本名は森久治郎という。菩提寺の廣渡寺にある墓石には本名で刻まれている。大前田英五郎（上州）・丹波屋伝兵衛（勢州、伊豆韮山の生）等と交流、血盟兄弟、上州三大親分となる。豆・駿・甲・相・武・野6か国に縄張りを持ち、子分3600人余・有名貸元49人といわれる。近世侠客の大頭目となった。安政の大地震には、兄弟分の大前田英五郎と協力して、義援金数百両を募って窮民を救った。天保13年（1842）には韮山代官江川英龍にバクチで逮捕されている。嘉永6年（1853）英龍の命令で品川台場築造に貢献。そのため台場の久八ともいう。英龍の知己を得てからは次第に温和な性格に変わり、のちには、仁侠の道を離れ帰農して静かな余生を送り、函南学校（函南小学校）建設費用の一部を寄付したり、私財を投じて下田街道補修等を行った。明治25年12月没した。葬儀は3日間3回に分けて執行、会葬者5千余人を数え、葬儀の前後は三島・大場・畑毛・古奈の旅館は悉く満員であったという。

さらに南に向かうと右に清水寺（せいすいじ）がある。この寺院の山号は京都の清水寺と同じ「音羽山」。真言宗で紀州高野山高室院末。本尊は聖徳太子作といわれる聖観世音。康平3年（1060）源頼信を開基に、観音寺を実道法印が開祖として建立した古刹である。本寺院横を流れる観音川に架かる橋は「観音橋」という。駿河伊豆両国三十三番観音霊場の3番札所、東海八十八所78番札所、伊豆の中道（なかどう）8番札所。享保9年（1724）の西国巡礼供養塔が境内に造立され、これに「横道三番札所」と刻まれ、西国巡礼を行い、ここに写し霊場を作ったことがわかる。弘化4年（1847）横道三十三所の3番札所の地蔵尊も境内に安置。また、像高約2メートルの馬頭観音像は見応えがある。三十三観音を安置。三十三体観音軸の秘宝仏画を持つ。山門前には安政4年（1857）造立の容学「南無阿弥陀仏」名号碑がある。

下田街道沿いにある大場の久八の菩提寺である廣渡寺

15 間宮(函南町) 2 仁田家と田方の杜

間宮は、東駿河湾環状道路が建設され、その高架と、熱函道路が交錯し交通の要衝となっている。交差点から南下すると、右に田方自動車学校があり、そこを過ぎると再び交差点がある。この交差点はかつて食い違いになっていたが、近年解消された。実は、この食い違いは、古代条里を発掘するとにしばしば見られるものである。

交差点を東に向かうと仁田家、西に向かうと田方の杜に突き当たる。そして、この東西の道は古代条里に合致した道路である。筆者はかつて函南中学校で教壇に立っていた。その時、古代の授業で、この道路のことを取り上げたことがある。生徒の一人が、「先生、そんな大切な遺跡の上をいつも歩いているのですが、いいんですか?」と言われた。ここを基準に東西南北109㍍ずつに現在でも道路が区画されている。ぜひ、体感して欲しい。

仁田家の興りは鎌倉時代の仁田忠常(1166~1203)。鎌倉幕府の正史『吾妻鏡』では多く新田四郎忠常として登場し、当書に記載されている箇所33回のうち、「仁田」とあるのは2回だけであるが、頼朝の側近の御家人として著名せある。治承4年(1180)8月17日の源頼朝の旗上げに、次郎忠俊とともに参加したが、石橋山の合戦には忠常だけが参加した。建久4年(1193)5月の富士の巻狩りでは猪を退治、5月28日曽我兄弟の兄十郎祐成を討ったことで有名になった。仁田忠常と兄弟の供養塔が仁田家の屋敷の中に祀られている。仁田家の屋敷の内には現在も土塁が残り、屋敷横に川が流れて、中世の屋敷の構えを今に伝えている。伊豆仁田駅から仁田家に向かう途中にある田方農業高等学校は、仁田家37代甲四郎大八郎が明治34年(1901)に建てた農学校がもとである。

西に向かった塚本の南西部にある孤立した丘を田方の杜という。明治20年(1887)丘の麓にある満宮神社の傍らに、本居宣長の曾孫にあたる本居豊穎(とよかい)翁の撰文で「田方杜」碑が建っている。

仁田家の屋敷地内にある仁田忠常の供養塔

16 塚本(函南町) 八ツ溝用水と蛇ヶ橋

大場から根府川往還(熱海街道)を東へ向かうと函南中学校がある。中学校の入口に八ツ溝用水の水門がある。取水は来光川の上沢(函南町)字かんどり免で、水門で8本の用水に分け、函南の田んぼを潤す。

建設年代は不詳だが、近世以前に設けられていた。延享5年(1748)間宮・塚本両村の間で用水堀幅を巡って争論となり、この時西から溝に番号を付け、仁田村1・2・7番、間宮村3~5番、塚本村6番、大土肥村は8番溝を利用することとなった(竹沢家文書)。

八ツ溝用水の終末に当たる場所に蛇ヶ橋がある。下田街道は蛇ヶ橋の手前で三島から下田へ向かうバイパス(現国道136号)と旧街道と合流する。蛇ヶ橋は、古い史料では八ヶ橋とも書かれている。八ツ溝用水の終末にあることに起因した名前と考えられる。

函南町間宮・塚本・肥田と3地区地先にあり、橋は大場橋とともに伊豆一国の国役普請で架け替えや修繕を行った。明和8年(1771)、肥田・塚本・間宮村立合架け替えにつき、100石につき永105文8分4厘6毛の高掛かりを韮山役所が触れ出す。高掛かりというのは、各村の生産高に応じた割合での役負担のことをいう。

安永6年(1777)7月、大風雨によって崩落大破した。修理を行って6年しか経っていなかった。翌7年には伊豆一国で長さ7間・幅7尺の石造の架替普請を行い(牧之郷飯田家文書「飯田源兵衛日記」)、さらに翌年4月になって架替え入用金を納めるよう、伊豆国中の村々に触れが出された。街道の道幅の基準は武士が刀を差し、馬ですれ違った時触れ合わない2間(約1・8メートル)であったが、橋は基準外であった。

橋の西側、来光川堤防に供養塔が建立されている。罪人が韮山にある牢から三島刑場へ向かう時の結界といわれ、ここでお参りをして三島へ向かったという。

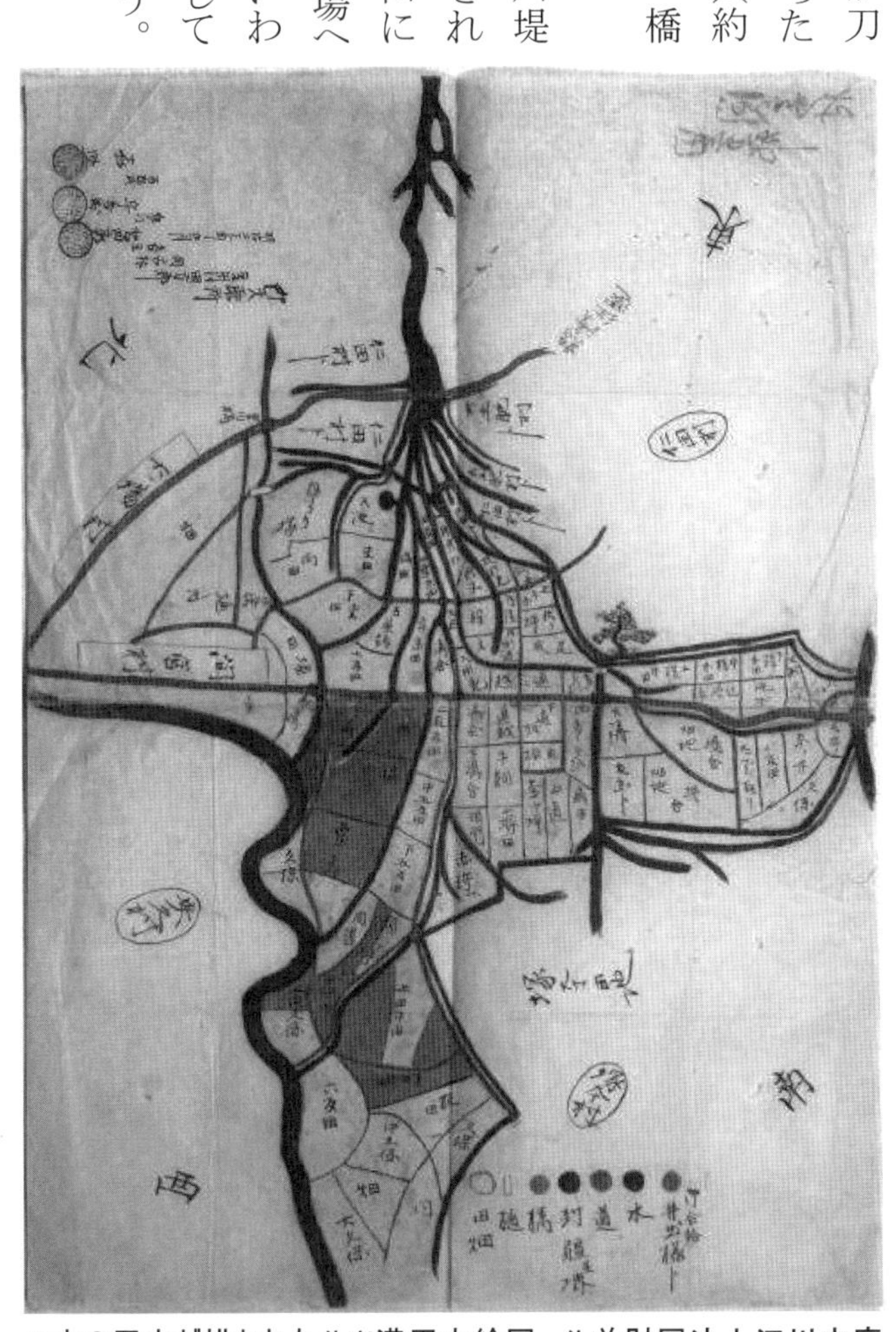

8本の用水が描かれたハツ溝用水絵図、公益財団法人江川文庫

17 新田(函南町)　田方・君沢・駿東の各郡の接点

蛇ヶ橋を渡ると函南町新田である。ここは、日守新田といわれたが、肥田村の内を日守村の人たちが出作してできた集落である。現在は「新田」とだけいっている。平成の大合併で市町の区割りがわからなくなってしまった地域が多いが、その前に、変動があったのが日守である。

日守本村は狩野川の左岸に位置し、その南は北江間である。狩野川の支流である大場川を境に北に向かって三島宿まで江戸時代は君沢(くんたく)郡といった。さらに南に向かって狩野川の左岸側も伊豆国内では君沢郡となっていた。右岸は田方郡である。北江間を含め、修善寺まで、また、戸田や土肥も君沢郡である。

日守村は、実は君沢郡でも伊豆国でもなく、駿河国駿東郡地域であった。明治22年の郡町村の再編で、新田が肥田の一部、田方郡に含まれていたということで、日守も、君沢郡の村々もすべて田方郡に含まれるようになった集落である。日守と肥田の間にある狩野川に肥田の渡しがあった。現在は日の出橋となっている。田方平野のこの辺りは北流する狩野川と支流である南流する大場川・来光川の合流地となっていて、これより南の天城山に向かって標高が高くなっていく。伊豆の地形を考える上で重要なポイントと思われる。

　蛇ヶ橋、新田集落から原木に向かって下田街道が東西に蛇行する。現在の蛇ヶ橋の西側に下りた来光川堤防際にある供養塔がある辺り旧蛇ヶ橋と考えられ、そこからまっすぐ東進する道が現道に突き当たる。ここから現道の西側を南進すると仁田方面から来る道と信号で交わる。その信号の東に向かって斜めに入る道が旧街道で、これを進むと再度国道に出る。しばらく国道を通って西へ折れ、国道に並行して走る約4㍍幅の道路が南進して、原木に入る。ここは、なかなか複雑で、文章の説明が難しいが、道路事情を熟知している方は抜け道に使っている。

蛇ヶ橋を越えて東に大きく曲がり、再び現道に出る

第3章　間の宿としての原木

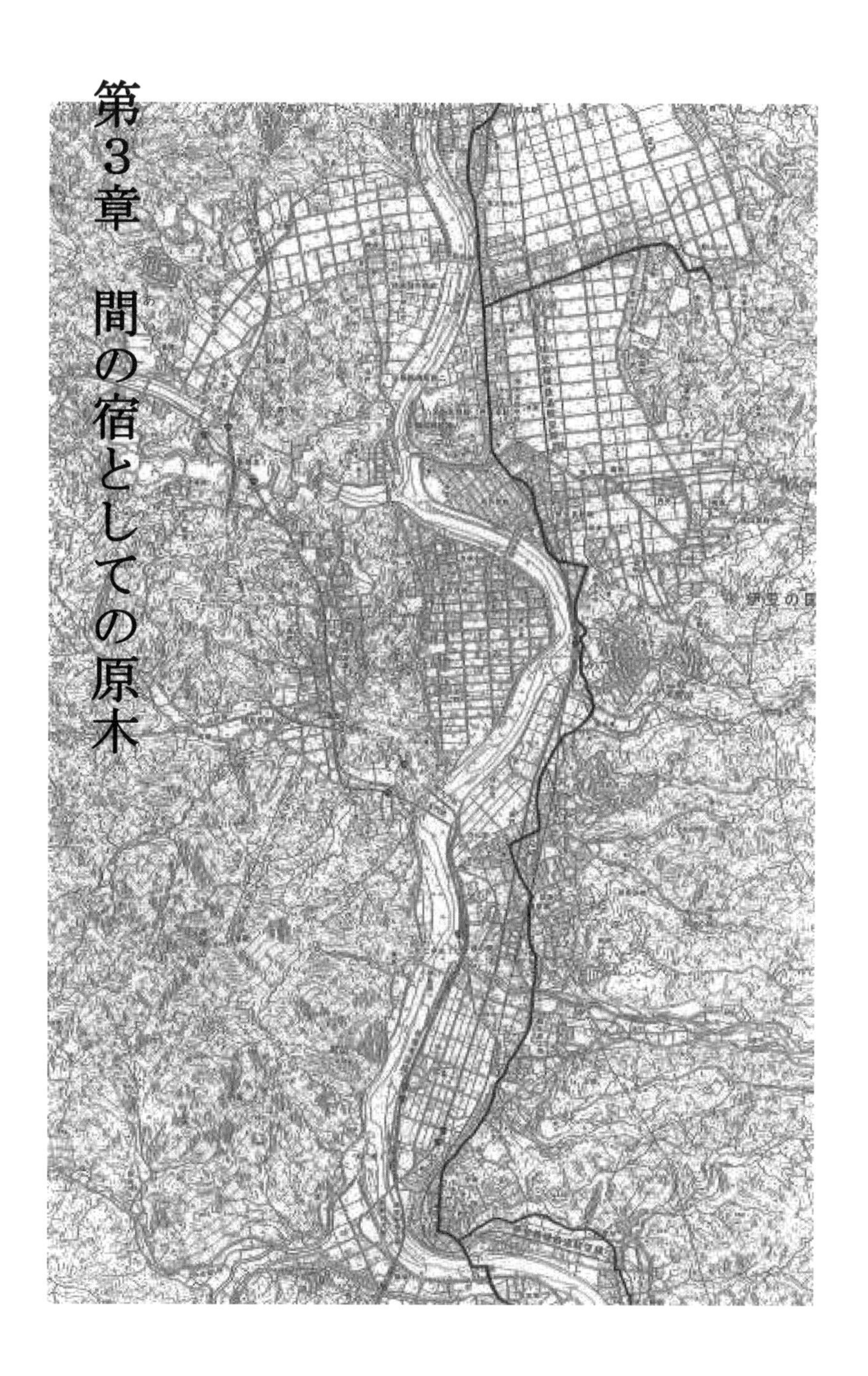

18　原木（伊豆の国市）　頼朝参拝の荒木神社

治承4年（1180）8月17日、源頼朝は山木兼隆を討つべく挙兵した。守山で旗揚げした軍勢は「蕀木」を北上して肥田原（函南町）に至り、北から山木邸を攻め落とした。

江戸時代は下田街道の宿場機能を持っていた。寛政5年（1793）には江戸幕府老中松平定信の相模・伊豆の海防視察の時休憩した。同行したのは画家の谷文晁である。幕末の勘定奉行川路聖謨（かわじとしあきら）も止宿、同人が記述した『下田日記』に「ここより韮山役所へ18町」とある。江川英龍公がヘダ号造船のため、戸田へ向かうのも原木を通って西浦へ向かい、そこから戸田へ行った。正徳2年（1712）以後継立機能が四日町から当地に移った（須原家文書）。

西を流れる狩野川には日守へ向かう石堂渡、北江間に渡る矢崎（松原）の渡しがあり、川船役125文納めた。ここは内浦・静浦と東浦を結んでいたため、当地は南條とともに東西・南北の交差点となっていた。石堂の渡しは明治21年に架橋、松原の渡しは明治11年に架橋され、石堂橋、松原橋となっている。

原木地内を通る街道は狭く、江戸時代の街道を彷彿させる。国道へ出る少し前の右側に成願寺がある。『増訂豆州志稿』によると、源頼朝が蛭ヶ島から三嶋大社へ百日の願をかけて、夜明け詣りに日参したとき、荒木神社の前の道ばたで餅を献上し続けた姥の墓がある。後年、姥への報恩のため「餅売り媼の墓」を建立した、という。「いばらきの里に　利済の成願寺　餅売媼の　後生ねがいて」と成願寺御詠歌にある。

国道に出て突き当たりが荒木神社である。奥は楠の大樹で囲まれ、平安時代に編纂された『延喜式』に所載された荒木神社に比定されている。源頼朝が流人として蛭ケ小島に居住した折、当社に祈願参拝、その際馬の鞍を社木に掛けたことから、鞍掛明神といったという。例祭日は10月18日で三番叟が奉納される。現在はこの日に近い日曜日を例大祭日としている。三番叟の演納の一番北側に位置し、早朝に行われるので「日の出三番叟」といわれる。

原木集落から現道と交叉する位置にある荒木神社

19　四日町（伊豆の国市）　1　現国道が旧下田街道

四日町の集落は狩野川の自然堤防上の微高地に形成され、ここを下田街道が通っている。四日町から寺家・中條までの間の西側に狭い寺院が並ぶ道路がある。ここを旧下田街道と思っている方も多い。この道がいつからのものか不明である。伊能忠敬の下田街道測量地図では、現在の国道が下田街道となっている。北条四日町ともいい、バス停は「北条」となっている。街道の両側は古い屋敷が並び、それぞれ屋敷地はそれぞれ東西に長く広がっている。下田街道沿いの村方で在郷町の色彩が強く、江戸時代には紺屋・酒造家もあり（蓮池家文書）、江戸時代には米相場の立った時期もある。江戸時代の村絵図を見ると、街道沿いに家屋敷が間断なく並んで描かれている。

天文年間（16世紀中頃）とされる戦国時代の武将大村家盛が備中国（岡山県）から武蔵国（関東）へ向かった「参詣道中日記」（大村家文書）に、北条に役所があったと記され、四日町に設けられた一種の関所であったとの解釈がある。天文14年、後北条家の家臣である遠山左衛門尉康光を駿府に遣わす費用を伊豆国三島四日町の蔵から支出している（天文20年（1551）11月23日「清水康英屋敷売券写」、新井家文書）。年貢等の集積、物資や銭貨の算用が蔵本瑞泉庵によって運営されていたことが知られ、ここから東にある韮山城砦の市場として四日町が一体であったとみられる。また、元亀元年（1570）武田軍による伊豆侵攻を受けた北条氏政が上杉謙信に支援を求めた際の手紙（武家手鑑）などに「韮山者于今外宿も堅固に相拘候」とか「にら山之城より一里計外宿ニ候所ニ」とみえ、「外宿」を四日町とする見解がある。

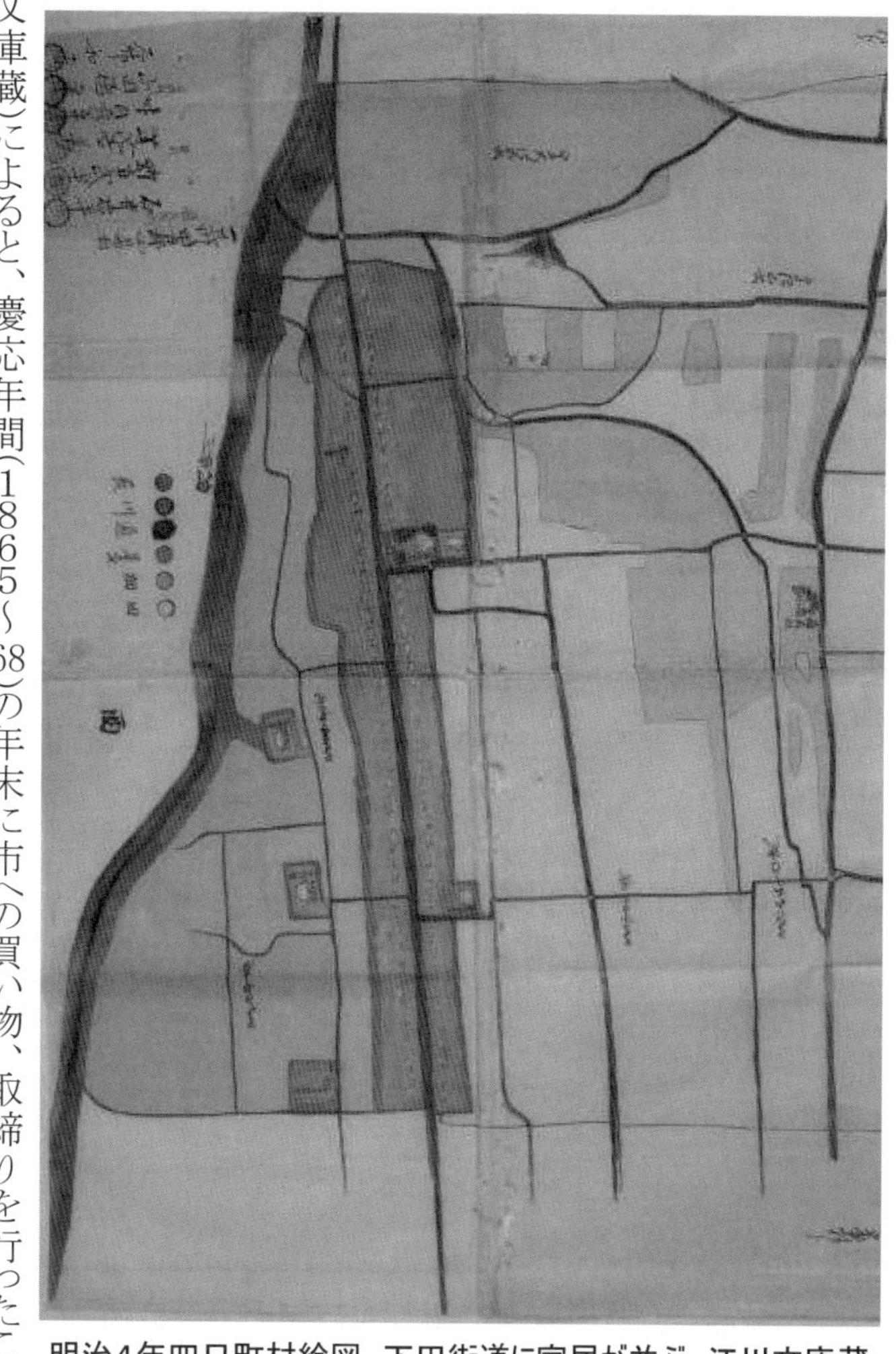
明治4年四日町村絵図、下田街道に家居が並ぶ、江川文庫蔵

幕末の「江川家勝手方日記」（江川文庫蔵）によると、慶応年間（1865〜68）の年末に市への買い物、取締りを行ったことが記載されている。明治以後も地域の商業地としての位置を占め、年末には多くの買い物客が来たという。現在その面影は薄れてしまっているが、街道の左右は古い佇まいが続く。

20　四日町（伊豆の国市）２　八坂神社

伊豆の国市四日町に入って左手に八坂神社がある。この交差点が鍵の手になっているが、その少し手前の右側に、聖地のように囲っている「降臨の地」といわれる場所がある。ここは大見梅木（伊豆市）から正長元年（１４２８）御神体が流れ着いた地という。この場所は神社祭典の「お天王さん」の御旅所となっている。四日町の集落は前回述べたように、狩野川の自然堤防上の微高地に形成されているが、八坂神社前から東に向かって低くなっている。狩野川の流路が蛇行した跡と思われる。こうした中で梅木から御神体が流れてきたのであろう。

八坂神社は京都にある八坂神社を本社とし、社は全国に２９００社ある。そこを参拝すれば、疫病除けや災難除けの御利益があるとされる。いずれも祭神が須佐之男命で厄除けの神様で、「祇園さん」とか「お天王さん」といわれている。祇園神社もこの系統である。7月13・14日（現在はこの祭日に近い土・日曜）の祭は、６日の「おかがり」から始まる。北条寺家にある守山八幡に渡御し、奉幣後還御する。

ここ街道から右手に古道が中條まで続き、そこから寺家にかけて寺院が建ち並ぶ地域である。浄土真宗成福寺は創建・開山不詳であるが、後北条関係の史料を保管する古刹で、15半～16世紀代の宝篋印（ほうきょういん）塔（とう）残欠がある。境内にハスを栽培し、初夏になると鑑賞に多くの方が訪れる。日蓮宗蓮長寺は三島市にある本覚寺や最明寺(伊豆の国市古奈)・龍源寺(同大仁)との関係が深い。正応5年(1292)5月12日に「正念寺」最勝房が造立したとの銘がある宝篋印塔の基台が伝来し、正念寺は蓮長寺の旧名とされる。毎年10月12日に行われる御会式で、江川家の菩提寺であり、日蓮宗由緒寺院の本立寺まで万灯供養を行う。

八坂神社降臨の地

21　四日町（伊豆の国市）３　少し離れて江川邸

文化12年（１８１５）、永井甚左衛門を隊長とする伊能忠敬の第9次測量隊が伊豆の測量を行った。この時は忠敬が高齢のため参加しなかったが、下田街道を三島から南下して測量を開始した。旧下田街道といっている道とほとんど変わらない。この測量隊は江川邸を表敬訪問するため、八坂神社から江川邸の間も測量している。測量隊は、自分たちが歩いた場所すべてを測量したのである。真似して、江川邸まで足を伸ばそう。

江川邸は、土豪世襲代官江川氏の住居で、重要文化財江川家住宅として主屋および書院・仏間・東蔵・肥料蔵（西蔵）・武器庫・表門の7棟が昭和33年（１９５８）5月、民家1号として指定された。「御棟札由来縁起略書」に弘長元年（１２６２）5月宗祖日蓮大菩薩に江川義久謁し居宅棟札を書くとある。江川邸とその一帯が平成16年（２００４）9月「韮山役所跡」として国の史跡に指定された。表門裏側、江川邸の北側に韮山代官役所があった。

鎌倉時代の建造と伝えるが、現存のものは旧建物の古材も使って文禄か慶長ごろ（１６００頃）再建され、宝永４年（１７０７）の大修理、享保、延享の修理、文化14年の大修理と改造を経て、昭35年解体修理を行い、江川家全盛のころの形態を残して完了した。主屋は東西18・８メートル、南北25・４メートル、建築面積

522㎡。構造的にも特筆すべき点が多く、大屋根を支える小屋組といわれる幾何学的な桁や梁、生き柱と呼ばれるケヤキの大柱、7間(約12・6メートル)四方(約50坪)もある大土間など。

江川家行事で1月11日の具足開き、春と秋の1回ずつ行われる内庭特別公開、春は新緑、秋はモミジを鑑賞することができる。内庭にある竹林の竹は特別に韮山竹といわれ、何本に1本かが割れ目をもって生育する。この竹を熱海逗留中の千利休が訪れ、花活けを作った。三井寺の割れ鐘に見立て「園城寺」と名づけ、東京国立博物館に収まっている。土間には、幕末にペリーが日本にもたらしたボードホーウィツルの台車、パン祖のパンを焼いた鉄鍋などが展示されている。

民家として重文第1号に指定された江川邸、伊能忠敬も表敬訪問

22 四日町（伊豆の国市） 4 蛭ヶ島

蛭ヶ島は蛭ヶ小島ともいう。四日町は田方地域では最も耕地面積が大きい村で、東にある土手和田も古くは四日町の一部であった。土手和田集落の少し手前の場所に蛭ヶ島がある。

源頼朝が永暦元年（1160）14歳にして流罪になり、治承4年（1180）34歳で挙兵するまで過ごした場所。山木と北条のほぼ中間のあたりが蛭ヶ小島と言われ、江戸時代秋山富南が推定した位置が、頼朝の配流の地とされた。この付近は、狩野川が大水のたびに流れを変え、氾濫流域の低湿地であったと考えられている。蛭ヶ島という地名も、じめじめして蛭が多かったからともいわれるが確証はない。

「吾妻鏡」などには「蛭島」と単に記されているだけで、蛭ヶ小島・蛭ヶ中島・蛭ヶ大島のいずれともわからない。永暦元年3月11日源頼朝が配流され、『平家物語』巻5（文覚荒行）に「伊豆国蛭島へなかされて」とみえる。『義経記』巻6は「伊豆の北条奈古谷の蛭が島」と記す。

治承4年8月17日の頼朝挙兵に際し、北条時政は「牛鍬大路」を回るか「蛭島通」を行くか頼朝に尋ねたところ、頼朝は蛭島は閑路であり、また騎馬で進むのに適さないことを理由に、「おお道」（牛鍬大路）を行くべしと命じた（『吾妻鏡』）。

江戸時代、幕府が武士の系図を編さんした『寛政重修諸家譜』に岡野氏系図を載せ、そこの記述に、板部岡氏の初代が伊豆国の北条氏の末裔で田中氏を名乗り、明応2年(1493)に伊豆国蛭島で討ち死にしたという。天正18年(1590)2月3日「北条家朱印状写」(正木太助家文書)では清水能登守に伊勢宗瑞(北条早雲)の入国以来、韮山城下の蛭ヶ島の屋敷を安堵している。

このように多くの史料に出てくる地名であるが、現在、寛政2年(1790)造立の江川氏手代飯田忠晶の記念碑がある。この頃、江川太郎左衛門英毅が現在の位置に土地を求め、建立したという。

歌舞伎狂言に『蛭ヶ小島』があるが、本名題「大商蛭小島(おおあきないひるがこじま)」。伊豆における源頼朝の旗揚げを主筋に、曽我兄弟のあだ討ちの発端となった河津三郎(兄弟の父)の最期や文覚上人などを演じる4番続きの顔見世狂言で、初世桜田治助の傑作とされ、またいわゆる天明歌舞伎の代表作とも称される。天明4年(1784)江戸中村座初演。

蛭ヶ島、韮山城本丸からの遠望

23 四日町(伊豆の国市) 5 韮山城近くまで四日町

下田街道から東に目をやると標高50メートルの小高い山が見える。龍城山といっている山で、北条早雲の居城である韮山城があった。旧暦の永正16年(1519)8月15日に没し2019年は北条早雲没後500年に当たった。早雲は韮山城を居城にして以後、当城から離れることなく亡くなった。遺骸は修禅寺で荼毘に伏され、その後、早雲の長男氏綱によって箱根に早雲寺を建設、埋葬された。

韮山城は平山城という。本丸から、田方平野一円はもちろん遠く三島市街や沼津方面も望め、ここを居城とした理由が読める。北条早雲は、興国寺城から伊豆へ侵攻し、堀越御所にいた足利義政の弟(一説には兄)政知の嫡男茶々丸を追放して伊豆一円を支配し、戦国時代の関東の覇者となる。早雲は、江川家の屋敷の内にあった龍城山に城を築いたといわれ、江川邸表門を入った場所に早雲お手植えのキササゲという老木がある。

城域は南北約1・4キロ、東西約1キロの範囲に含まれる。標高128メートルの天狗岳砦から派生する各尾根の先端部に、本城・江川砦・土手和田砦・和田島砦を配置した。

元亀元年(1570)には韮山城で武田軍と激戦を展開した。8月12日には武田軍の大将武田勝頼や小山田信茂・山県昌景の精鋭が８千人の大軍で韮山城下に殺到し、城に籠もった北条氏規や北条氏忠などが必至に防戦した。「武田信玄書状写」によると、「韮山近辺」は残すことなく放火されたという。

天正18年（１５９０）、豊臣軍が伊豆に攻め入り、浦々に放火、豊臣方の徳川氏が韮山城に対抗する砦を築き、北条方に急迫した。３月29日山中城は陥落、同日には韮山城も包囲された。その数は３～４万とも（鍋島文書）、４万４１００人とも伝えられる（毛利家文書）。こうして、６月には韮山城も開城となった。徳川家康は、その後、内藤信成を城主に据え、内藤氏の転封で廃城となった。伊豆の国市は当城を整備して国の史跡を目指している。

手前の小高い丘が韮山城跡、ほぼ中央に本丸

24 寺家 1 願成就院と運慶仏

下田街道に戻って南下すると寺家の集落に入る。寺家は集落名のとおり6か寺集中している地域である。ただし、北条政子の父であり、鎌倉幕府の執権となった北条時政の祖父を時家といい、伊豆介を名乗った在庁官人であったので、ここに由来する地名とも考えられる。

集合している寺院の一つに願成就院がある。真言宗の寺院で、文治5年(1189)、鎌倉幕府を開いた源頼朝と関東武士団が、反抗した源義経をかくまった東北平泉の藤原氏を攻める時、北条時政が戦いの勝利を祈って建てたと伝えられる寺院。一説には行基開創ともいわれ、行基自作といわれる阿弥陀如来が本尊となっている。

『吾妻鏡』に時政が文治5年に大御堂(おおみどう)、承元元年(1207)に南塔、義時が建保3年(1215)に南新堂(『同書』)、泰時が嘉禎2年(1236)に北塔を建てたという記録があり、建久5年(1194)には北条義時が修理のために下向している(『吾妻鏡』)。北条氏によって、旧下田往還沿いにある現在の願成就院から守山の間にはさまれた大きな寺院に整備された。守山中世史跡群の一つで、寺院跡は現在の状態を保存して未来に残す必要のある遺跡として昭和48年(1973)国史跡に指定された。天正18年(1590)の豊臣秀吉の韮山城攻めで、そのほとんどが焼失、仏像だけが残ったと言う。発掘調査が行われているが、まだ寺院全体の建物配置などはわかっていない。

鎌倉時代を代表する仏師運慶が若いころの文治2年(1186)製作したという木造阿弥陀如来坐像・木造不動明王及び同年作二童子立像・毘沙門天像の各仏像は、大正8年(1919)に国の重要文化財に指定され、さらに平成25年6月、伊豆で初めての国宝に指定された。その他の仏像も安置されている。毘沙門天立像・不動明王立像からそれぞれ「文治二年歳次丙午五月三日奉始之　巧師勾当運慶、檀越平朝臣時政執筆南無観音」と書かれた胎内銘が発見された。平成29年9月から東京国立博物館平成館で運慶展を行った。この展示に当寺院の運慶作「毘沙門天立像」が出陣された。

願成就院

25 寺家 2 堀越御所跡

寺家集落の左に守山という標高100メートル(メートル)の小高い山がある。狩野川端はさくら公園となっていて、春のソメイヨシノの時期は素晴らしい。この脇に頂上へ登る散策路があり、20分ほどで頂上へ到達する。展望台からは、韮山城があった龍城山、江間地区や狩野川の流れを見ることができる。守山砦があったというが、場所ははっきりしない。『北条五代記』の「早雲堀越御所へ攻め寄する事」の項に「大森山へ攻め上り、御所御山を下り、会下(えげ)寺に入りて切腹し給ひ云々」とある。大森山は守山、御所は足利茶々丸のことである。会下寺は願成就院と伝わるが、一説には円成寺ではなかったかともいわれる。

周辺には、御所之内遺跡・願成就院跡・満願寺跡・守山砦跡・光照寺(円城寺)跡の5つの遺跡があり、また、御所之内遺跡には「史跡北条氏邸跡(円成寺跡)」「伝堀越御所跡」の2つの史跡が、願成就院跡には「史跡願成就院跡」の国指定史跡が所在する。これら、5つの遺跡と3つの史跡を包括して、「守山中世史跡群」と呼称している。これら史跡は、狩野川や守山などの豊かな自然に囲まれ、寺院や古い街道、石造物など、中世の景観が残り、自然と歴史景観が一体となった空間を作っている。

伝堀越御所跡は古くから堀越公方足利政知(まさとも)の御所があったと伝えられる場所。室町時代後半、大名の勢力争いが激しくなり、日本国内各地で戦乱が続く戦国時代が始まった。関東地方では、京都にある室町幕府に従う勢力と対抗する勢力とが激しく争っていたため、将軍足利義政は、直接関東を支配しようと、弟足利政知を鎌倉公方として派遣した。しかし、政知は戦乱のため鎌倉まで行くことができず、長禄２年(１４５８)韮山の堀越に居館を作って身を落ち着けた。これにより、政知は堀越公方と呼ばれた。しかし、明応２年(１４９３)子茶々丸のときに伊勢新九郎長氏(早雲)によって滅ぼされ、これ以後、戦国時代が始まったといわれる。伊豆の国市では、この場所の活用を検討している。

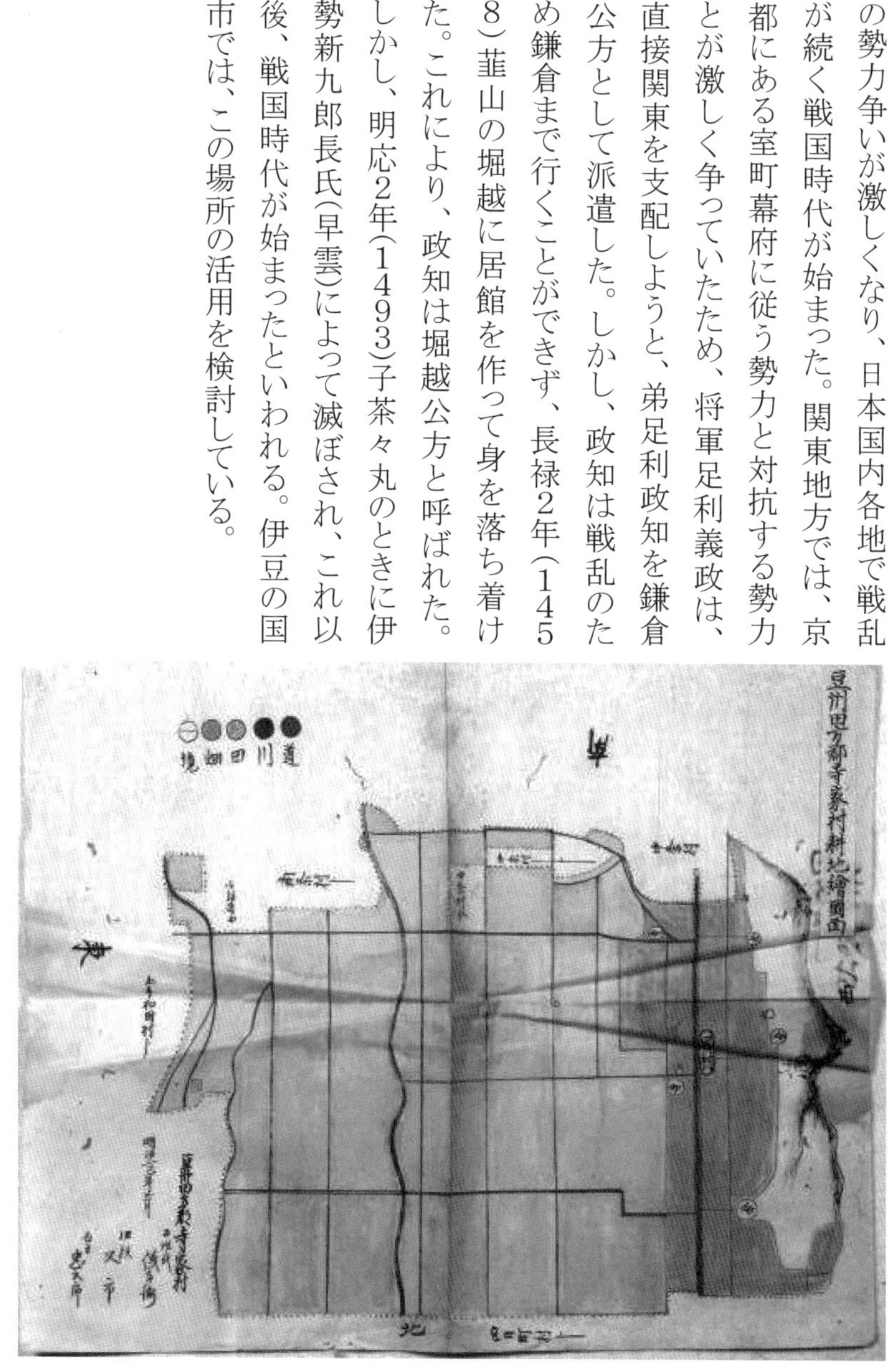

明治2年寺家村絵図、公益財団法人江川文庫提供

26 寺家 3 円成寺・守山八幡宮

守山のさくら公園側、伝堀越御所跡の西洞に円成寺があったという。発掘により室町期の遺構・遺物が発見されている。円城寺は、鎌倉幕府9代執権北条貞時(1311年没)の後室覚海円成が建立した尼寺で、北条氏所縁の女性が止住し、元弘の乱の亡魂を救う浄場となった。現中条の真珠院にある建武2年(1335)銘のある五輪塔等は末寺の円成寺から真珠院へ移されたものとの伝承がある。建武2年、塔は北条一門の菩提を弔うために鎌倉に戦没者供養が行われ造立された可能性がある。

室町時代には、関東管領の上杉憲定(1412年卒)が長基大全光照寺と号し、娘は仏門に入り、伊豆国円成寺の長老になるとある。室町期には山内上杉氏家督の娘が代々当寺に入っており、上杉氏の庇護下にあったものと考えられる。「蜷川親元日記」に、将軍足利義教に対して「寛正6年(1465)伊豆円城寺から御器海苔と椎茸が進上された」とあり、返礼として義教から扇が贈られた。

源頼朝が、治承4年(1180)8月17日、平家打倒のため山木兼隆邸の討ち入り、旗揚げをしたのが守山で、男山に向かって遙拝したという。男山は京都の石清水八幡であるが、長岡中学校の裏にある山は大男山(おとこ)という。守山の東山裾に守山八幡宮がある。寛政4年(1792)に伊豆を旅行した吉田桃樹(ももき)がその紀行文を槃游余録』に「延喜7年(907)に筑紫宇佐の宮を遷した」と記述した。また、建久6年(1195)

の『吾妻鏡』に願成就院の妖怪変化に関する記事があり、源頼朝が「寺を守護する鎮守の神を崇拝すれば、怪異はなくなる」といった中で、鎮守する神として祀っている。

守山八幡宮は、式内社「石徳高(イワトクノ)神社」が二分祀された神社の1つで、鎮座する寺家鎮守であるとともに北条3か村(四日町・寺家・中条)の総鎮守でもあった。7月13・14日の四日町にある八坂神社(通称お天王さん)の祭(現在はこの祭日に近い土・日曜)には守山八幡に神輿が渡御し、奉幣後還御する。また、三番叟を演じている。三番叟は伊豆市横瀬から幕末に盗んできたと伝わる。

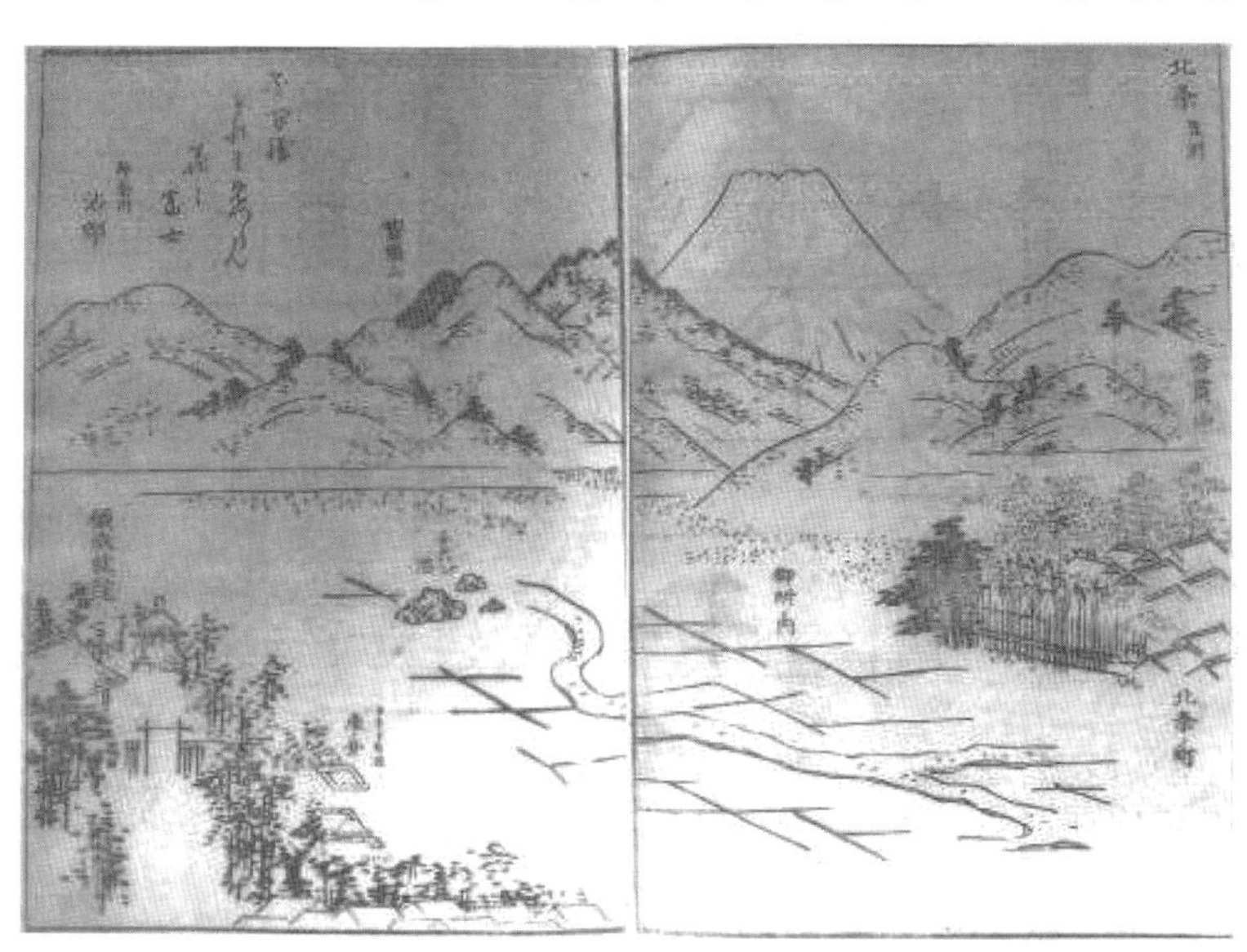

守山八幡宮、明和4年川村珉雪画『百富士』より

27 中條

下田街道の西にある古道を南下する。この古道は鎌倉古道とも呼ばれ、狩野川の支流で韮山反射炉の横を流れる古川まで行って途切れる。古川の狩野川へ合流する場所でもある。

右に子神社を見て、守山の南山裾、古川端まで来ると真珠院がある。河川改修が進み古川の流れは一定になったが、古く合流地点は湿地帯であった。子神社は豊作の神である大黒天を祀る。新田開発をした場所に勧請することが多く、湿地帯を開発したことがわかる。

北条の内最南端に位置する中條の古川端に真珠院がある。正安4年(1302)定仙が当山に住し、真言宗に所属、その後、文明2年(1470)足利政知が堀越公方になった際、実山永秀を招し、曹洞宗に改宗、定仙の石碑がある。

建武2年(1335)の銘がある五輪塔等があるが、これらは末寺の円成寺から移されたという伝承がある。建武2年の塔は北条一門の菩提を弔うために鎌倉に宝戒寺が建立されたが、その頃、円成寺でも一族の戦没者供養が行われ造塔された可能性がある。

源頼朝と逢瀬を重ねたという伊東祐親の娘八重姫が入水した伝説が残り、八重姫のはしご供養塔がある。「はしごがあれば姫を救うことができた」という当時の人たちの思いから、願い事がかなうとお礼にはしごを供える風習が残った。
『増訂豆州志稿』に源義経の妾静の開基といわれる廃満願寺の霊堂を慶応3年(1867)境内に移したという。静は八重姫ともいわれ、開基といわれる静との関連は不明。境内には定仙大和尚(1302年)五輪塔、貴喜丸五輪塔・世阿尼宝篋印塔・覚厳宝篋印塔(1335年)、阿弥陀如来磨崖仏(1363年)など鎌倉時代から室町時代にかけての年号が刻まれている石造物が残されている。

中條から見える狩野川の対岸には狩野川放水路がある。狩野川台風の被害の大きさにより建設されたが、それ以前から放水路の必要性を訴えていて、水害から守られるようになった。

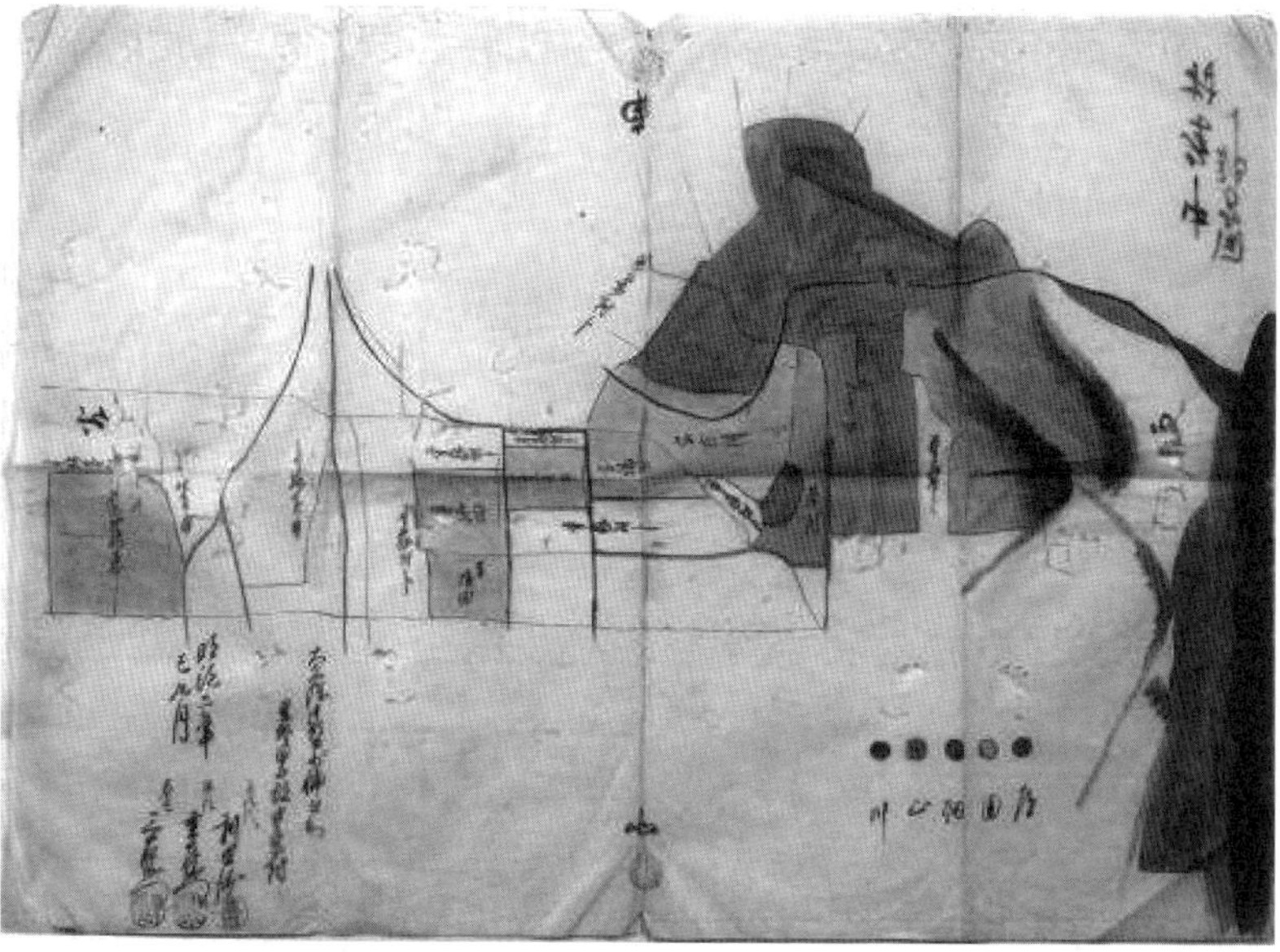

明治2年中條村絵図、公益財団法人江川文庫提供

28 南條 1 南條村

中條から南條に入る。『吾妻鏡』文治5年(1189)6月6日条によると、願成就院の上棟は北条のうちで行われ、その地は「南条・北条・上条・中条」が各境を並べていたと記される。上条が寺家のことと思われる。耕地整理以前は田方条里の痕跡を耕地の境に見ることができた。現在は、韮山反射炉へ向かう県道の反射炉に近づく左側の柿畑に植栽された柿の列の方向に見出すことができるだけである。伊豆箱根鉄道伊豆長岡駅の交差点から南が旧街道の復元が難しい。伊豆箱根鉄道の韮山反射炉入口の信号から線路を越え、反射炉に向かって進行方向に信号がある。この信号を右折すると南條本村という集落に入り、ここが昔のままの通りにあたる。道幅も狭く、当時からの集落そのもの、村絵図にも街道沿いに住宅が密集して描かれている。

北条の地は平家の直轄地であった国衙を守る在庁官人であった北条氏がおり、その南に中条氏がいた。『源平盛衰記』には(中條)義勝坊成尋は伊豆の人で、源頼朝勃興初より従うと記述されている。北条氏とともに頼朝に従ったが、中条氏も平家だった可能性が高い。南条氏は北条氏の家臣だったというので同様平家の土豪であった。蛭ヶ島にいる頼朝を、東と北は山木兼隆、西は北条・中条氏、南は南条氏が監視していたのではないかと思われる。

頼朝は蛭ヶ島に流刑にされたいっても幽閉されていたわけではなく、流刑中安達盛長という側近をおいていたし、自由に出かけられる身分であった。八重姫伝説にあるよう、伊東祐親の娘のところへ通う道は、冷川峠を越える伊東街道と思われる。蛭ヶ島の出入りを監視するのが南条氏であったのだろう。伊東街道沿いには、頼朝旗揚げで従った土豪が多い。頼朝が伊東へ通わなければ、頼朝の存在は知られなかったと思われる。加藤景員・景廉父子(牧之郷)、田代信綱(田代)、堀藤次(大野)、大見家秀が知られているが、その他、城・八幡氏などの従ったという。伊東街道沿いに残る地名である。『真本曾我物語』に頼朝の伊豆奥野の狩に従い、駿州富士野の狩では6番の射手に加わった南條小太郎の名が見える。

天保14年南條村絵図、公益財団法人江川文庫提供

29 南條 2 南条時光

建治元年(1275)、京都六条八幡宮の造営料を負担した伊豆の御家人7名の中に「南條七郎左衛門入道(時員か)3貫」とある(六条八幡宮文書)。承久の乱(承久3年、1221)に際して、南條時員が京都に進発する北条泰時に従ったとある(『吾妻鏡』)。南条氏は執権北条氏の家臣として登場する。その家系の内、南条時光を紹介したい。

南条時光(1259~1332)は、日蓮・日興の信奉者で日興の第一の弟子である。延慶2年(1309)に時光は伊豆国南条南方武正名内の所領を自筆をもって南条三郎に譲っているので(大石寺文書)、もと伊豆南条に住んで南条氏を名乗ったの考えられる。のち駿河国富士郡上野郷を本拠とし、日蓮は「上野殿」と呼んでいた。

北条氏直系の家臣であった父は、鎌倉番役出仕中、日蓮に帰依したが病没した。文永2・3年(1265・6)ごろ亡父の墓参に来駿した日蓮に会ったといわれるが、その師檀関係は同11年の日蓮の身延入山直後再結された。日蓮はまた駿河在住の日興を南条家につかわして、その結びつきを図り、時光は駿河における彼らの教えの代表的信奉者となった。

しばしば身延に日蓮を訪ね供養の品を届け、日蓮も最晩年の弘安5年(1282)には南条時光宛に度々書状を送り、訪問もしたらしい。正応元年(1288)それまで日蓮の廟所を守っていた日興が身延を去ると、自家の持仏堂を提供、さらに同3年には大石ヶ原に大石寺を創建、ここに請じた。永仁6年(1298)には日興の発願にこたえ、甥の石川孫三郎らとともに重須に御影堂(日蓮宗大本山の北山本門寺)を創建している。伊豆新田氏や駿河石川氏と姻戚関係にあり、時光の甥の日目や外孫の日道、日行らがそれぞれ大石寺住持職(じゅうじしき)を継承している。日蓮の教えを信奉したのみならず、日興門流の発展に寄与した。伊豆に日蓮宗寺院が多いのは南条時光と、伊東へ日蓮が流されたことに起因するものと思われる。

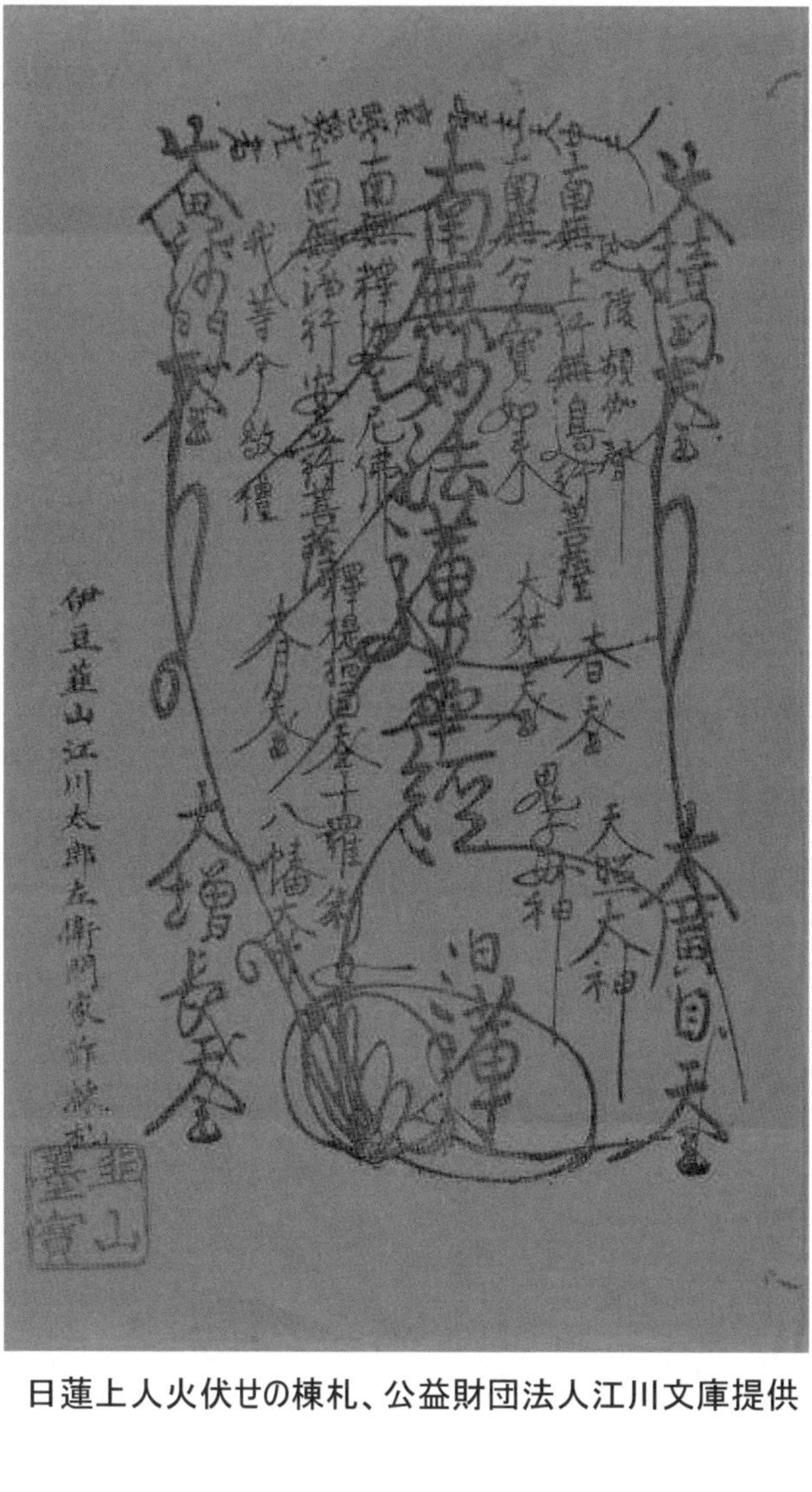

日蓮上人火伏せの棟札、公益財団法人江川文庫提供

30 南條 3 韮山反射炉

下田街道の南下にあたって度々横道にそれるが、南條は反射炉荷物の荷受け地になっていたので、反射炉のことを紹介しないわけにはいかない。

反射炉は平成27年7月8日ドイツ・ボンで開催されたユネスコ世界遺産会議において「明治日本の産業革命 製鉄・製鋼、造船、石炭産業」として23構成遺産とともに世界文化遺産に登録された。それ以前には、大正11年(1922)に国指定史跡となっていた。

反射炉は、銑鉄(せんてつ)を溶かして炭素などの不純物を減らし大砲を鋳造した熔解炉である。熱や炎を湾曲した天井で反射させて鉄の熔解温度1300度以上を出すように工夫されているので反射炉と呼ばれる。日本で反射炉は萩市のものと伊豆の国市のものだけ残るが、実際に稼働した当時の物が完全な形で残るのは世界唯一であろう。炉は外面が伊豆石で積まれ、内面は耐火煉瓦のアーチ積みで2基ずつ、4基がL字状に配置され、その上に煉瓦を積んだ煙突があり、炉と煙突の部分を合わせた高さ約17メートルの鉄を溶かす炉だけが残っている。反射炉で溶かした鉄は、鋳型に流し大砲などに加工した。近年、鋳造に使う砲弾の鋳型が発掘調査で発見されている。

戦乱相次ぐ18〜19世紀のヨーロッパで発達した高炉(溶鉱炉・鉄鉱石精錬炉)で大量の銑鉄(せんてつ)が生産さ

れるようなった。これにより鉄の鋳造が盛んになると、大型の鋳造用溶融炉として反射炉が出現した。それ以前の大砲は青銅製でコストが高かったが、反射炉の出現により、安価な大型の鉄製砲の量産が可能となった。

日本に、オランダ人ヒュゲーニンが著した『ライク王立大砲鋳造所における鋳造法』が輸入されたのは天保初年（1830年代前半）で、佐賀藩主鍋島直正と江川英龍の交流において翻訳された。天保13年（1842）江川英龍は青銅砲では高価なため、安価な鉄製の大砲を造る願いを幕府に訴えた。嘉永6年（1853）のペリー来航により、国防の必要性を感じた幕府は英龍に命じて築造を始めた。安政4年（1857）11月、英龍の子息英敏の時に完成した。

韮山反射炉、茶畑から富士山と合わせて2つの世界遺産が見える

31 南條 4 南條河岸

南條は北流する狩野川の水流を横山で守られている好適な立地にある。そこに河岸(かし)が設けられ、幕末には反射炉で製造する大砲の原料、完成した大砲を運び出すための川の港になっていた。大砲は重いので1艘の川舟では沈んでしまう。何艘が必要であったのかまでは解明していないが、南條の川舟ばかりでなく、四日町や肥田の川舟なども調達されたので、渡し舟があった場所から川舟を集めて筏のように組んで、その上に大砲を設置し運び出したものと思われる。川は川舟が通るほどの深さがある場所ばかりではないので、人力で船道を作った。

荷受けする問屋のような役割を果たす場所もあった。若松屋という。現在残っていないので、どのお宅がその仕事をしていたのかわからない。河岸があり、下田街道と伊豆の東西交通路である網代街道の交差点にあるため、宿泊所、商店も並んでいた。その大きな商店の一つで幕末から日野屋があった。現在は街道左側に駿豆通運の倉庫として残っている。

天保5年(1834)山中兵右衛門商店が近江国蒲生郡から来て出店開業、日野屋として醤油・酒の醸造を開始した。伊豆の国市古奈の西琳寺に日野屋に勤務していた人たちの供養塔が造立され、住所がすべて近江国となっている。明治43年伊豆を旅行した柳田國男は「五十年前の伊豆日記」で、沼津日野屋の店員に松崎の宿で出会い、聞いた話を記載している。そのなかで南條にも店があり、諸国にかけて数十の店を持つ、店員には行く先々の土地の人は殆ど使わず、皆近江から連れて来るという。

この狩野川右岸の集落を守るため、狩野川台風以後堤防を作り、その上を国道１３６号が通過している。古くは甲州流の雁堤が守っていた。南條を開発した一人に原氏がいた。原氏は甲州から南條に移り、甲州流の水制工法を心得ていたものと思われる。

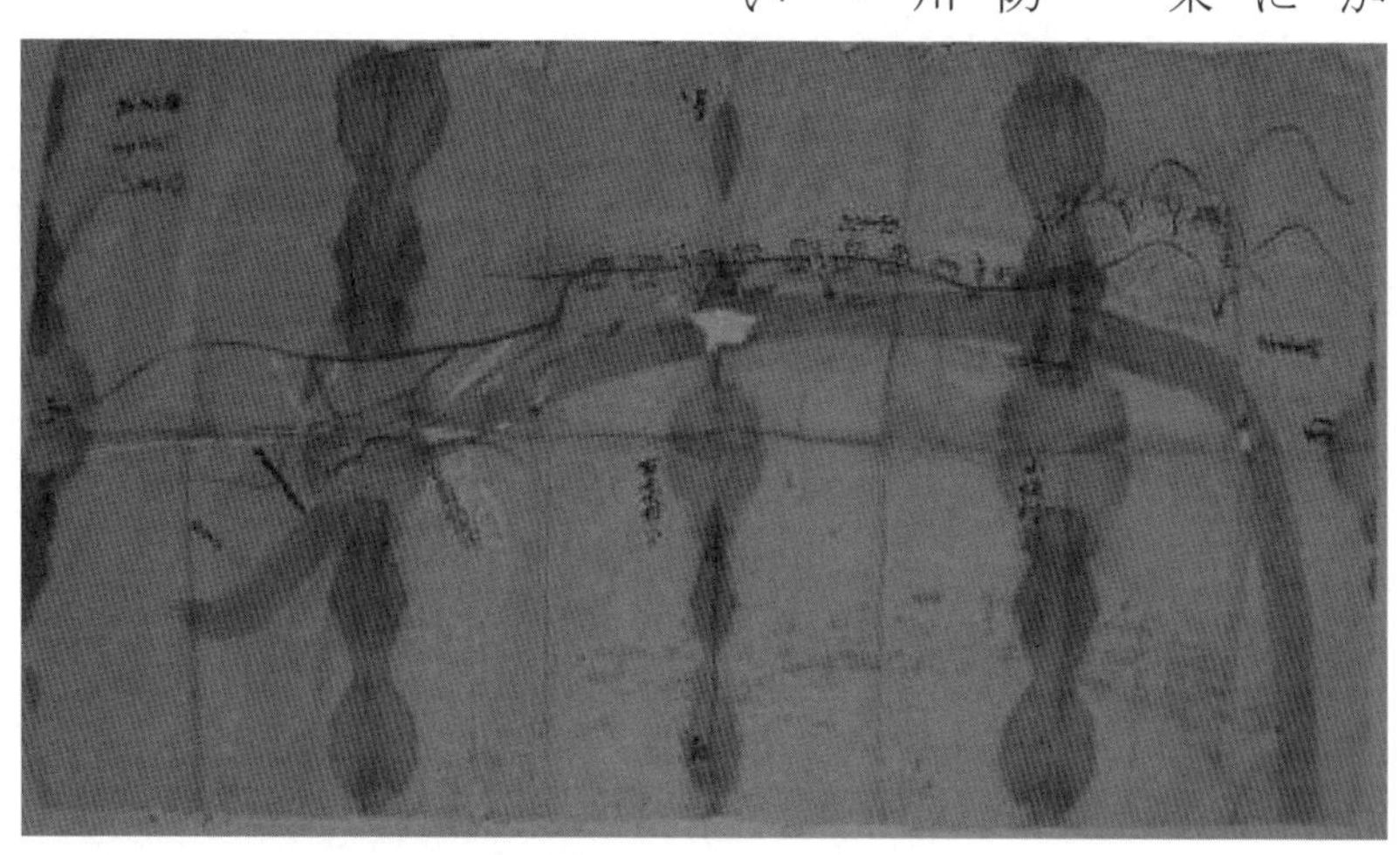

年不詳江戸時代の南條村絵図、個人蔵

32 南條5 南條村と網代街道

伊豆長岡駅は明治31年伊豆箱根鉄道が開業した当初の終着駅で、当初「南條駅」といった。そこから古奈へ向かって千歳橋が狩野川に架かる。江戸時代に古奈と南條を結ぶ道は橋ではなく、渡し舟であった。場所は千歳橋の位置ではなく、上流の南條本村の駿豆倉庫に近いところである。

対岸の長岡南小学校前を通る道を網代街道と呼んでいる。三津や内浦・西浦から伊豆の東海岸である網代や多賀へ向かう東西交通路になっていた。東浦往還ともいう。渡し舟で南條へ入り、横山の入口をまっすぐ網代へ向かう。右折するのが旧下田街道である。現在、田中山までは当時の道を復元できる。MOA浮橋農場を通過し、山伏峠を越えることも判明しているが、それより東はどうなっているのかわからない。

『トバエ』の作者であるフランス人画家ビゴーは、明治20年(1887)夜中に東浦往還を利用し、修善寺から熱海へ向かった。当時はまだ現役で使われていたことがわかる。江戸時代は、特に西浦からの魚運搬にとって重要な往還路で、西浦の鯛は江戸城へ御菜御用として運ばれ、鯛以外でも鮪・鰤など運搬された。それを一手に請け負ったのは網代にいた御用商人御木(紀伊国屋)半右衛門であった。御木半右衛門は紀州から網代にやって来て、貞享年間(1684～88)江戸へ魚を運送する業務を手に入れた。

田中山を越えて網代に運び込まれた魚は足の早い押送船（おしおくり）で飯島（鎌倉市）に輸送され、ここで陸揚げして三浦半島の付け根を横切る。そして、野島（横浜市金沢区）から再び船に積みかえて江戸の小田原町にある魚河岸へ送り込むという方法であった。主に冬の夜に輸送された。田中山は幕府の御林に指定されていたので、防火に十分な注意を払わなければならなかった。この陸送の担い手が馬士（まご）であった。馬士は仁田（函南町）、原木、南北江間（伊豆の国市）などの者であった。

網代街道入口付近

33 横山坂

下田街道のうち、天城峠以北で最も難所といわれる場所で「横山坂」といわれる。南箱根のローム(火山灰)層のため、箱根峠と同様、雨が降れば滑って歩くことができない状態になった。

南條の集落を離れて南条自動車の前を左に入ると石造物群がある。ここをまっすぐ進むと東浦へ続く東浦往還、右に曲がれば下田街道である。狩野川の堤防を走る国道136号、伊豆箱根鉄道が平行し、その東の横山の裾に道がある。これを旧下田街道と思っている人が少なくない。これは、明治7年頃に地元の人が中心となり開いた、当時の新道である。旧下田街道は、この新道の上を通過している。

途中はローム層を切った切り通しになり、旧大仁町時代、『宗光寺村史』編さんにため発掘調査を行った時、幅2間(約3・6メートル)に側溝があるのを確認した。江戸時代は刀を差した武士が馬ですれ違うのに触れ合わない距離ということで、基本の道幅は2間だったという。峠まで行かない途中の開けた場所からは遠くに富士山を眺め、眼下に狩野川、西に葛城山と長岡の温泉、南に城山を見ることができる。街道のなかでの眺望のよい場所の一つである。下田奉行として赴任する小笠原長保が文政7年(1824)に書いた『甲申旅日記』に「南条を過ぎ、田中村、横山坂にかかる。峠より大久保出雲守教孝の山中の陣屋見ゆる」とある。

峠には嘉永5年(1852)に建立した唯念名号碑、文化12年(1815)に建立した六十六部廻国供養塔、嘉永2年の両国板東秩父巡礼供養百番塔がある。この場所は古刹であった清生寺の山門があったところである。清生寺には、天平5年(733、奈良時代)8月、狩野川から地蔵が忽然と現れたので、これを祀ったというがある。戦時中、清生寺の本堂や庫裡に疎開者が入った。その1人にパール・バックの『大地』やスタインベックの『怒りの葡萄』を翻訳した新居格(にいいたる)がいた。

横山坂から望む富士山と狩野川

34　宗光寺　宗光寺と宗光寺廃寺

横山坂を越えて平地に下る。ここは狩野川の支流である宗光寺川がつくった谷戸地形で、この場所を過ぎると、狩野川の氾濫原と右岸側の河岸段丘がはっきり区別できる地形が続く。谷戸地形は谷田ともいい、当地の昔から居住するほとんどの家の苗字は、矢田さんを名乗る。このような地形は水田が最初に開かれる場所で、豊かな地域であったと思われる。谷戸の北側の斜面に横穴古墳群があり、宗光寺川の左岸には宗光寺廃寺がある。

長伝院周辺の山裾で発掘によって飛鳥時代の寺院である宗光寺廃寺が発見され、金堂及び講堂跡と思われる遺構、軒丸瓦、軒平瓦、平瓦を検出した。萩原正夫が、伊豆国国府は田京にあったという説を立て、この寺院を国分寺である『延喜式』に所載された山興寺にあたるとしたが、現在では否定され田方の集落をなしていた豪族の私寺であろうと考えられるようになった。

宗光寺の地名の起こりは、古く宗光寺という寺院があったことに由来する。田中山方面に向かう途中にある慶寿院の場所に１５００年頃建立された寺院が宗光寺である。現在は慶寿院となっていて、宗光寺は豊臣秀吉の韮山城攻めで焼失し、移転して南條の昌渓院となった。昌渓院に行くと宗光寺の人たちが檀家だった証拠が墓石に残っている。

宗光寺は田中郷のうちといわれ、田京の広瀬神社が総鎮守である。白幡（しらはた）神社は広瀬神社の祭礼の休所となっている。また、宗光寺から三角の山容をした山が見える。浅間山といい、山頂の浅間神社は富士山の姉の磐長姫を祀る。毎年6月30日に近い日曜日に祭が行われる。夕刻が迫る頃、白幡神社境内に大きな火が炊かれ、この火を多数の松明に移して、大人も子供も一緒になって浅間山の坂道を駆け上り、頂上に用意された麦藁（むぎわら）などに点火する。害虫駆除や雨乞いなど、作物の豊作を祈願したのが始まりといわれる。山頂に登ると、田方平野から遠く天城山まで眺望できる。寛政4年（1792）に書かれた「槃游余録（はんゆうよろく）」に、「宗光寺村の神隠し」伝説が紹介されている。

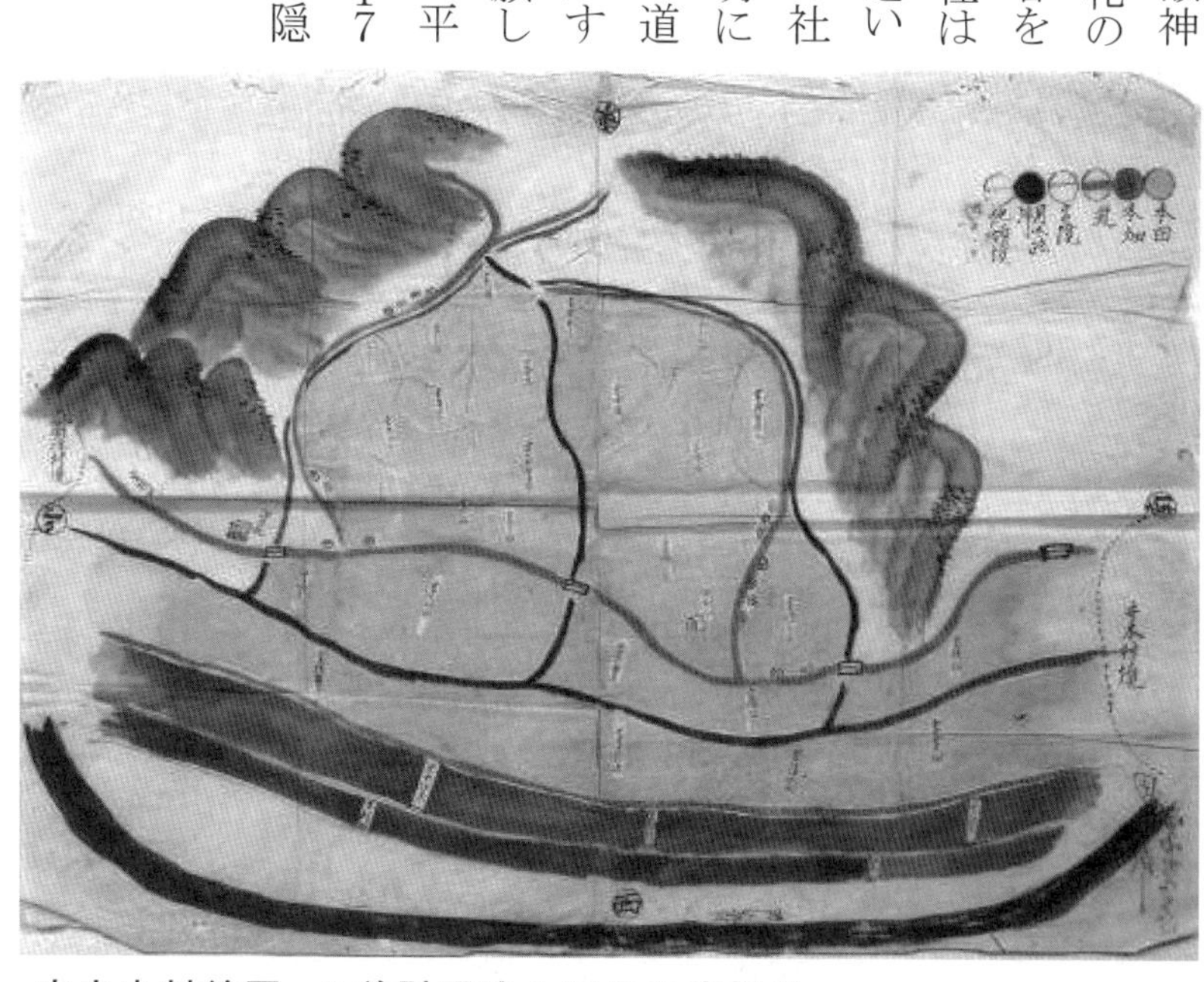

宗光寺村絵図、公益財団法人江川文庫提供

35 守木 1

宗光寺から伊豆箱根鉄道の線路へ向かわず、河岸段丘の裾を南下するのが旧下田街道である。守木の宗光寺と同様谷戸があり、ここにも横穴古墳がある。狩野川流域にある横穴古墳の最南端で、8世紀頃造営されたと考えられ、現在5基が開口しているのが確認されている。

街道左に第六天神社、曹洞宗随応寺がある。第六天を祀る神社は伊豆各地にあるが、神社名として使っているのは守木だけである。勧請・祭神とも不詳というが、元文元年(1736)の棟札が残され、祭神は高皇産霊命(たかみむすびのみこと)と記載されている。第六天は高皇産霊命をさし、天津神(あまつ)で天地創造万物生成の神である。五穀豊饒、子孫繁栄の神として崇拝される。天津神であるため、第六天を祀る神社は大抵集落を見下ろせる場所に勧請(かんじょう)されている。ここでも神社まで階段を上っていく。境内入口に文化10年(1813)に石工長瀬村長七が造った石灯籠がある。例祭は11月3日、総鎮守である広瀬神社例祭として田中地域全体で行う。

随応寺は曹洞宗寺院で、山号は稲荷山、本尊観世音菩薩である。『増訂豆州志稿』には大永7年(1527)建つとあり、宗光寺を創建した仁仲が隠居寺とした。伊豆中道26番札所となっており、中道では馬頭観世音菩薩を参拝する。

中道は「なかどう」と読む。横道(よこどう)とともに西国観音霊場を写したもので、写し霊場ともいわれる。中道はいつから始まったかなど全体像を掴むことができない。牧之郷の合掌寺は31番、29番札所伊豆の国市吉田高勝寺は明治5年(1872)に廃寺となったので、それ以前のものである。慶応2年(1866)の豆国三十三所観世音菩薩霊場は中道ともされ、中伊豆地域でまとまった霊場をつくっている。第六天神社の上に平石古墳がある。周辺にも古墳があったが開発で消滅した。駒形神社があった場所で、当社名は古墳に使われる場合が多い。

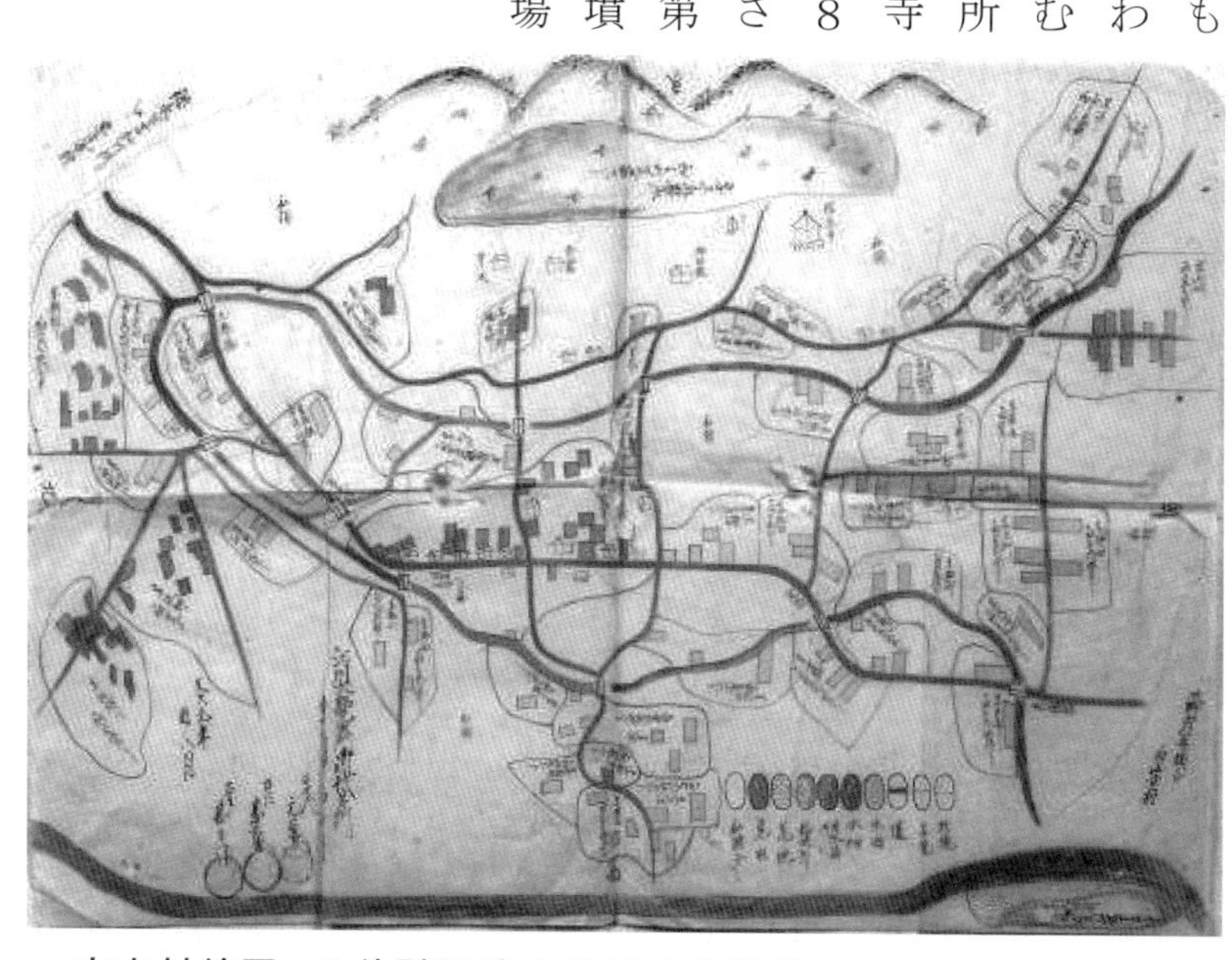

守木村絵図、公益財団法人江川文庫提供

36 守木 2

守木は丘陵の山裾に本村の集落があるが、東に古くから守木山田という集落がある。ここに金山神社が祀られている。金山神社は金山彦(かねやまびこ)を祀る。守木には金山の跡はないが、隣の田京山田には昭和になって開発した金山跡がある。

伊豆には金山が多くあったことは知られている。伊豆の最後の金山は持越鉱山である。半村良の小説『闇の中の黄金』に『とにかく金など無縁だからなあ。日本ではどこで掘っているんだい』『北海道の千歳と鴻之舞。静岡の持越。鹿児島の串木野と大口。…』の記述がある。

江戸時代前から開発されたものを含め、古い時代の金山は、土肥・湯ヶ島・大平(伊豆市)、大仁(伊豆の国市)、縄地(河津町・下田市)、相玉(下田市)、毛倉野(南伊豆町)がある。これら金山は江戸初期までに開発された。その後、掘り続けた金山もあるが、江戸時代の終わりまでには、鎌田(伊東市)や戸沢(伊豆の国市)、三津(沼津市)などの採掘があった。江戸時代中期、5代将軍綱吉が東大寺をはじめとする社寺の修復を手がけ、さらに元禄文化といわれるように経済活動が活発となったため、金不足となったことはご承知の方もいると思う。この金不足を解消するため、新しい金山開発が積極的に行われた。場所がわからない地域もあるが、戸沢は坑道の跡、ズリ捨て場跡を見ることができる。三津はこの頃銀山として開発されたが、位置がわからない。

さらに明治初年には殖産興業政策により、伊豆各地で開発があり、明治末から大正期、昭和初期まで軍事資金確保のための開発が進んだ。田京金山や三福鍋沢金山でも採掘、選鉱が行われ、選鉱した金鉱石は大仁金山に運ばれて精錬していた。伊豆の金山は鉱脈が短く、また、空気の供給の問題もあり、結果的に短い坑道のものが多い。こうして、伊豆各地の山は穴だらけになった。

戸沢銀山跡

37 御門 六角堂、蔵春院

守木の河岸段丘の裾を南下し、平石古墳のある丘陵へ登る道との分岐点があり、これをまっすぐ行くと田京の古刹蔵春院である。下田街道はここを右折する。この道と周辺は古代条里の痕跡が残る最南端である。守木集落内を通過する途中に「蔵春院入口」を示す石の標柱があったが、現在はなくなってしまった。国道136号を斜めに横切り、御門集落に入る。下田街道は久昌寺・六角堂跡で直角に屈曲する。御門の地名の起こりは「水角」ともいわれ、狩野川に近い場所で、古くは白山堂を通って天野の渡しがあり、そこへ大門橋が架かった。

『豆州志稿』によれば国府が田京にあり、伊豆国分寺が当寺ではなかったかと推定、江戸の国学者であり歌人でもあった清水濱臣の著書『泊洦文藻(ささなみぶんそう)』には、蔵春院板仏記に「久昌寺は昔の国分寺にて」とあり、『静岡県史蹟名勝天然記念物調査報告』でも六角堂は国分寺跡としている。国府が三島にあったことが確実になってから、これらの考えは否定された。廃寺となってからも、十王堂や六角堂が残されていたので相当大きな寺院であったことは確実である。

江戸時代に大火によってすべて焼失してしまい、六角堂の礎石と十王像が残るのみである。六角堂の印は御門公民館で管理されている。寛政4年(1792)「盤游余録(ばんゆうよろく)」で著者の吉田桃樹(ももき)が参詣、「昔頼朝坊といへる法師、六十余り六の国々を巡り、尊とき寺々を残りなく拝み果て、この国へ帰り、木もて阿弥陀仏の御形、ここら数知れず造りて田中村久昌寺といふ大寺へ納め置きつ。」と、記述した。明治6年(1873)9月、学制により吉田西光寺に学校がおかれたが、六角堂は吉田学校の分校「田中学舎」として使われた。

久昌寺跡から少し西北へ向かった狩野川堤防手前の微高地に頼朝（らいちょう）塚がある。六十六部である頼朝坊(895～977)が全国66か国を巡り、最後に伊豆へ来て御門久昌寺に立ち寄り、阿弥陀仏1千体を納め、参詣に来た人々に分け与えたという。

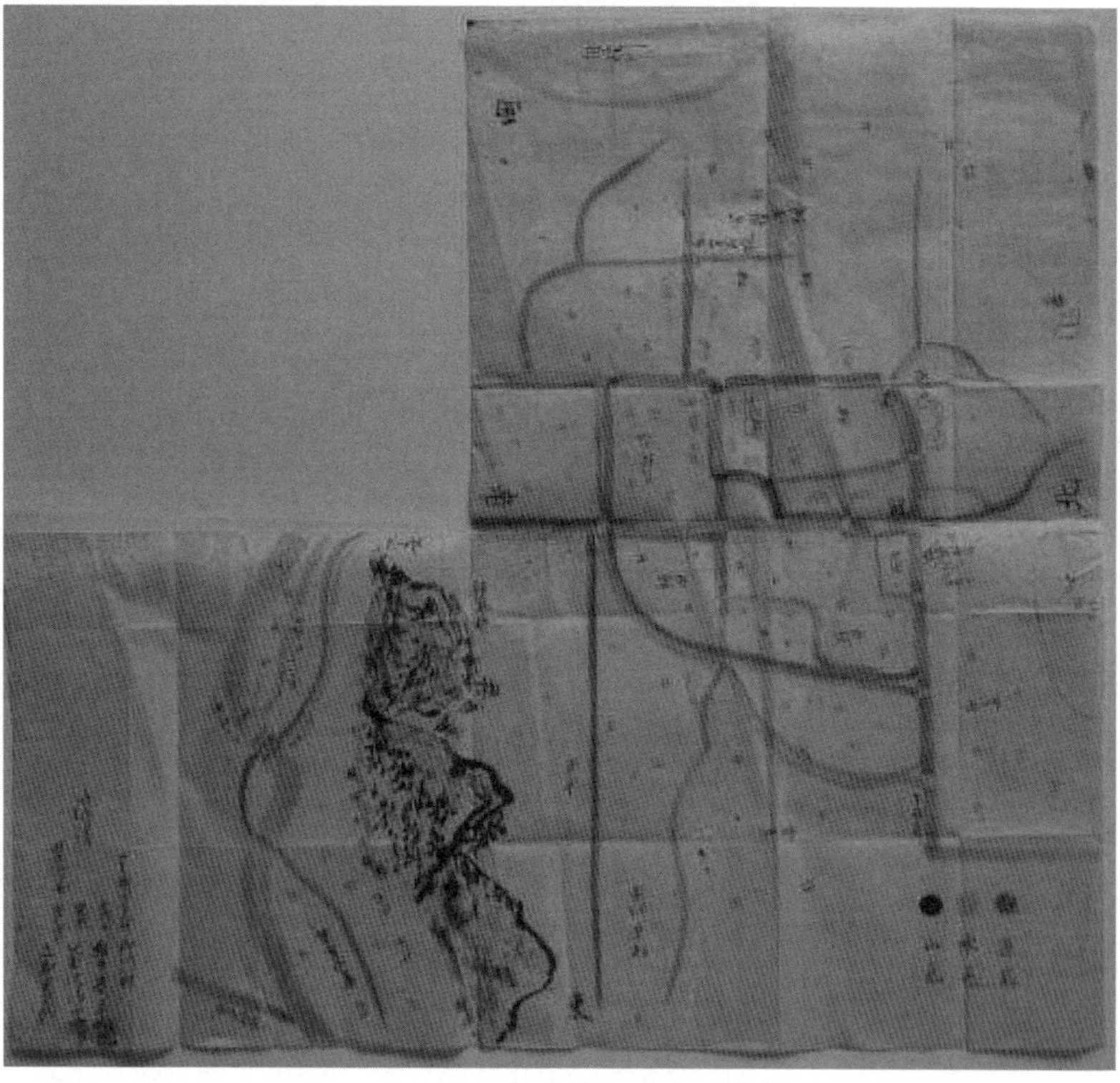

御門村絵図、公益財団法人江川文庫提供

38 白山堂 1

下田街道を御門の久昌寺・六角堂跡で屈曲して再び国道136号の交差点に出る。ここは、三津方面から入る道と国道と旧下田街道が交錯する御門の交差点といっている場所で、6差路になっている。旧道は信号を斜めに横切り、細い路地のような道を伊豆箱根鉄道田京駅方面に向かう。交差点前の左にある集落を白山堂という。

『増訂豆州志稿』に「永禄13年(1570)、慶長17年(1612)等の棟札あり(古楠樹あり)」とあり、永禄・慶長年間には既に当神社が存在していたことが知られる。現在、その棟札は見あたらず、残されている明和3年(1766)の棟札によると慶長17年に堂宇が崩壊して、その後、荒れるにまかせていたが、明和3年宮内宇左衛門らによって再興したとする。境内に享和4年(1804)甲子塔、天明3年(1783)石灯籠、徳本妙号碑、唯念名号碑がある。神社脇の甲子塔横に力石が置かれる。白山神社の信仰から境内寺院となっていた廃多福院が祭主となって造立したものと思われる。甲子塔は「きのえね」で大黒天を祀り、五穀豊饒・子孫繁栄を祝うため「甲子講」というものを組織して甲子(かっし)の日にお供えをする。徳本・唯念とも江戸時代の念仏行者で、「南無阿弥陀仏」の念仏を広め、浄土へ導くものである。両方の名号碑が一か所にある例は珍しい。唯念碑は通行の多い場所に建立され、ここも狩野川を渡る天野の渡しへ通じる場所で、西浦への通行で頻繁に使われた。

平成7年(1995)神社本庁に登録した神社は18993社で、さらに白山神社の末社は全国に2716社といわれ、伊豆には当社を含め9社がある。山岳信仰で、白山信仰の伝播には修験道に負うところが多いという。白山本宮、加賀一宮、白山比咩神社の祭神は菊理媛命(くくりひめのみこと)とされており、折口信夫は「此神は黄泉(よもつ)比良坂に現れます。それから考えて行くと菊理は泳(くぐ)りで、禊ぎをすすめた神らしく思われるのです。」(『折口信夫全集』第17巻)この点から、水霊と大きく関わるものと思われる。

神社の参拝道入口に狩野川台風水難碑がある。白山堂は狩野川台風でほぼ壊滅的な被害を受けた。

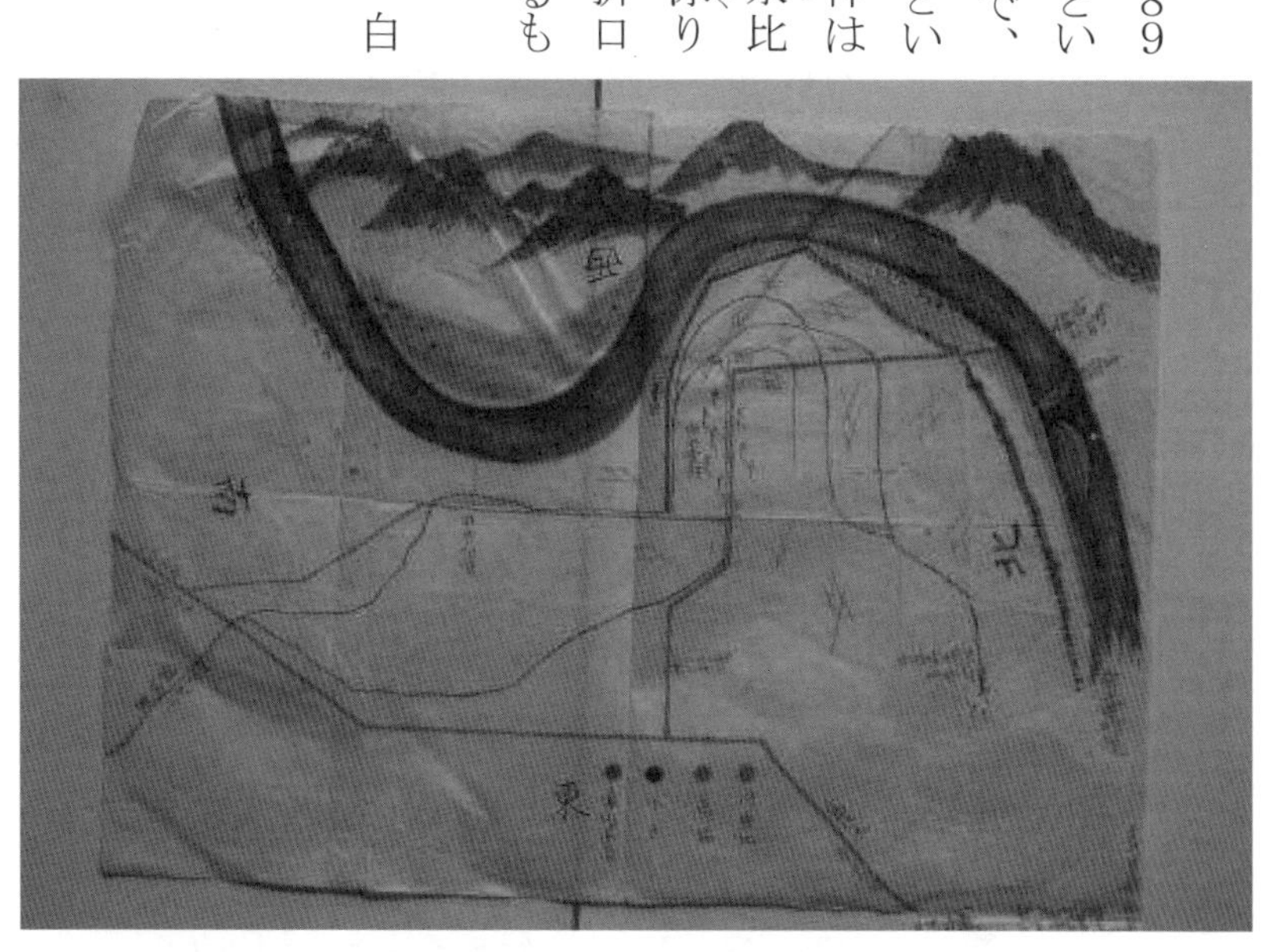

白山堂村絵図、公益財団法人江川文庫提供

39 白山堂 2 江間堰

江戸時代初期、江間村が天水に頼るだけの用水不足の地であるため、南江間村の名主であった津田兵部と北江間村名主石井清兵衛の発起により、狩野川から江間村に灌漑用水路・江間堰を建設することを計画した。兵部らは幕府に直営を願い出るが許可されず、また上流村々の反対に遭う。しかし、兵部の決意は堅く、江戸に居を定めて幕府当局に熱心に陳情した。家運を傾け、家財も乏しくなり、江戸に薬店を営みながら計画の貫徹を図る。江戸での生活3年を経てついに工事着手の運びとなり、三島代官伊奈忠公指揮の下に着工される。

現在の大門橋から下流へ500メートルほどの場所に起点とするよう天野村(伊豆の国市)に取水場所を変更し、城山の石を採掘して水中に沈め、長さ96間、幅10間の石堰を築いて水を貯めて水位を上げ、北江間まで通じる水路を造った。長岡・古奈・墹之上(ままのうえ)を経て江間に通じる用水路が明暦元年(1655)2月完成した。

江間堰から南江間分水まで延長30町12間(約3・4キロ)・堀敷5尺(1・5メートル)の用水を引き、南北江間村の普請で、さらにここから打塚までの北江間分は北江間の普請で管理した。用水は最終的には江間川に落とし、岩崎水門で狩野川に悪水吐けを行っていた。

その後、字天の前の巨石を砕いて寛文9年(1669)に天野村へ引き入れるための用水穴を完成、天野・小坂へも用水が回るようになった。工事の際の巌穴を兵部穴といって兵部をたたえた。『田中村誌』の神益村の項に「明暦元年より江間堰用材として年々城山の石を掘り取ることを江間村と契約したが、その後しばしばこれについての争いが起こった。」とある。

昭和29年(1954)堰のコンクリート化が行われ、同33年の狩野川台風後45年に至り、水害解決のため撤去され、揚水ポンプ施設に代わった。平成14年(2002)には撤去後の残骸も完全撤去された。関係碑として、天野に天野堰遺功頌碑がある。

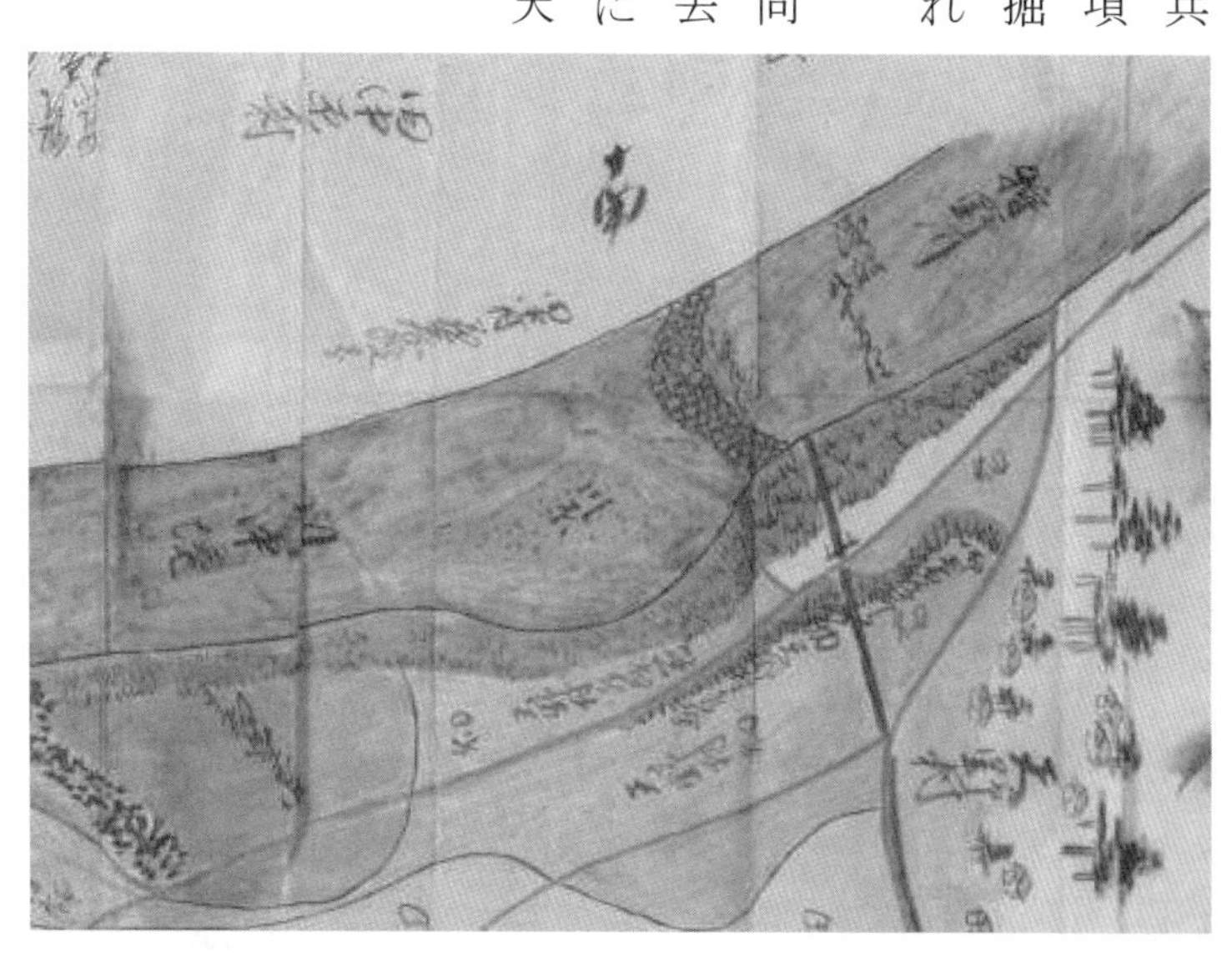

江間堰絵図、天野村絵図部分、公益財団法人江川文庫提供

40 田京 1

伊豆箱根鉄道田京駅前を通り、北上して踏み切りを過ぎて右折する道は、伊豆箱根鉄道が開通してできた道である。これは現国道ができる前、下田街道・国道136号であった。狩野川台風前から現国道である新道整備事業が進んでいたが、狩野川台風を契機に事業が一挙に進んだ。

御門交差点から斜めに入ると田京郵便局に突き当たり、線路に阻まれる。ちょうど郵便局・田京駅を下田街道が通っていた。田京駅の前の旧道に出て、そのまま進むと交番の前だ。これが江戸時代の下田街道で、広瀬神社の横を過ぎ、狩野川の支流の深沢川に架かる深沢橋を渡ると三福に入る。

田京駅前の斜めに入る道を交番横に出ず、まっすぐ河岸段丘を上に登る道が続く。しばらく行くと左側に城と思える石垣のある屋敷跡がある。明治から大正にかけて村長になるなど活躍した渡辺円蔵家である。田京駅は渡辺円蔵が私財を投じて建設したという。開業は大仁駅と同じ明治32年である。

駅に着く前の道を左折するとかつて修禅寺・最勝院とともに伊豆の三名刹といわれた蔵春院という古刹に向かう。総寧寺(千葉県市川市)末、永享11年(1439)創建、開山僧明宗という。永享11年の乱で、主君足利持氏を死に追いやった関東管領上杉憲実は出家して高岩長棟（こうがんちょうとう）と号し、韮山の国清寺に入り、その後、白山堂の郷士宮内氏の力を得て春屋（しょうおく）州能を請し、持氏追悼の寺として建立した。昭和21年（１９４６）全山焼失、31年に再建した。本尊は寺宝釈迦牟尼仏で、伊豆八十八所霊場の10番札所（釈迦如来）。釈迦如来坐像は16世紀初から奈良宿院町を中心に活動した宿院仏師の作と考えられる。伊豆の国市守木に蔵春院道標があった。通称黒門には町石（ちょうせき）「一町」（田京駅付近の蔵春院入口にあったものを移したともいう）があり、本寺まで続いていた可能性がある。

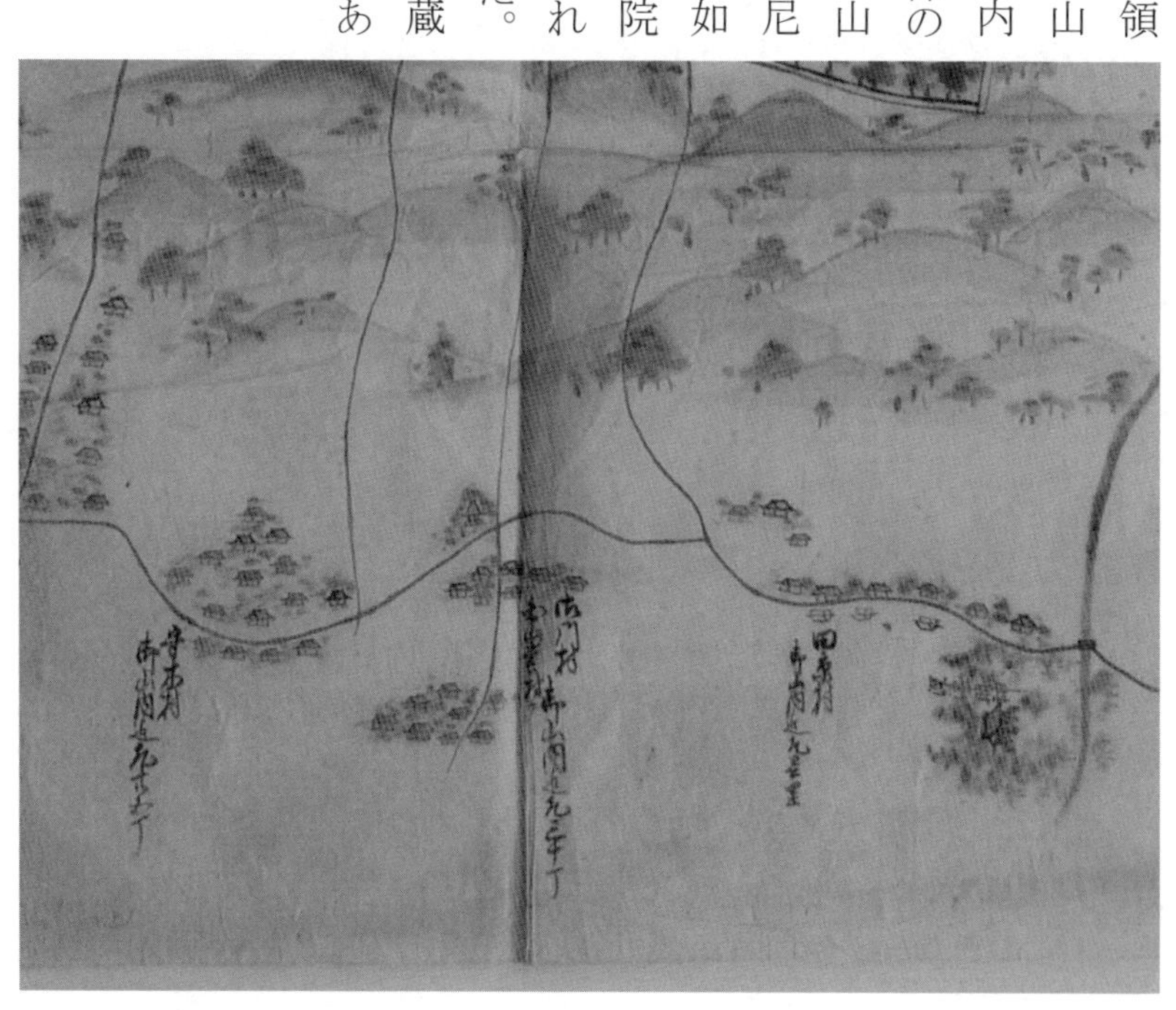

田中山絵図部分、個人蔵

41 田京 2 廣瀬神社

田京にある廣瀬神社は平安時代の『延喜式』の中の神名帳に見える古社。三島神の后神といわれる三島溝織姫命（みぞくいひめのみこと）を祀る。社伝によると、三嶋大社は昔、白浜からこの地に移し、後三島に遷祀したとする。往時は祢宜36人、供僧6坊を置いたが、天正18年（1590）、豊臣秀吉による小田原攻めの頃兵火にあい、焼失した。慶長元年（1596）再建の棟札に「福澤大明神」と記され、江戸時代になって寛永以後深沢明神と呼ばれ崇敬され、明治28年（1895）から廣瀬神社に改められた。

文化12年（1815）、第9次伊能忠敬測量隊が永井甚左衛門を中心に測量。『伊能忠敬測量日記』に「式内楊原神社。祭神溝杭日女命、当時深沢大明神と称す。祭日正月十七日。境内并神主屋敷は除地。社後に楠の大木あり、根廻十抱えばかり、神主の名前は西島伊織。」とある。

『田方郡誌』によると、1月6日御田打ち、1月15日御筒粥、1月17日例祭、6月15日御田植、9月9日新嘗祭の神事があると記されている。1月17日の例祭は古式によって宗光寺白旗神社まで神輿の御渡りがあり、沿道花山車曳き連ね、近郷よりの参拝者夥しいとある。例大祭は、4月や10月10日になった時期もあったが、昭和51年（1976）からは11月3日に決まった。山車・稚児行列が出、田京・白山堂・守木・宗光寺の4地区が「式三番」を演納する。中伊豆地方最古の天保13年（1842）の台本が残る。

6月15日の御田植の神事は、植え余りの早苗を御神木の30尺の所に打ち付けて、よく打ち付けることができれば吉兆として祝うとしている。現在も旧暦6月15日にあわせた7月第2日曜日に氏子たちによって神事が行われている。このご神木は昭和34年の台風17号で枯死した。

嘉永2年（1849）に造立された石灯籠に江戸・木場の材木屋の名前が一周刻まれている。勧請主は戸田の廻船問屋である。伊豆市湯ヶ島の天城神社の狛犬にも江戸の材木屋の名前が刻まれ、明治の銅版画に船つなぎの松が描かれているところから、天城山の材木を当社の深沢川端で筏に組んで流したと思われる。

広瀬神社で行われる御田植神事

42　三福　1　三福のいわれ

三福熊野神社一帯は、縄文時代の仲道Ａ遺跡のある場所である。約1万1100年前の縄文時代草創期からの遺跡で、鎌倉時代まで続く。狩野川支流の深沢川左岸にある段丘最上部に位置し、熊野神社から三福公民館を中心として東側から南西側の住宅地一帯に総面積3万㎡に及ぶ。昭和54年(1979)第1次から、同58年第2次、平成10年の6次調査までを実施。旧石器時代後期(約15000年前)の石器、縄文時代草創期後半の石器と土器、同時代中期後半から後期初頭(約4500～3300年前)の住居跡と土坑及び石器と土器、平安時代末期から鎌倉時代初頭(約800年前)の建物跡や河川跡及び陶磁器などが出土。とりわけ、縄文時代草創期後半の多縄文系土器は、この時代の編年と生活の復元に寄与するもので、全国的に大変貴重で静岡県指定文化財。

三福から南東に広がる丘陵は、古くは麻の産地と考えられ、伊豆市上白岩にある大宮神社はもと大麻神社といわれた。東隣りの下畑は機織りの場所、三福は神服部(かみはとり)が神の服である御服(みふく)を作った場所と考えられている。

建武元年(1334)9月23日「僧祐禅打渡状」(『旧版静岡県史料　第1輯』三島神社文書)に狩野庄三福郷の内田5町歩を三嶋宮の神領に打渡すことが記され、翌2年9月「足利尊氏寄進状」(『同史料』)では尊氏が三福郷を三嶋社に寄進したことが記載されている。これが「三福」の初出である。天正18年(1580)4月「織田信雄禁制写」(脇田家文書、伊豆の国市所管)に「ミふく郷」とある。文禄3年(1594)彦坂元正、慶長12年(1607)井出正次による検地(脇田家文書「万覚書」)があり、検地帳には「三福」の漢字が使われた。

『寛政重修諸家譜』に岡野氏系図を載せ、初代善兵衛は伊豆国の出の北条氏の末裔で田中氏を名乗り、明応2年(1493)に伊豆国蛭島で討ち死にした。この年秋、伊勢宗瑞が堀越公方を攻撃しているので、この事件での討ち死か。2代目田中素行は北条氏康に仕え、天正6年(1578)小田原城で死去。その跡を養子融成が継ぎ、北条氏政の近臣板部岡右衛門尉康雄の遺領・与力等を与えられ、田中を板部岡に改めた、とある。

脇田酒造の初代脇屋義治は、新田義貞の弟脇屋義助の子で、建武2年(1335)12月、竹ノ下(駿東郡小山町)の合戦に13歳で初陣し、混乱の中で父の義助とはぐれたが、沈着な行動によって生き残ったことが『太平記』に記されている。土豪領主田中氏も源家と由緒の家であったのでその娘と結婚し、足利方の探索を逃れるため脇屋と田中の両姓を合わせて脇田と称し、左近と名乗ったという。脇田家の墓地は旭化成(株)の敷地内にあったが、平成17年(2007)菩提寺である龍源院へ移転した。

三福の氏神である熊野神社

43　三福　2　大仁小学校

田京から深沢橋を渡ると左に大仁小学校がある。下田街道沿いにある学校は、大仁小学校と伊豆市天城小学校だけである。

明治5年(1872)学制発布により、全国を大学区、その下に中小学区とわけ、大学区に大学(旧帝大)以下の教育機関網を作り上げた。明治6年になると、全国一斉に小学校の設置が行われ、その年に。大仁小学校の前身になる、第2大学区第30番中学区の内、吉田村に61番小学吉田学校、御門村に57番小学斉身学舎、田京村に58番小学深沢学舎を設置した。

8年、吉田村に吉田学校、御門村に田中学舎を設置、それぞれ13年には公立小学となる。14年静岡県伊豆国第11番学区村立田中学校、第12番学区村立吉田学校と変遷した。22年町村制施行により田中村が成立し、26年現在地に移ったのを機に両校を合併して田中村立田中尋常小学校、27年尋常高等小学校となった。

昭和15年(1940)大仁町となり、16年国民学校令が布かれ大仁町国民学校と改称した。戦後、昭和22年学制改革により町立大仁小学校となり、同年田中山学園が開設し、翌23年田中山分校を設置した。その後、伊豆の国市となり、田中山分校や大仁東小学校を併合して現在に至っている。

昭和22年学制改革により大仁中学校も設立することになった。当時、大仁小学校講堂を仮校舎として開校し、24年大仁小学校のすぐ東隣に木造2階建ての新校舎を建設して、小中学校が並んで設置されていた。東や南側を東洋醸造の工場群が占めていたので、36年大仁中学校と大仁東中学校が統合して、38年から現在地に新校舎竣工、40年落成した。小学校は歩いて通える場所が理想だが、少子化で学校の統廃合が繰り返されるようになり、学校のあった位置も記憶から遠のいてしまっている。

三福の北側からの入り口付近にある大仁小学校

44 三福 3

深沢川に架かる深沢橋は江戸時代にも架かっていた。渡り終わると左に大仁小学校である。そして、さらに進むと旭化成大仁支社がある。医薬品製造の旭化成ファーマは地元企業の東洋醸造を吸収して現在に至っている。

東洋醸造は脇田信吾が大正7年(1918)に創業。本社を三福に置き、酒類、医薬品、食品の総合発酵メーカーであった。大正9年(1920)清酒「源氏」を明治初年以来醸造してきた脇田酒造店を母体に、第一次世界大戦後の米不足に対処、米以外の原料、主として甘藷を原料とする、醸造清酒に劣らぬ合成酒「力正宗」を開発した。終戦後、酒製造に戻り、容器入りチューハイの商品化第1号「ハイリッキー」を手がけ、さらにペニシリンなどの医薬品も生産して大きく発展した。昭和33年旭化成工業(株)より発酵法によるグルタミン酸ソーダの製造方法の研究を委託され、これを契機に同社と提携。同48年灘の清酒「富久娘」の蔵元富久娘酒造を傘下に納めた。平成4年(1992)旭化成と合併した。

旭化成から坂を上り、その後鍋沢川に向かって下っている。深沢川も鍋沢川も段丘面を浸食してできた川で、街道の途中に起伏がある。坂を登り切った左側一帯は縄文時代の遺跡が残っている場所で、三福公民館の場所は縄文後期の仲道遺跡である。

段丘面は右側にも続き、その先端は急斜面になっていて河岸段丘がはっきりわかる。先端部に地元で庵寺（あんでら）といっている小さな公園がある。ここに城山に対峙するような形で仁寛（にんかん）塔が立っている。永久元年(1113)、真言宗の醍醐寺僧仁寛は、兄勝覚の子千手丸をそそのかし謀反を起こしたが、失敗に終わり、仁寛は伊豆大島へ流された。庵寺は仁寛が住み修行した場所だと伝えられ、大島ではなく大仁ではないかという。翌2年、岩から身を投げ自害したとの記録があり、この岩が城山ではないかという。三福庵寺跡にある高さ約2メートルの笠石塔婆は仁寛の供養塔と伝えられ、表面には仏の功徳を褒め讃える詩が刻まれる。

城山に対峙して立つ字庵寺にある仁寛塔

45 三福 4 宇佐美・大仁線

三福の坂を登ったところで右が仁寛塔へ向かう細い路地となり、左は三福公民館方面への道である。長者原を通り、伊東市宇佐美へ向かう旧道である。現在は広瀬神社の南を深沢川沿いに昭和39年に完工した県道(沼津方面は国道414号)が通っていて、途中で合流する。

伊豆半島を縦断する下田街道から肋骨のような東西交通路があるが、どれも谷の間を縫うように進んで、いずれも峠で阻まれる。伊東や熱海へ向かうのも利用される東西交通の一つとしては、三津(沼津市)から堀切(伊豆市)の益山寺の上にある峠を越え、神益(かんます)へ下りる道がある。神益の渡しで狩野川を横断して、下田街道へ向かい、旭化成の工場と旧伊豆の国農協大仁支所の間を抜けるか、坂を登ったところを左折する伊東方面へ向かう旧道である。この道も江戸時代には生きた鯛を江戸へ運ぶ道でもあった。下畑村で運搬中の鯛が腐って責任問題となり訴訟になった記録が残る。

旧道の左には真言宗澄楽寺、熊野神社が並ぶ。澄楽寺は伊豆八十八所霊場の9番札所、伊豆の中道(なかどう)27番札所。熊野神社では10月初旬の日曜日、伊豆で最初に三番叟を演納する。右側には近年しだれ桜の名所として有名な龍源院がある。龍源院の入口には弘化5年(1848)造立の良観の念仏供養塔、境内には多くの製造物がある。良観は河津で修行した行者という。東洋醸造の創始者である脇田家の菩提寺で、菩提所には筆子塚がある。

神益・下畑・浮橋を治める旗本酒井氏の家来である箕川墨江（みかわぼっこう）が天保6年（1835）、これら村々を巡見した記録『伊豆国懐紀行』があり、この道を通った。神益の渡しは重要な交通路で渡し場の左岸側には唯念の名号碑や水難供養塔がある。渡し舟の管理は加殿村（伊豆市）小川家があたり、通行利用する大見・狩野・田中などにある村々が費用を出し合って建造や修理を行う勧化（かんげ）渡し舟であった。8月1日に行われる神島のカワカンジョウ（川灌頂）を神島橋で見学できる。

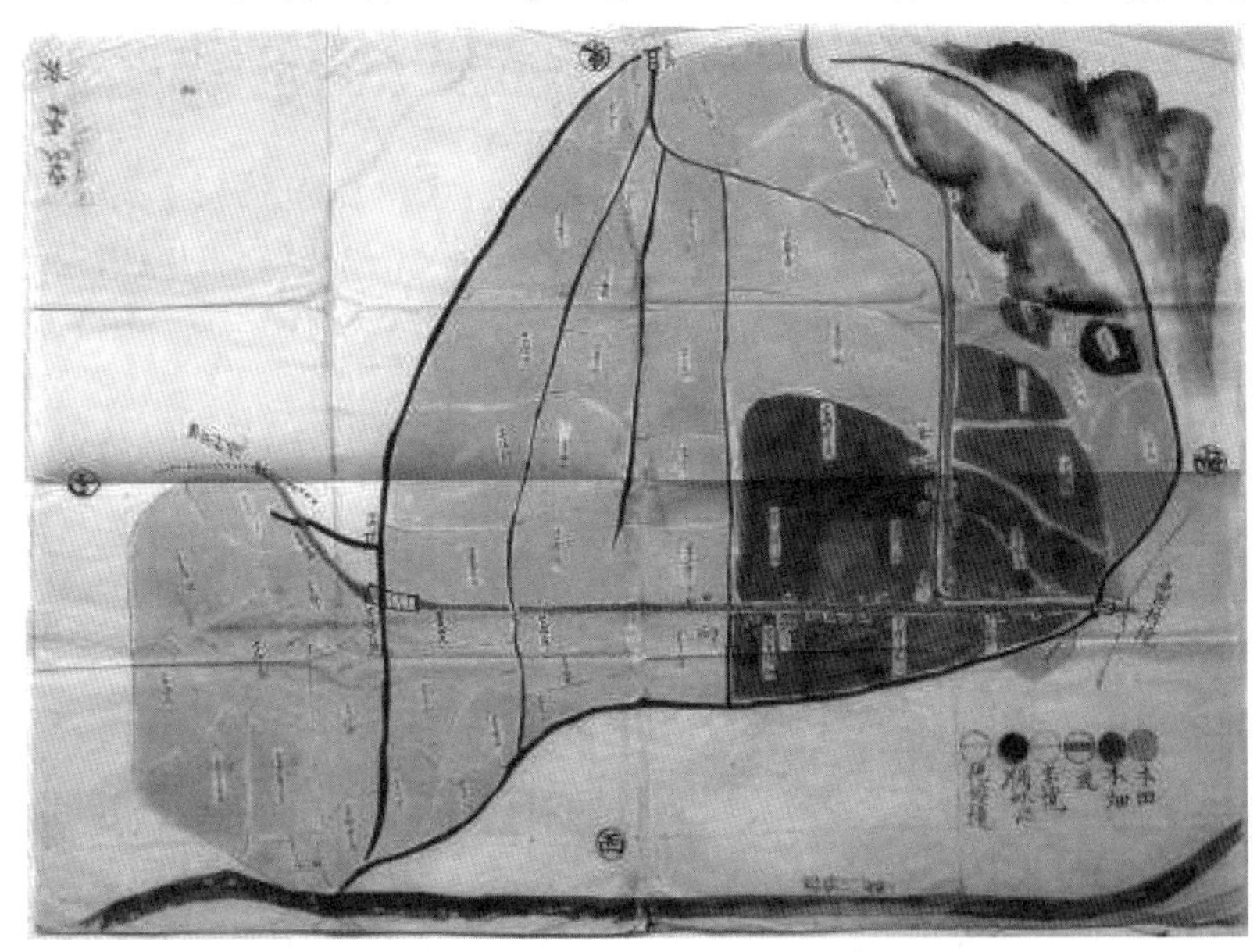

江戸時代三福村絵図、公益財団法人江川文庫提供

46 吉田 1 吉田村

下田街道の西側にある河岸段丘の下部を伊豆箱根鉄道が通過している。古い集落は段丘上に形成され、下田街道も段丘の上を南下している。吉田の名前も起こりは「葦田（よし）」であり、「芦田」で、湿地が広がっていた場所を示している。狩野川の氾濫原で、大正年間に書かれた『田中村誌』に安政6年（1859）の洪水では「吉田の美田が湖になった」と記されている。ここではい草を栽培し、畳表や茣蓙を生産していた。伊豆には江戸時代にい草を栽培していた場所があり、古奈（伊豆の国市）で生産されていたものは「古奈表」、松崎で生産されていたものは「松崎表」といった。残念ながら吉田で生産されていたものの名称は明らかになっていない。隣村の神島は砂地で水はけがよかったため、綿花の栽培地であった。

吉田には「原」さんが非常に多い。原家は戦国大名の武田家の家来で、吉田に来て、大仁に百間堤防を築いて狩野川を締め切り、肥沃な耕地を作り出した。街道の左奥に吉田神社がある。五穀豊饒を願う子（ね）の神を祀る。勧請（かんじょう）したのは原家である。もと川の氾濫原であった田方教育会館横にあったのを移転した。

さて、三福から吉田橋を渡ってすぐの右側がずっと空き地になっていた。現在は住宅地である。

江戸時代には、ここに三福・吉田・大仁の3か村の年貢を一時納める郷蔵があった。明治になって、組合で建設した伊豆病院が建った場所である。さらに街道を南下する。右に消防詰め所があるが、その横に蹴鞠屋敷があったといわれている。原家には「蹴鞠免許」が残されている。

大仁が下田街道の継立て場であったが、継立ての仕事は、吉田と大仁の共同で請け負った。その請負金を集めたのが原家である。

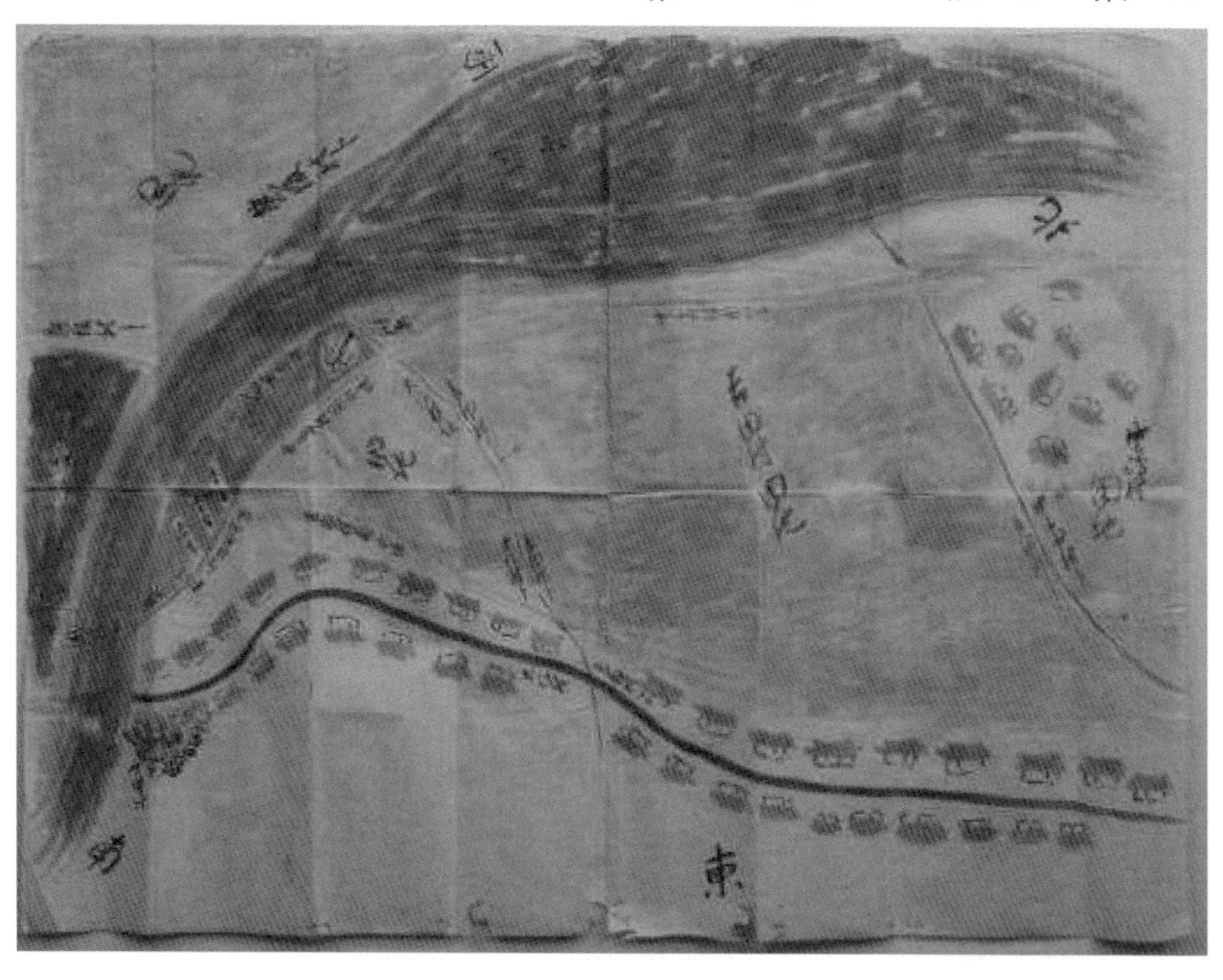

江戸時代吉田・大仁村絵図、公益財団法人江川文庫提供

47 吉田 2 城山と狩野川

下田街道の最大の難所である天城峠を越えるため、賀茂地域の人たちは天城トンネルの建設、開通が悲願であった。そのトンネルに使われた石が「吉田石」という。狩野川の対岸にそびえる城山(丈山)の石を使ったと思われる。城山は火山活動で溶岩が隆起した山で、柱状節理が発達している。「棒石」とか「六方石」といわれ、断面が亀の甲羅のように六角形になり、そのまま切り出すことができた。吉田も入会権をもっていたので、アピタの裏に狩野川を渡る「住吉の渡し」があり、ここを大仁とともに往来した。

狩野川は上流部は急流であるが、この辺りから下流は、非常に緩やかな流れである。暖かかった縄文時代は、この辺りまで駿河湾が入り込んで、海だったという。修善寺橋付近より下流は急に沖積低地が広がっていく。この低地は南北に長い盆地状をなしているが、低地の幅は伊豆長岡の千歳橋付近までは約1キロ、河床勾配は 3.7/1000、これより下流では約3キロかそれ以上にまで広がって河床勾配は0.6/1000である。

かつて、この辺りは鮎釣りの銀座といわれ、釣り竿がぶつかるのではないかと思われるほど賑わった。狩野川は鮎の友釣りの発祥の地である。もっと喧伝されてよいと思う。京都の八瀬(やせ)川が発祥ともいうが、史料で確認できるのは狩野川である。大門橋の下流に江間堰（天野堰とも）があった。ここで誰が始めたかわからないが、天保3年（1832）頃友釣りが始まった。狩野川で鵜飼いが行われていたというと疑う方もいると思うが、瓜生野（伊豆市）の記録に残る。鮎の漁法は鵜飼い、餌釣り、梁かけ、そして友釣りである。新漁法が始まると、そこより上流の村々から梁懸け前に鮎を漁獲してしまうと訴えられた。それほど多く獲れる漁法ということだ。

　江戸時代、徳川2代将軍は鮎鮨が好物で、長良川と狩野川の鮎鮨を献上させていた。狩野川流域の村々も分担し、江戸へ1か月に3度ずつ飛脚を使って納入した。

帝産台から城山方面を望む

第4章　休泊の宿場　大仁

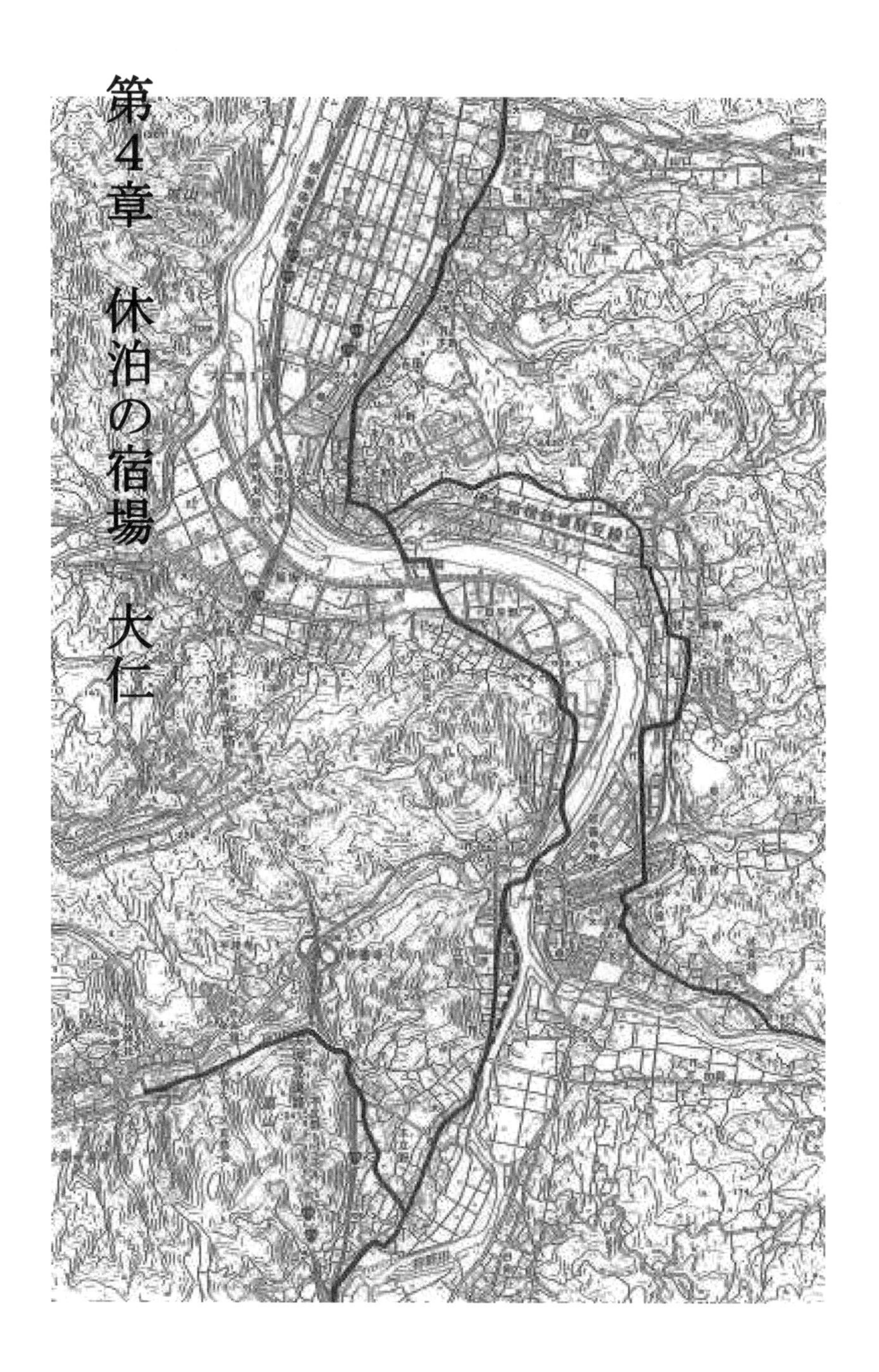

48 大仁（伊豆の国市） 1 江戸時代の賑わい

下田街道の継ぎ立て場としてどのような機能があったのか、残された史料が少ないので解明されていないのが事実である。そうした中で、大仁はかなり宿場機能をもった継立て場であったことが判明している。

大仁の地名のおこりをよく問われる。大同３年（８０８）に成立したといわれる、当時、全国で作られた薬を記した『大同類聚方（だいどうるいじゅうほう）』に、おなかが張った時に使う薬を田方郡大戸で作っていたと、書かれている。「大戸」は大仁ではないかと解説されている。

天正18年（１５９０）４月、韮山城攻めでは大仁以北を焼き払った。その最中、豊臣秀吉は「田中郷おおひと村」に戦乱から逃れた農民に対して村へ戻って農業に励むよう通達した。すでに大仁の地名が使われていたことがわかるが、その間を埋める史料がいまだに発見されていない。

文政４年（１８２１）伊豆を旅行した富秋園海若子は『伊豆日記』に大仁の様子を著し、「この里は家が立ち並んで、酒を売る家、そば切（キリ）といふものを売る家などあり、そこに立ち入りて物を買った」とあり、当時の賑わいの様子が著されている。天保９年（１８３８）のには家数93戸あり、人数は３２６人であった。

下田往還は、北条―本立野間の継立が長いという理由で、宝暦10年（1760）以前に原木―大仁、大仁―本立野間の継立を行うようになった。同年の本立野までの継立ては本馬1疋66文、軽尻（からじり）1疋51文、人足1人36文であった（小川家文書「下田往還人馬賃銭」）。下田往還西側の名主杉村家は役人の通行時には接待にあたり、東側には本陣の別号を持つ江戸屋もあった（小笠原長保著『甲申旅日記』）。享保19年（1734）には、伊豆の米相場は当村をはじめ三島・大場・北条・下田の5か所のその年の10月1日から20日までの平均米値段を使っていた（『徳川禁令考』）。明和6年（1769）には北条の米相場はなくなり、4か所の平均相場となった。幕末には毎年正月17日の大仁米相場が伊豆にある直轄地における標準相場となった。

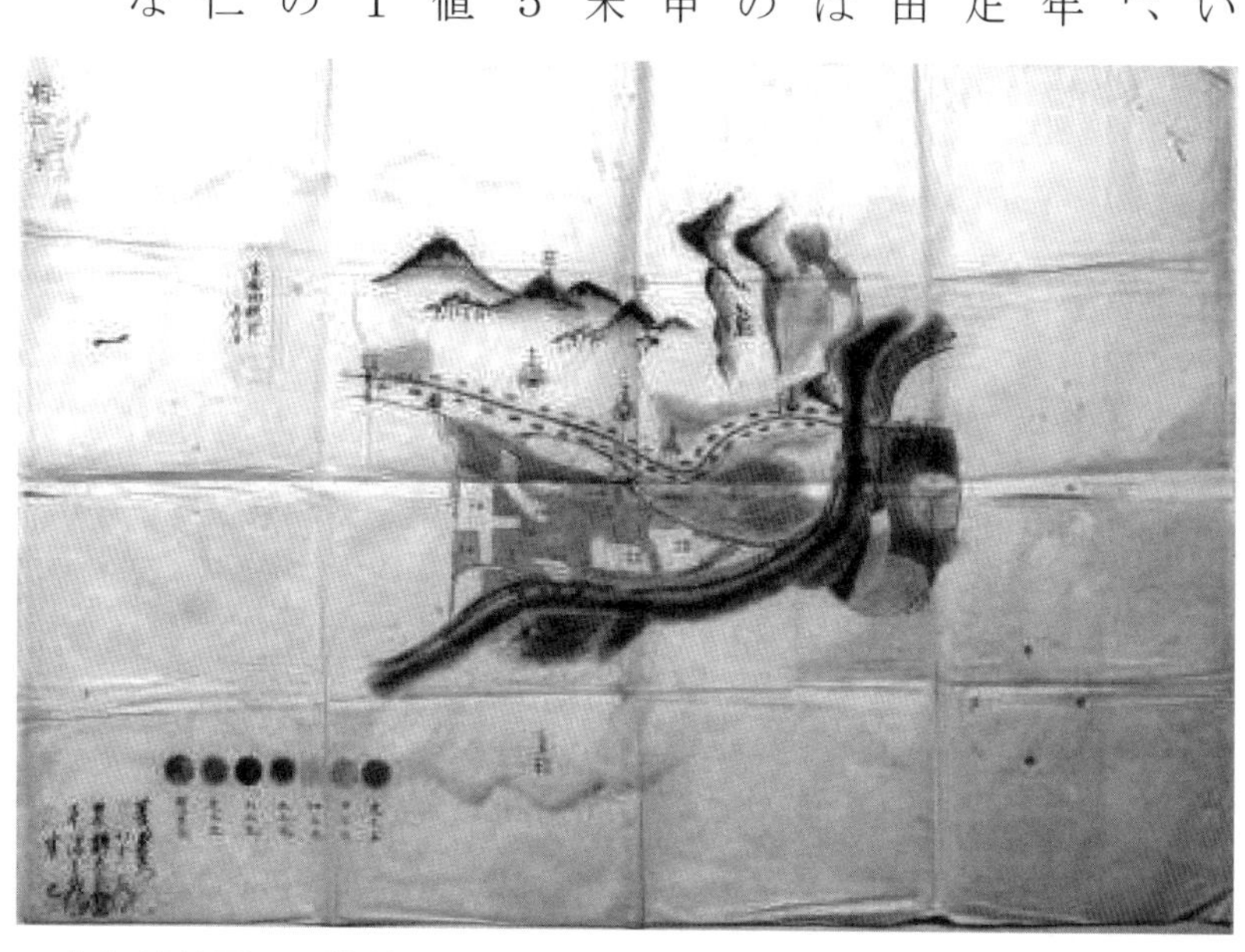

大仁村絵図、公益財団法人江川文庫提供

49 大仁村（伊豆の国市） 2 大仁の盆

伊豆の夏を彩る花火大会が、狩野川を利用して行われる。沼津の花火を皮切りに、8月1日は大仁、2日は修善寺駅前と韮山千歳橋、3日は古奈千歳橋、最終は市山（伊豆市）の8月29日に行われる明徳寺の祭りである。

「きにゃんね」は伊豆の方言で「いらっしゃい」を意味する。当地は朔日盆といい、大仁地区以南から天城山以北では8月1日に行われる。伊豆の国市韮山南部と狩野川の対岸地域の伊豆長岡地区は晦日盆といい、7月31日である。伊豆の沿岸部や賀茂地区は8月15日に行っている。

当地の8月1日盆の発祥についてはいろいろな説があった。その主流は明治になって各家々で蚕を飼うようになった、春蚕（はるこ）と秋蚕の境で作業の中断時期に始まったというものである。また、大仁駅が最終駅であったが、大正13年8月1日の修善寺駅まで延伸されたのを祝って行うようになったという説まである。駅開通は韮山や伊豆長岡地区の盆の説明ができない。大正時代からまだ100年も経っていないのに、人の記憶は曖昧である。

明治初年に伊豆でも廃仏毀釈運動が大きく広がった。そのため、天城山以北では1集落全て神道という地域があり、また、寺院がない地区もある。江戸時代までは仏教による先祖供養の盆があった。晦日盆や朔日盆を行っている地域では、神道を取り入れるにあたって、先祖供養をなくすわけにはいかないので、「先祖祭り」を、8月1〜3日の3日間休日として太陽暦で設定した。7月15日と8月15日の間がよいということで、大仁村ではないが、村の会議で決定した記録が残る。これが盆行事の発祥である。

大仁地区では、8月1日を祭日として、盆行事の精霊流しを行っていたが、川が汚れるという理由で花火大会にかわった。現在は水難供養の念仏をあげている。

きにゃんね大仁夏祭り

50　大仁（伊豆の国市）３　伊豆箱根鉄道大仁駅

明治43年（1910）伊豆を旅行した民俗学者の柳田國男は『伊豆日記』に「五月十八日、曇、水曜日　朝九時の汽車にて大仁まで、青森の人らしき親子四人同車、修善寺へ行くといふ。大仁から狩野川の谷を人力車で行く。玄武岩を所々に利用せり。但し馬城崎のよりは小さい石材なり」と書き、湯ヶ島へ向かった。文豪井上靖はその著書『しろばんば』で洪作少年が大仁まで馬車で来て、ここから鉄道に乗る場面が記されている。

明治31年5月20日、東海道線三島駅（現御殿場線下土狩駅）から三島町（現田町駅）、大場・原木駅、そして南條（現伊豆長岡駅）を終着駅として豆相鉄道伊豆線が軽便鉄道で開通した。南條駅が最終駅だったのは1年で、すぐに、翌32年7月17日、田京駅と大仁駅ができ、大仁駅が終点となった。大正8年には三島・大仁間が電化された。その後、同10年7月1日伊豆仁田駅が設置され、同13年8月1日修善寺駅まで延伸した。現在の三島駅から繋がったのは丹那トンネルが開通した昭和9年12月1日のことである。

大正元年12月には貨物預かり・委託販売・金銭貸付を営業内容とする大正倉庫株式会社が大仁にでき、最終駅として天城山以北の物資の集積所としての役割を果たした。例えば、当時、伊豆からの出荷品であった船原石がある。伊豆市船原で産出していたのが船原石である。大正3年に編さんされた写真集『伊豆鏡』によれば、荷車で大仁駅まで運搬し、ここから鉄道で輸送されたと記されている。白硬石で「伊豆御影石」ともいわれた船原愛宕石は帝国大学建築用、その他諸官省官衙用の石材として使われた。大正期三島町土屋房次郎が経営していたが、同じく、船原石(月出石)は青白稍空色の石で建築材として美麗であるばかりか、耐火・耐寒性に優れ加工しやすいので、横浜生糸試験場・海軍省参考館・朝倉病院・丸善・第一銀行横浜支店・白川宮高輪御洋館・日本通商銀行・農工銀行・青山郵便局に使われた。

大仁駅古写真・個人蔵

51 大仁(伊豆の国市) 4 間宮金庫

安政6年(1859)三島久保町に生れた間宮勝三郎は、明治17年(1884)11月大仁に転居し、木屋呉服店を開業した。明治27・28年頃には、内浦重須で楠の根から樟脳を採る事業を興し、同30年頃、三宅島に工場をつくり、数年来の研究により芋焼酎やいちご酒を造った。その後、椿油を造り、東京方面へ売り出したり、明治40年頃は北海道へ渡り、りんご酒の製造販売を手がけた。

様々な事業を展開し、明治45年大仁で金庫の製造を始める。大正5年(1916)間宮式金庫の製造を営む合資会社間宮堂を設立した。同8年株式会社組織として、大仁駅前に工場をつくり、「間宮式金庫」とよばれた大金庫・手提げ金庫をはじめ計算機・加減算機の製造販売を開始した。のちに改良が加えられ、大正15年日本で初めて金銭登録機(キャッシュレジスター)を独自に開発し、国産化に成功。この大仁工場が東京電気(TEC)大仁工場、後、現東芝テックの前身となる。

キャッシュレジスターがわが国に初めて輸入されたのは明治37年である。当初は限られた需要しかなかった。大正時代になると、三越百貨店をはじめ、その頃開業し始めた多くのデパートや高級専門店などで使用されるようになった。しかし、レジスターの事業化には相当の事業資金が必要で、間宮の独力では難しかったので、実業家の藤山愛一郎氏(戦後外務大臣などを歴任)に資金提供を仰いだ。昭和3年(1928)12月、レジスター専門メーカー日本金銭登録機株式会社が資本金200万円で設立され、藤山愛一郎氏が社長に就任、間宮堂はこの会社に買収され、長男間宮精一は技師長に就任した。同社は世界で2番目のレジスターメーカーになった。勝三郎は昭和3年11月16日に没し、墓は大仁の洞泉院にある。

長男の精一は、その後、カメラ製造のマミヤ光機株式会社を創立し、カメラのマミヤシックスを世に出したが、昭和64年89歳で没した。大仁商店街のたばこ・宝くじの「まみや」が勝三郎の呉服店の跡、精一の実弟悦三は間宮写真撮影所を興し、現在も写真館として活動している。

間宮式金庫、個人蔵

52 大仁(伊豆の国市) 5 芭蕉句碑

地元の子どもたちが「おにぎり石」とよんでいるおにぎりの形の石が上宿の富士屋旅館近くにある。よく見ると中に富士山が彫ってあり、その下に「霧時雨 富士を見ぬ日ぞ おもしろき」という松尾芭蕉の俳句が刻まれている。嘉永7年(1854)、伊豆の小海浦(沼津市)・下田浦・木負浦(沼津市)の俳諧連と大仁村の連、また田方・内浦・狩野・大見連と伊豆全域からの援助を受け、造立された。現在は建物に遮ぎられ富士山を見ることはできない。当時、城山の右に富士山が見え、城山との取り合わせの絶景だったと思う。この句は三島の富士見平で詠まれたものといわれ、そこにも句碑が造立されている。芭蕉は元禄7年(1694)、三島新町ぬまづ屋九良兵衛という飛脚宿に泊まったが、伊豆を回ったという記録はない。江戸時代後期になると、各所で俳句が盛んになり、俳聖といわれた芭蕉の句碑が、俳句を親しむ人たちの力で各所に建てられた。

大仁の芭蕉句碑がある北の三叉路は下田街道と大見街道(伊東街道)との分岐点である。文化12年(1815)、第9次伊能忠敬測量隊の永井甚左衛門を隊長とする測量隊が、5月3日に大仁で休憩し、その後、下田街道を狩野川を渡って瓜生野方面へ測量していった。そして、下田から、大島へ渡り、戻って伊豆の東海岸の街道を測量した。陸を通れない場所は海から海岸測量を行い、伊東に到着、そこから、冷川峠を越える伊東街道を測量して牧之郷村から大仁の三叉路まで測量した。5月3日に測量杭を打ったところへ12月10日に再測したところ、測量結果が一致したと測量隊は喜んでいる。下田街道や大仁でのウォーキングで、その話をすると、参加者からどこにその杭があるか、また、どの場所かと質問される。残念ながら、その測量杭をどうしたのか、どこに打ったのかは不明である。

芭蕉句碑

53 大仁(伊豆の国市) 6 大仁の渡し

文政4年(1821)伊豆を旅行した江戸の書家である富秋園海若子は『伊豆日記』に、伊豆各所へ旅行し、それぞれの場所を紹介しているが、大仁の様子も著している。それには深沢の明神を参詣し「三福、吉田などという里を通り過ぎ、大仁というところへ出た。里はずれに狩野川(カノカハ)という非常に大きな川があり、これから向かい方向の天城山を源流とする流れにて、下流は黄瀬川と一つに合流して、沼津の港に流れ出るという、綱(ツナ)ぐり舟があるので打(ウチ)わたる途中、見上げると、この川の少し上に山の形、岩のたたずまいが大変奇妙で、松の枝が打ち垂れて岸の岩かねに触れ、水が砕けて流れる景色は、えもいわずおもしろい、里人はこの山を水晶山(すいしょうさん)とよぶ、さて舟より下(オ)りて、すこし行けは、瓜生野(ウリフノ)の里なり」とある。

水晶山のことは別項にして、このなかで「綱たぐり舟」と書かれている。両岸に杭を打ち、綱を張って、綱に金属環を付ける。この環と渡し舟を繋ぐ綱を取り付け、綱を手繰って往復する方式であった。舟守がいて、下田街道の大仁と瓜生野を往復していた。

天保9年(1838)閏4月3日徳倉から狩野川左岸を南下、藤枝宿から来た大塚荷渓一行が大仁の渡しを舟で渡り宿泊、荷渓は「豆州名勝図巻」に「大仁の渡し」の風景を描いている。渡し舟のあった場所の当時の川幅は45間（約80㍍）という。

明治13年（1880）、渡し舟の場所に、大仁橋が架かった。同14年東京の内国博覧会見物に出かけた梨本の稲葉良吉の「道中記」によれば、4厘を支払う賃取り橋であった。大正4年横河橋梁（株）によって鉄骨製の橋となり、100㍍を越える橋としては静岡県内で最も古かったが、平成19年（2007）12月新橋が竣工した。新橋梁の横に旧大仁橋の歴史とトラスの一部を展示している。

鉄の橋として当初は1本の高架橋であったが、昭和33年の狩野川台風によって左岸側が流失、その後流失した左岸側やや下流に高架橋を造り残った橋をスライドさせて完工した。

立原杏所「大仁の渡船」、個人蔵

54 大仁(伊豆の国市) 7 水晶山と鵜飼い、軍艦天城

水晶山は、狩野川涯にある孤山でかって石英を産出したのでこの名がある。谷文晁『公余探勝図』の「水晶山」図に描かれている。寛政4年(1792)に伊豆を旅した吉田桃樹(ももき)の「槃游余録」や文政7年(1824)に下田奉行として着任する小笠原長保の著した『甲申旅日記』にも、水晶山の景色を絶賛して表現している。明治25年(1892)に大仁橋を渡った正岡子規は、「水晶のいはほに蔦の錦かな」と詠んだ。江戸時代はじめ、金山奉行の大久保長安がこの山に登って瓜生野金山(大仁金山)を発見したという。

享保7年(1722)の大仁村の年貢割付状には、古川砥石取場が記載されている。元文元年(1736)「伊豆国物産帳」には水精山(水晶山)に細い水晶が少し見えるという。『増訂豆州志稿』によると、砥石の産地とし、品質は上品とはいえないが切り出していたとある。

天城山や日向山御林から伐り出された木材は、水晶山麓で筏に組んで狩野川を流した(津田家文書)。元治元年(1864)からの記録がある「大仁略誌」(柳原家文書)には職業としての筏乗3人が記載されている。明治初期、水晶山の淵に役所を設けて天城山から切り出された官林材を管流し(一本流し)でここへ集め、ここから筏に組んで沼津まで運んだといわれている。その筏をつな

いだという穴が数か所見られる。

　また、水晶山の北東裾に、明治27年（１８９４）７月29日、沼津御用邸に滞在中の皇太子（後の大正天皇）が狩野川の淵端で鵜飼を見学した。のち、天皇即位記念に「鵜飼天覧御所碑」が建立された。江戸時代には対岸の瓜生野で鵜飼が行われていた記録が残る。

　明治10年（１８７７）３月から海軍省は天城山にあるケヤキの切り出しを開始し、大仁に役所をおいて、木造巡洋艦である軍艦「天城」の建造のための材木を集めた。この材木も筏に組んで沼津河口、そして、横須賀造船所まで輸送された。切出し人夫・川下り人夫は飛騨・美濃・信州などから約８００人、湯ヶ島から大仁間の農家に宿泊したという。

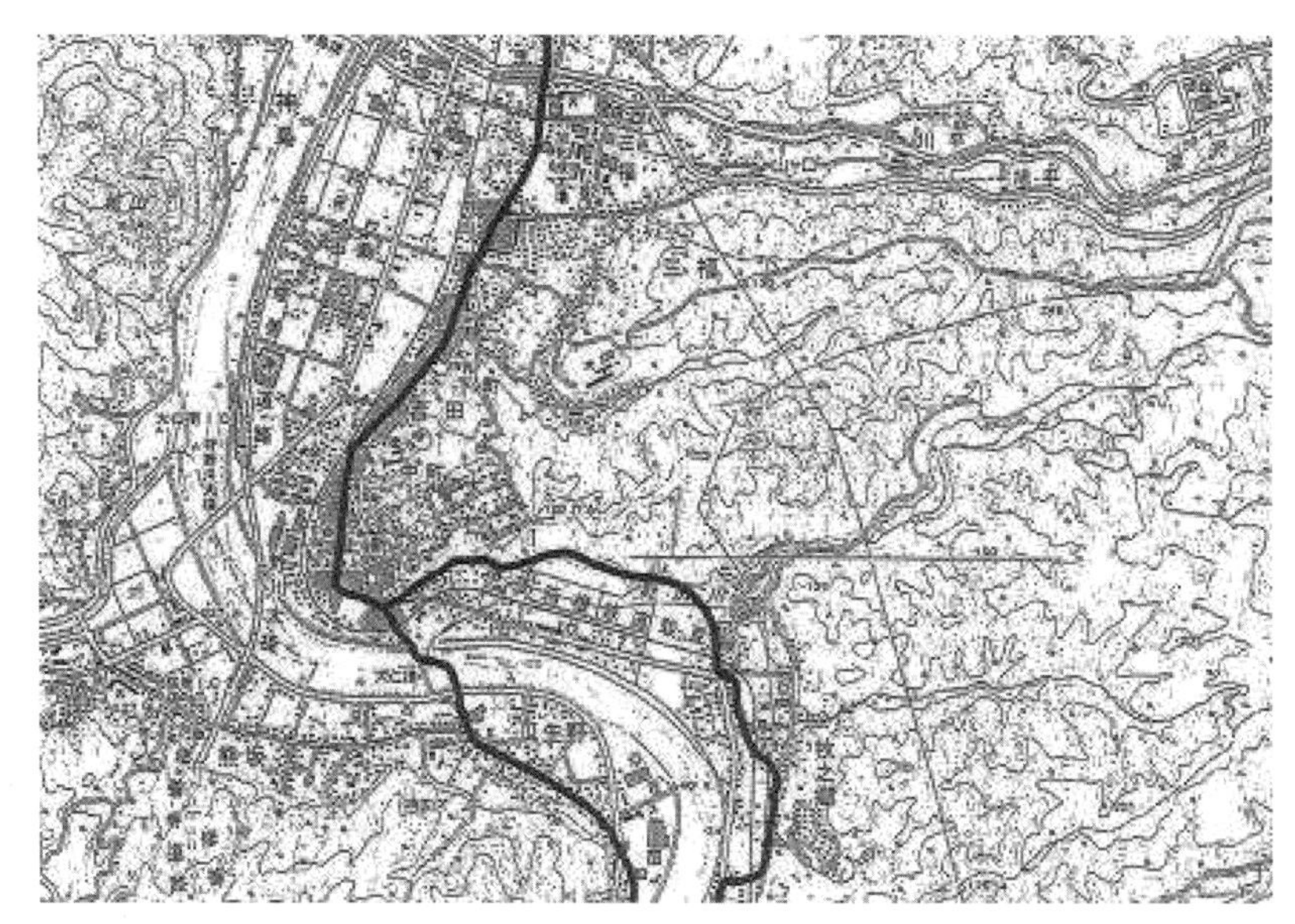

伊能忠敬測量図 を1/2万5000の地形図に写す

55 大仁(伊豆の国市) 8 水晶山2

水晶山は、ウバメガシで覆われた山である。遠く城山の山頂付近にもウバメガシの群落がある。ウバメガシは木炭の最上品といわれる備長炭の原料で、当地がウバメガシ群落の北限になっている。伊豆半島はフィリピンプレートに乗って南方から本州に衝突してできた半島といわれる。そのため、植物に北限といわれる種が多い。近年地元の人たちの努力で、水晶山に登る道が整備され、気軽に登ることができるようになった。

登山道の入口に神社がある。この神社は個人が祀っている金比羅社である。お願いすれば参拝もできる。中に、沼津市静浦の漁師の方が奉納したウミヘビを祀っている。また、天孫降臨の案内役をしたのが天狗ということで青天狗と赤天狗を掛けている。天狗がなぜここにいるのかわからないが、水晶山から下流にかけて、神益の渡しがあった左岸側の山腹にも琴平神社があり、中条の渡しがあった左岸の堋之上と南江間境にもある。水晶山より上流の伊豆市上船原にも川の傍にあったと思われる。現在は山の上にあり、本来山の上に祀られる高皇産霊(たかみむすび)神社が川の傍にある。上船原にあるそれぞれの神社は何らかの理由で場所が逆転したものと思われるが、いずれにしろ、琴平神社は水上交通を守る神であり、江戸時代の川舟航行の安全を祈って造営したものと考えられる。静浦から訪れる参拝者もこうした理由であったであろう。

前回書いた大久保長安が大仁金山を発見した場所もおそらく水晶山と思われるが、金山の神を祀った金山彦や長安を祀った場所も神社もない。因みに大仁ホテルへの登り口に金山彦神社があるが、これは個人が昭和に勧請した神社である。北伊豆地域の神社には、三番叟が伝わったという伝説以外、残念ながら大久保長安の直接の痕跡を示すものは何も残っていない。河津町、下田市、松崎町、西伊豆町の神社には大久保長安奉納の吊り灯篭や神社造立の棟札などが豊富に残されている。

水晶山

56 熊坂(伊豆市) 1 熊坂と狩野川台風

大仁橋を渡ると瓜生野へ入る。大仁橋は、昭和33年の狩野川台風以前には狩野川流域で唯一の鉄骨橋であった。その橋より瓜生野側は少し上流で繋がる。大仁橋は、狩野川台風で残ったが、左岸の熊坂に甚大な被害を出してしまった。

明治18年、伊豆の人たちが静岡県から離れて神奈川県と一緒になりたいと、全域を挙げて署名活動をした。その署名簿が残り、それによると、熊坂の家数は84軒で、その内、18軒が原氏を名乗っている。原氏は戦国時代は武田の家来だったという。すでに通過した南條や吉田も原氏が多い。どちらも狩野川の氾濫原を開発した地主で、武田流の水制術を身につけていたことで、開発が可能になり、のち、それぞれの地で有力者となった。ただ、土地の成り立ちからすると、台風で大きな被害があったことの直接の原因は、大仁橋の鉄骨橋であったかもしれないが、そのことにも由来することも考えられる。

『増訂豆州志稿』によれば、熊野神社が古くからあり、人家は山の中腹にあったので、「熊野坂」から「熊坂」という、とある。ここからも氾濫原が開発されるまでは、人家がなかったと考えられる。万治3年(1660)「狩野山中五人組帳」(大城家文書)では名主2名の他51名と御蔵蕃1

名を記載。御蔵蕃は熊坂村に狩野組の年貢蔵があったため。延宝6年（1678）の狩野組年貢御蔵絵図(大城家文書)には蔵之段という場所に年貢蔵が描かれている。貞享元年(1684)には当村の名主原文右衛門が狩野組大名主を勤めており(元禄初年「高帳」)、三島代官所内行政上の地域組織である狩野組の大名主が当初当村にいて、開発が進んでいたことがわかる。

狩野川台風は、台風の名前に土地の名前がついた初めての台風で、それだけ大きな被害があった。狩野川沿岸の旧伊豆長岡・大仁・韮山・函南町も被害は甚大で、死者・行方不明1040人、当時の被害総額117億7317万円余。旧田方郡下の被害は死者856名、重軽傷者919名、流失家屋700戸であった。

熊坂自得院にある狩野川台風慰霊碑

57 熊坂（伊豆市） 2 竹村茂雄、菊池袖子

前項で熊坂の開発に原氏が大きく関わったことを述べた。伊豆全体の人たちが、明治18年に伊豆を静岡県から切り離して神奈川県へ管轄替えを求めた請願書があり、それには伊豆全域の当時の戸主の名前があり、熊坂では、原だけでなく、竹村、菊池という苗字もある。その他に菅尾、田中、西島、菅沼、土屋、三島、新間、今井、梅原、牧田、石井、久保、宮崎、谷口、朝日、柴田、田島、大沼、木口、山中、青木、広川、高丘、小倉、足立、二ノ宮、一ノ宮という苗字もあった。

江戸時代、熊坂には竹村茂雄と菊池袖子という2人の著名人がいた。江戸時代の熊坂村は元禄11年（１６９８）以来知行主（旗本）が６人による支配となり、それぞれに名主を初めとする村役人が置かれた。竹村家も菊池家も名主役を勤める家であった。

竹村茂雄（１７６９～１８４４）は、本居宣長の門人となり、伊豆の国学の先駆者として活躍した一方、文化９年（１８１２）には領主から苗字帯刀を許され、給人席・知行所取締方兼帯となった。狩野川に鯉を放ち、路を開くなど良き農業指導者でもあった。賑恤を好み、米１００俵を前後３回も貧困者に与え、天保３年（１８３２）には農民の惨状を詠んだ『憐農民詞』を水戸藩主水

戸斉昭に献上、幕藩制社会の動揺に苦悩する草莽の国学者として社会批判した。天保９年（１８３８）に伊豆の御料所の巡見使が吉田村を通行する時、茂雄の歌を所望されたことが記録にあり、江戸までその名が知られていた。墓は熊坂自得院。門人に駿東郡長沢の贄川五平貞雄（安永６～天保15）など伊豆国88名、駿河国41名、相模国４名、甲斐国２名、その他江戸・越中・越後・加賀など総数２００余名を数えた。茂雄没後、門人が『門田の抜穂』を編集した。

　菊池袖子（１７８５～１８３８）は、寛政10年（１７８８）、14歳で加藤千蔭の門人となり、和歌の秘訣を受けた。享和３年（１８０３）頃から和歌の道が上達し、千蔭没後は、本居大平・村田春海らと交わり、東西の歌人、学者と交流した沼津藩主に召されて歌書を講じた際、その服装があまりに粗野だったため、侍臣から従婢と間違われたというエピソードもある。袖子の墓も自得院内にある。

竹村茂雄・菊池袖子の墓碑がある自得院

58 瓜生野村（伊豆市） 1 大仁金山

松本清張の短編『山師』によると、江戸時代初期の金山奉行大久保長安は、年配の山師が「伊豆の山に金の精気が立ちのぼっていた」と話すのを聞き、大仁村を訪れたという。狩野川の石や岩を焼いて金づちで砕いて椀に入れ、水を加えて金を探す作業を２か月も続けた。ようやく、微粒子を見つけると、息を切らして川岸を這い上がり周囲を渡すと、ある山に露出した石英質のどす黒い地膚を発見した。それが大仁金山だった。

大仁金山は近代の精錬所が大仁地内にあって、鉱脈がある場所は瓜生野である。そこで、瓜生野金山ともいう。第三紀の安山岩および安山岩質角礫凝灰岩の間に生成された金、銀「熱水性裂化充填鉱床」、黄鉄鉱を伴い、金銀を産出する鉱山であった。伊豆各地にあった金山の一つである。

記録によれば江戸幕府直轄となった慶長２年（１５９７）～寛永２年（１６２５）瓜生野金（銀）山として既にその名があり、大久保長安の開鑿といわれている。慶長18年（１６１３）死去した後に不正蓄財の罪が発覚し、同年７月には７人の遺子が切腹を命じられたため、閉山となった。昭和７年（１９３２）入倉鷹次郎が再び一部を開発、同13年帝国産金興業（株）が稼行した。昭和23年から25年にかけて月間処理能力３０００トンの浮遊選鉱場を建設、生産量の増大を図った。上向段欠法、シュリンケージ法による採掘は、昭和40年に閉山するまで、主要鉱床である瓜生野・開運・八幡の各鉱床から粗鉱量22万トン（金量1トン）を産出し、最盛期の出鉱量は昭和16年5万5265トン、17年5万7456トンであった。

金は電子通信機、歯科医療、メッキ、時計、装身具等に使用される。鉱跡には多数のまぶ穴（坑道）が残り、また金山奉行大久保石見守長安採鉱跡の碑などがある。また、隣の集落には長安が金山技師として佐渡から連れてきたとされる家がある。伊豆各地で演納ざれる三番叟は大久保長安が金山繁栄のため伝えたとの伝説がある。

大仁金山跡とヘルスセンター（個人蔵）

59 瓜生野村(伊豆市) 2 分一番所

江戸時代の狩野川は、上流の谷地形から大見川・修善寺川が合流して一気に平野部に出る修善寺橋より下流では、大きく蛇行していた。特に牧之郷・瓜生野間の狩野川は、寛文11年(1671)の大洪水でこの地の流れを大きく変えた。

江戸時代初めには牧之郷・瓜生野両村に川の港である河岸があり、牧之郷河岸からは大見地域の山から出される材木や木炭などの商品を、川舟で沼津へ輸送、そこから江戸や大坂へ運搬していた。瓜生野河岸も同様で狩野地域の商品を輸送していた。狩野地域の特産品として、材木・板、火縄銃の台座、木炭、藤蔓などがあった。山で制作した商品を江戸などへ売り出す場合、仲買商人が本立野(伊豆市)にいて、本立野にある河岸から川舟で運搬するのであるが、途中、仲買が買い取る値段の十分の一の税金を納める。この税を分一(ぶいち)金という。瓜生野に分一金を取り立てる分一番所が置かれていた。

分一金は、江戸幕府直轄地のときは代官に、旗本知行のときは旗本に納めた。狩野川を通過する荷物は瓜生野より下流の村々分は、御薗分一番所で納めていた。伊豆からの商品は山で作り出すものばかりではなく、魚もそうで、三津や土肥、宇佐美、手石(南伊豆町)など主要な湊にも番所が設置された。

宝暦年間（1751〜64）の記録をみると、番所へ分一金を投げ入れていく人が多く困っているとの記載がある。本来、手続きをして取立帳に記載しなければならないところを省略して記載できないということだった。狩野地域は江戸城西之丸へ上納する天城炭の産地であった。幕末には農業の集約化が進み、馬の数が減少したので、炭を運搬する馬が極端に不足した。また、狩野川の舟運数の少なく、瓜生野まで炭が運ばれてくるが、ここに多量に滞留してしまう事態が生じていた。

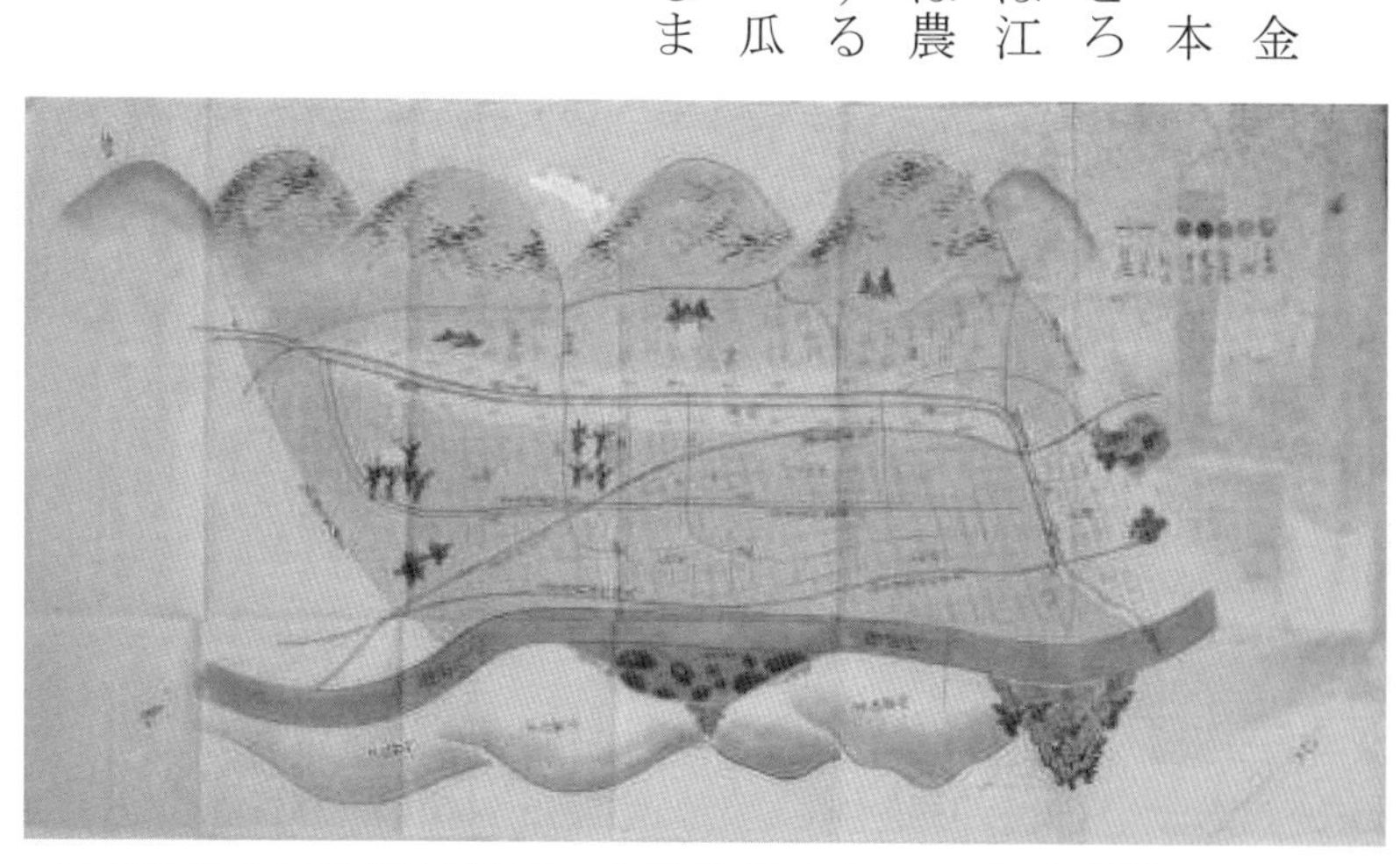

江戸時代の瓜生野村絵図、公益財団法人江川文庫提供

60 瓜生野村(伊豆市) 3 農兵調練場

三島の夏祭りを盛り上げているのが農兵節である。農兵節は、ヤッパンマルス(日本マーチ)を韮山農兵が歌って行進したともいうが、資料的裏付けはない。現在、確認できるのは、軍陣を作ったり、攻撃したりするときにスネアドラムで演奏した「鼓譜」が、江川文庫に残されていることから、音楽が使われていたことを知る手がかりとなっているということだけである。農兵節も、三島ダイコンを宣伝するため、三島の平井源太郎が横浜に伝わる野毛節を元歌にして普及させたという説が有力である。

韮山代官江川英龍が海防のため、農兵創設の建議を行った。きっかけは嘉永2年(1849)イギリス船マリナー号の下田入港と測量であった。当時下田港を守っていたのは小田原藩と沼津藩であった。伊豆には大名領がなく、半島の東の入口近くに小田原藩と小田原城、西の入口付近には沼津藩と沼津城、その両藩が下田の警衛を任されていたが、いざという時に直ぐに配備できるわけではなく、全国の大名を呼び寄せようとしても天城山を越えて陸路を下田へ向かうのは困難であった。そのため、代官直属の農兵が欲しいと建議したのである。彼の没後の文久3年(1863)にようやく実現した。最初は江川家が奈良の宇野(現五条市)から伴ってきた代々の家来である金谷13人衆で農兵を組織した。

農兵を組織し、調練をするための場所の確保が必要であった。金谷農兵の調練場は江川邸の表門横の枡形で行われた。三島市役所前にある農兵調練場跡の石碑はご存じに方も多いに違いない。しかし、それだけでなく各所で行われた。その一つが瓜生野にあった。耕作していない場所を考えると、恐らく、瓜生野金山のズリ捨て場辺りを使ったのではなかろうか。伊豆で農兵調練場跡として使われた村は、他に、伊豆と伊豆周辺では、網代(熱海市)、青市(南伊豆町)と原(沼津市)であった。

下田街道の面影を残す瓜生野内の道

61 下修善寺(伊豆市) 1 横瀬1

瓜生野を出ると「ナメド大門」というバス停前になる。ナメドという意味は不明であるが、瓜生野金山のズリを捨てた場所ではないかと推測してみた。大門は修禅寺の入口がここにあり、大門が建っていたというが、これも定かではない。ここから狩野川下流の白山堂と小坂を渡る橋も大門橋といい、葛城山にあった真言宗寺院の常楽寺の大門と言われている。修禅寺も元真言宗で空海が開基といわれる大きな伽藍を構えた寺院だったといい、考えられないことはないが、今後の調査に委ねることにする。

江戸時代の下田街道は、修善寺橋ができる前であり、狩野川台風も経験していない。伊能忠敬の測量隊が作った地図を現在の地形図に落とすと、修善寺橋の中央付近を北上して現道に向かう。すなわち、源頼家が修善寺に幽閉された折り、自身の不運をなげき、登って月見をしたといわれている月見ヶ丘はもっと東に寄った川の中までせり出していた。昭和になって狩野川に架橋するため削ったので、この小山の中腹にあった頭に石をのせた笠冠地蔵は橋のたもとに移され、愛童将軍地蔵としてまつられた。高さ2メートル近い大きさの地蔵像である。修善寺橋上流で大見川を合流するが、これより上流は静岡県の管理となっている。

狩野川に架かる橋は、これより下流は特徴的な色をつけた鉄骨トラスの橋である。赤い修善寺橋、その下流の大仁橋も赤、大門橋（伊豆の国市御門―小坂）はグレー、千歳橋（伊豆の国市南條―古奈）は水色、松原橋（伊豆の国市原木―北江間）は青緑色、石堂橋（伊豆の国市原木―函南町日守）は深緑色と塗り分けている。千歳橋を除いて、それぞれ架橋した場所には渡し船がおかれ、明治8年（1875）伊豆国全国衆議で大仁橋の架橋が提案され、逐次橋が架けられた。

　修善寺中学校は今、柏久保の丘陵上にあるが、狩野川台風は様々な風景を変えてしまい、台風以前の修善寺中学校も流してしまった。その場所に商業施設が建設されている。

修善寺橋、狩野川の国土交通省と静岡県の管理分岐点

62 下修善寺(伊豆市) 2 横瀬2

八幡神社は、旧下修善寺の氏神として、狩野川端の月見ケ丘にまつられていた。前回、月見ヶ丘が削られたことを書いたが、いつの時代か、修善寺に幽閉された源頼家の霊をまつる御霊屋として現在の地に移され、八幡神社と称するようになったという。さらに、平成29年の国道改良工事で社域が狭められた。八幡宮は京都・石清水八幡を本社とする武士に信仰された神社で、鎌倉の鶴岡八幡宮がその典型である。

伊豆地域は三番叟の演納が盛んであるが、当社で行われる三番叟を縁の下に潜って盗み出して始めたのが寺家の三番叟という。この真偽は不明だが、それほど盛んであったということができる。

八幡神社の狛犬は少し変わっている。狛犬というよりかわいい山犬という感じだ。実は伊豆市湯ヶ島の天城神社にある狛犬と同じである。当社狛犬の造立は宝暦13年(1763)で、天城神社のものは2年後の明和2年(1765)である。同じ石工によって制作されたということになる。どのような関わりでこの狛犬が両方の神社に置かれたかは不明である。

旧暦のお盆である盂蘭盆会に近い旧暦7月24日を地蔵盆という。地域の子どもたちが中心となって神輿を担いで、国道に列を作って歩く姿を見る機会があるのではないかと思う。京都が発祥という。当地では1か月遅れの8月24日に行っている。伊豆で行っている地区は他にはないのではないかと思われる。

八幡神社の横を流れる修善寺川は現在桂川と呼ばれている。修善寺温泉を宣伝するため、小京都と位置づけ、川を桂川、山を嵐山、橋も渡月橋という名前に変更した。現在では違和感なく、それら地名が当たり前になっている。修善寺川には江戸時代サンショウウオがたくさん成育して、捕獲して薬用のため江戸に売り出していた。

横瀬八幡神社、宝暦年間の旧鳥居が道路改修により新しい鳥居に付け替えられる

63　小立野(伊豆市)

下修善寺村との境を流れる修善寺川(桂川とも)には江戸時代にも湯川橋が架かっていた。文政4年(1821)伊豆を旅行した富秋園海若子は下田往還を南下して『伊豆日記』に「右なる山際より落ち来る流れあり、いとも速き瀬川にて、板橋を懸け渡したり、又左のかたは狩野川にて、この川向ひの山合ひより流れ出つる大見川といふもあり、爰にては三所よりそ落ち合ふ」と著す。昭和4年(1929)に建設された橋は、延長22・2㍍、幅員5・3㍍で川端康成『伊豆の踊子』の起点で「修善寺へ行く彼女たちと湯川橋の近くで出会った」と書く。平成8年(1996)、静岡県建設協会・昭和会によって静岡県の土木建造物に選定したが、老朽化し、平成30年初めに掛け替えられた。

小立野は元本立野と一地域を占めていたようで、どちらを表すか解らないと困るというので、「本」「小」をつけたというが、分離の年が解らない。しかし、すでに永禄2年(1559)後北条氏3代氏康の家来を編集した『小田原衆所領役帳』に見る家来に狩野藤八が小立野に10貫文の領地を持っていたことが記されている。

文禄3年(1594)に行われた太閤検地では「豆州宝郡狩野庄小立野村」と書かれ、小立野村が成立していた。当村の狩野川で鮎が捕れる。簗漁が中心で、宝永年間（1704〜11）対岸の日向村と簗場の位置について争っている。延宝5年（1677）に三島代官の支配方法を記載した『伊豆鏡』によると、鮨鮎を納入し、宗光寺組6か村、小立野組7か村、牧之郷組14か村で分担納入していた。この3組は1か月に3度ずつ飛脚を使って江戸へ納めた。また、当地から領主の江戸屋敷へ生鮎・塩鮎・焼鮎・ウルカなどが献上された。江戸時代の村絵図にも梁懸け場」が描かれている。

古い下田街道は、湯川橋を渡って狩野川近く現市役所辺りを通過していたが、水害のため現在の通路に変更した。現在、伊豆市の中心的な場所となり、市役所や図書館、修善寺保健所、伊豆赤十字病院、中央公民館などがある。

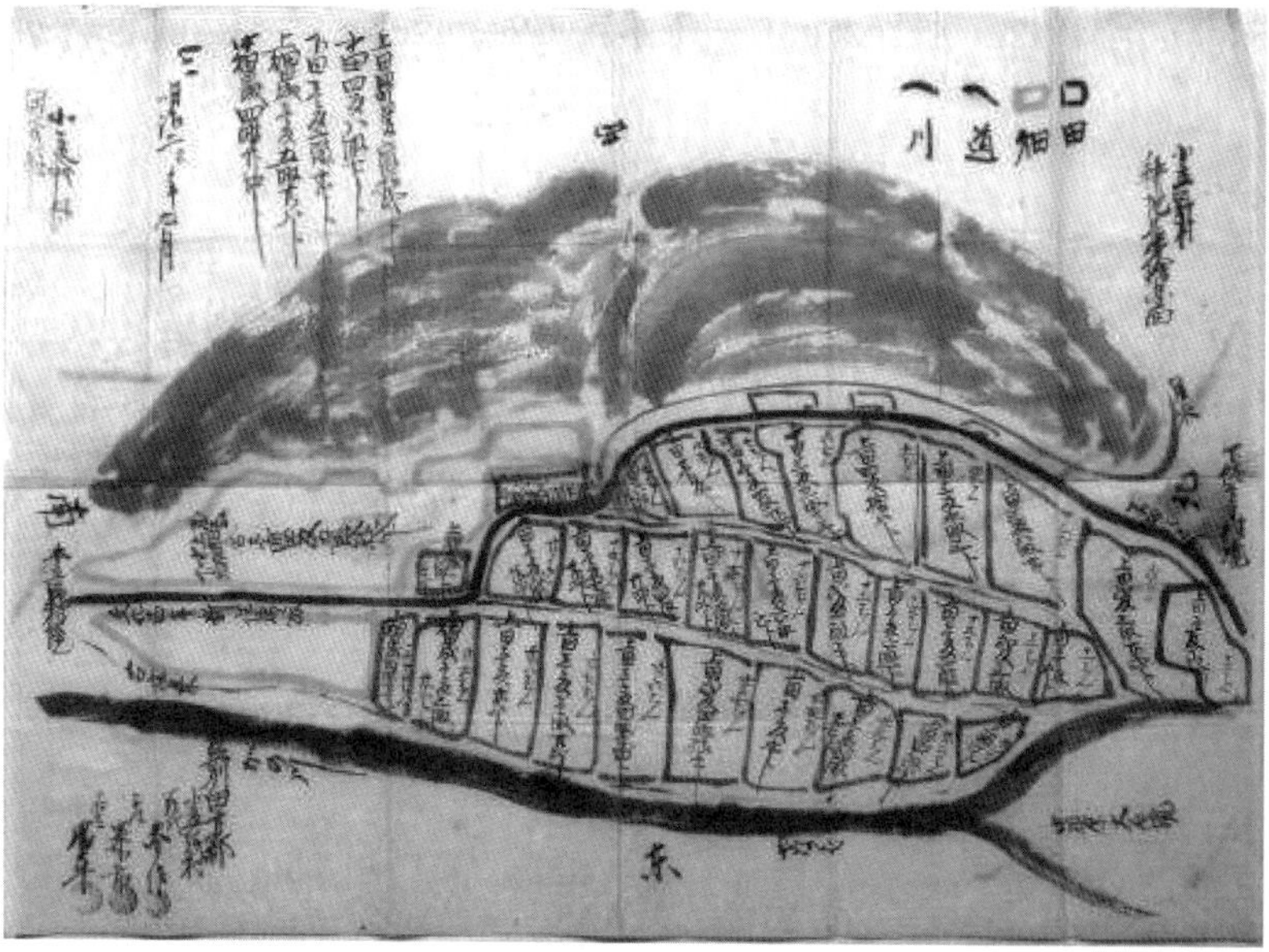

明治2年小立野耕地絵図、公益財団法人江川文庫提供

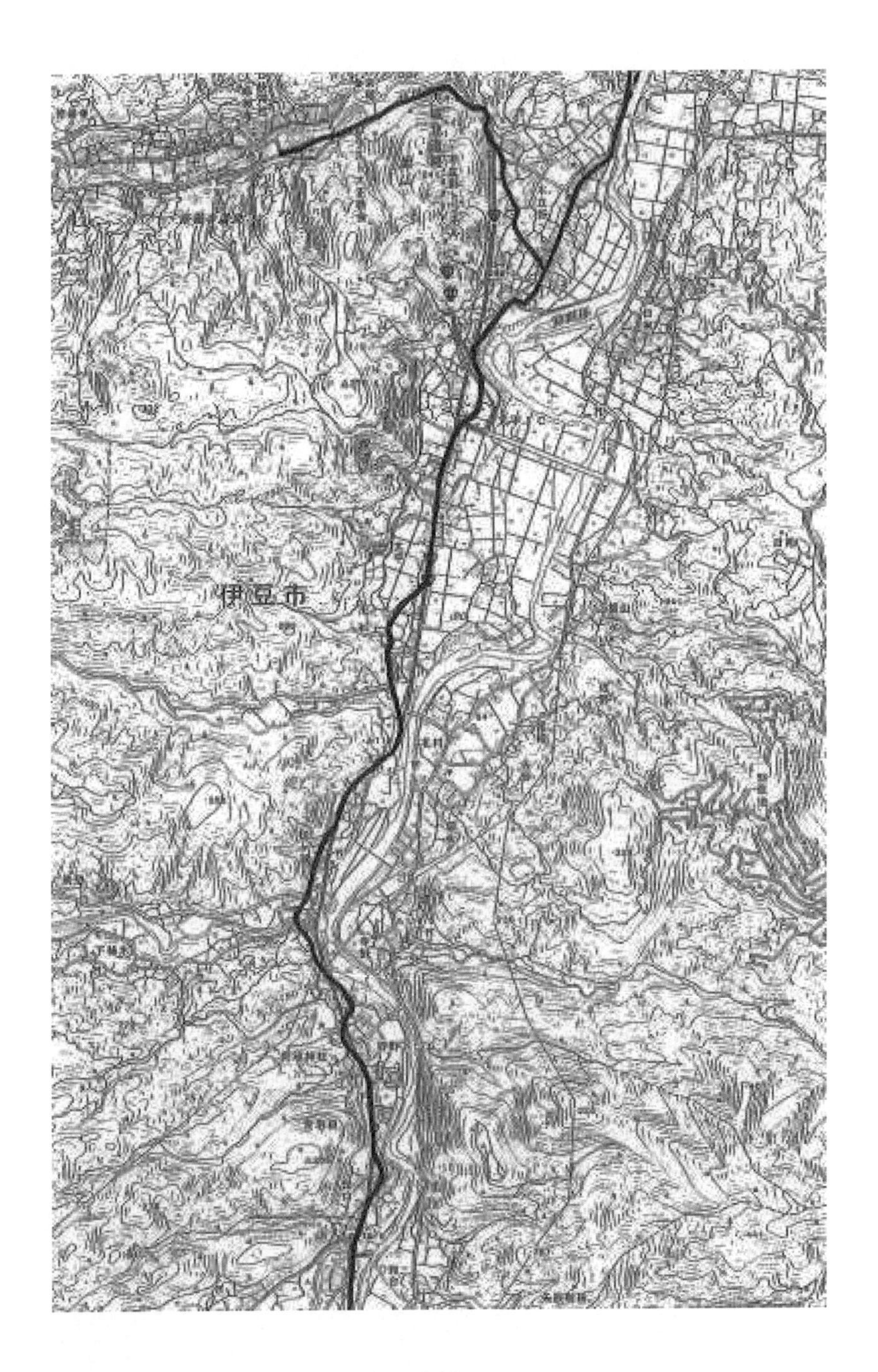
伊豆市

第5章　天城山出荷物の集散地　本立野

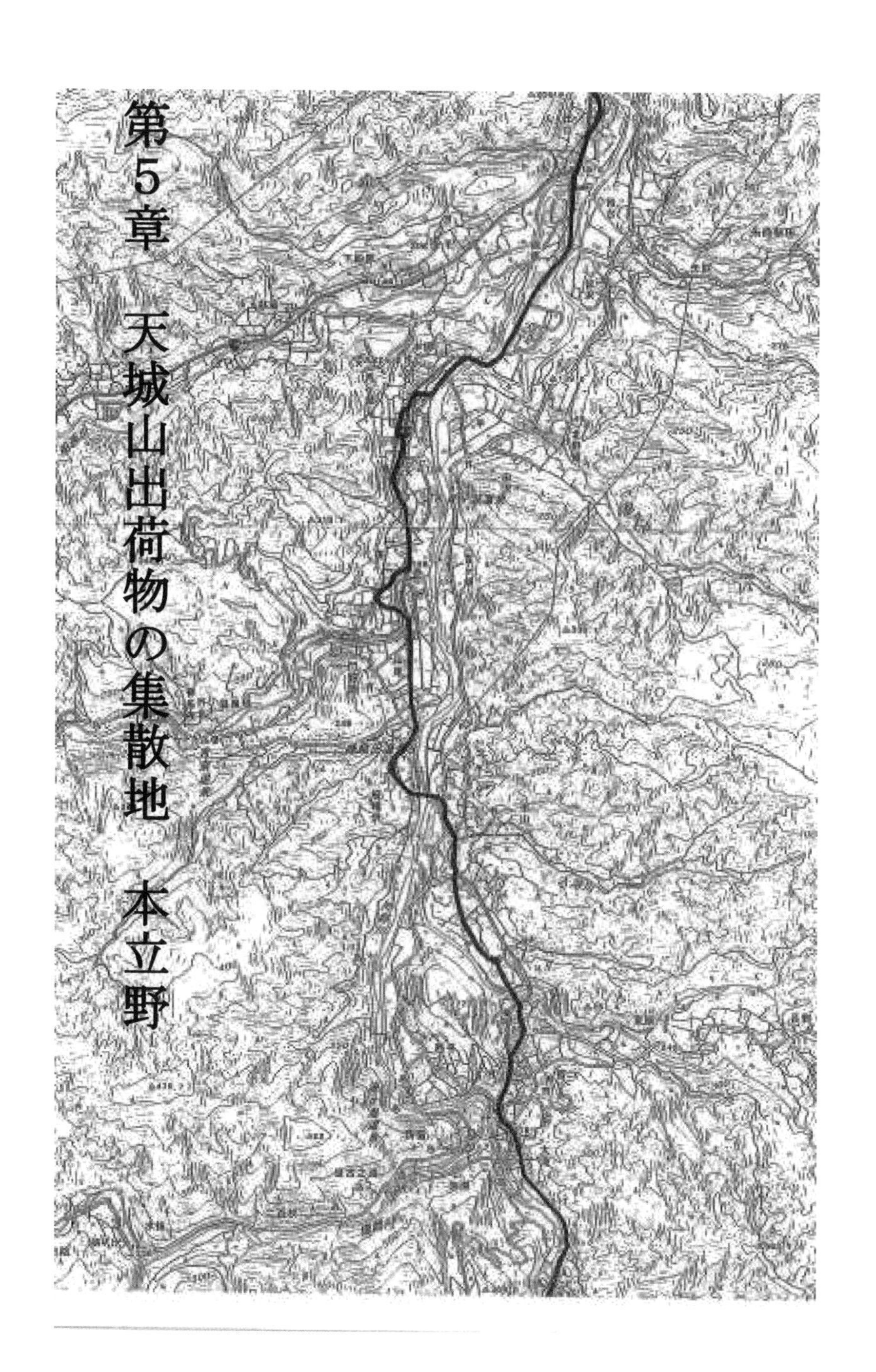

64 本立野(伊豆市) 1

下田街道は小立野から本立野を経て大平へ向かう。明治維新後明治22年(1889)まで、本村のほか、字中道に大平・小立野・日向・加殿・田代の5村を管轄する戸長役場が置かれ、当地域の中心的な位置をもっていた。街道の両側に面影を残すが、継立の宿場となっていた。

宝永年間(1700年代初め)には北条(伊豆の国市四日町)まで3里、湯ヶ島(伊豆市)まで3里の距離を継ぎ立てを行い、宝暦10年(1760)以前には大仁村継立が始まって、同村と湯ヶ島村への継立場となった。駄賃は宝永年間には北条まで本馬139文・軽尻95文・人足67文、湯ヶ島村へは本馬207文・軽尻128文・人足94文。宝暦10年には大仁村まで本馬66文・軽尻51文・人足36文、湯ヶ島村への駄賃には変化がなかった。

荷物の運搬を手伝う定助村の指定があり、上・下修善寺村、加殿村など10か村が勤めていた。下田街道の交通量が多くなった幕末にはさらに差村(さしむら)として周辺村々に応援を頼み、瓜生野村、戸田村など6か村・1430石で勤めた。商家なども多かったとみえ、享保15年(1730)の本柿木村(伊豆市)の村の様子を記した明細帳に1里離れた当村へ万(よろず)買物へ行くと記されている。明治元年「小田原県・菊間県・荻野山中藩引渡伊豆国田方郡差出明細帳」(江川文庫)「本立野村指出シ帳」に家数１２０軒があったことが書かれ、当時の平均的な村の家数は多くても60軒程度であるが、街道に軒を連ねていた様子がわかる。

文化12年（１８１５）５月３日、第９次伊能忠敬測量隊の永井甚左衛門を中心に測量。『伊能忠敬測量日記』５月３日条に「本立野村。左狩野川渡舟場有、字遠藤渡ト云。（中略）止宿本立野村。川口屋長右衛門。」とあり、伊能忠敬の測量隊は川口屋に止宿した。

明治初期まで当地域の中心的な村であった。明治14年（１８８１）本立野にあった警察署の分署を大仁村へ移転、明治６年学制により松ヶ瀬村に置かれた啓蒙館の分校として本立舎（修善寺東小の前身）が置かれた。また、明治25年５月本立野にあった登記所を大仁へ移転した。

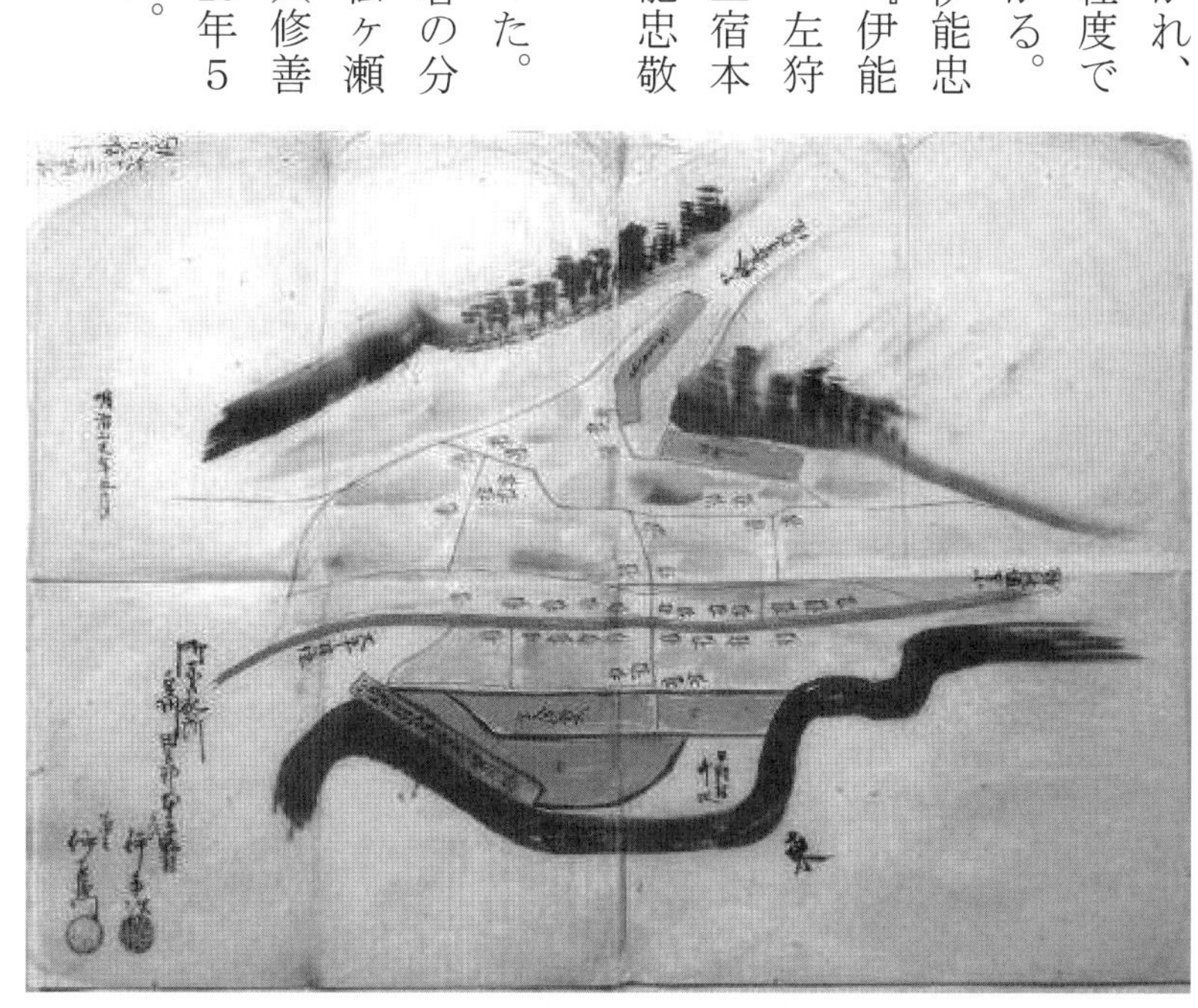

明治2年本立野村絵図、公益財団法人江川文庫提供

65 本立野(伊豆市) 2

大平柿木(伊豆市)にある柿木魂神社の永禄3年(1560)の神社の造立、改修記録を書いた棟札に大工立野七郎左衛門、岩徳高神社(伊豆市徳永)の慶長16年(1611)10月造立棟札には大工タチノ福井孫左衛門とある。

江戸時代、当地には木宿とよばれる卸問屋があった。天城山で生産された材木、板、まな板等の商品を購入して、狩野川を艜(ひらた)とよばれる底の浅い川舟で川下げし、沼津まで輸送、ここから江戸へ売り出していた。寛政12年(1800)「大平村差出帳」に農間に男は薪取や炭焼、薪などを立野河岸に付出しとある。天和3年(1683)「瓜生野筋薪拾分壱改帳」には当村に木宿があるとの記載があり、天城山、周辺地域からの薪や炭などの荷物卸商人がいたものと思われ、当地は、天城山で生産される商品の集散地であった。そのため、後北条時代から大工が活躍していたものと思われる。

伊豆で紙といえば「修善寺紙」であるが、当地の産物として、立野半紙があった。『増訂豆州志稿』には、下品で書札に使うことが難しい、製法を改良すべし、とあるが、書かない紙も必要である。古くから立野半紙は世に知られていた。例えば、慶長3年(1598)三須文左衛門に宛てた徳川家康の修善寺紙の「紙漉免許状」にはすでに立野紙のことが記される。山梨県身延町西島で行っている紙漉きは戦国時代に立野から伝わったという。

寛政４年（１７９２）『槃游余録』に「立野村は家毎に紙をすきてすぎはひとす」とあり、また、天保６年（１８３５）寺本永（ひさし）『雁がね日記』には「立野の里にいで、修善寺紙ひさぐ商人（あきびと）の家に休らふ。」とある。さらに、文政４年（１８２１）伊豆を旅行した富秋園海若子は『伊豆日記』を著し、そのなかに「やゝ行きて坂を登れば立野のさとなり、このわたりは紙すくわさをなりはひとすめる家の多ほかり」と著した。江戸時代、すでに立野半紙として流通していたことがわかり、明治元年村明細帳（江川文庫）によると家数１２０軒の内農間に60程が紙漉きをしていると記されている。紙漉きは、本柿木（伊豆市）でも古く行われていたようで、享保15年（１７３０）の村の様子を記した明細帳に漉き舟があったが、現在は使われていないとの記述がある。

本立野を国道136・414号から俯瞰

66 本立野(伊豆市) 3 修善寺城

狩野川と修善寺川(桂川)の合流点の南に標高248メートルの山頂、本立野と修善寺に跨る場所に修禅寺城跡がある。本丸跡は平地で、廃井が今も名残を留める。康安元年(1361)、足利幕府の関東管領基氏の執事であった畠山国清は弟2人とともに基氏に対して謀反を起こし、500騎を率いて伊豆に逃げ下り、三津(沼津市)・金山(伊豆の国市城山とも、城山の南にある山ともいわれる)・修善寺の三城に立て籠もった。やがて関八州の軍勢20万騎に攻め込まれ、不利の戦いを重ねながら最後に修善寺城に立て籠もった。水と食料を断たれ、北朝貞治元年(南朝正平17年、1362)9月10日降伏し西国を流浪し奈良で窮死したという。

城山神社が畠山国清の居館跡と思われ、神社裏手から登る道が大手と考えられる。10分ほどで尾根に達するが、そこは南曲輪で、廃止されたロープウェーの駅舎によって遺構が損なわれてしまった。15メートル四方の平場の西側から北側にかけて、高さ2メートルの土塁が残っている。北側に勝運寺という新しい堂宇が建つが、その裏手下方にも塁段がいくつか残る。南曲輪北側の18メートル高くなっている平場が本郭で、20メートル四方、ほぼ正方形の周辺に土留めの石塁が認められる。山麓の洞穴(木立野耕地に面する斜面の半腹)は、記録にはないが、慶長初年金山奉行大久保長安の金を採掘した跡という。

伊豆には、後北条氏関係の城跡が多く、狩野川を挟んだ向いの小高い山に見える柏久保城跡も大見三人衆が後北条氏に味方して築いた城であった。明応6年（1497）4月25日「伊勢長氏判物写」によると、伊勢宗瑞（北条早雲）は佐藤藤左衛門尉・梅原六郎左衛門尉・佐藤七郎左衛門尉の大見三人衆は、狩野城（伊豆市本柿木）を守る狩野道一に対抗し、柏窪城（柏久保城）での一戦で戦功を上げ、大見郷の陣夫役を免除された。柏久保城は土塁が明確にわかる城跡で、天桂院脇から容易に登ることができる。

修善寺城遠望、狩野川の対岸から

67 本立野(伊豆市) 4 加殿・日向

本立野村を文化12年(1815)に第9次伊能忠敬測量隊の永井甚左衛門が中心となり測量を行った。その時に記述した『伊能忠敬測量日記』に「本立野村。左狩野川渡舟場有、字遠藤渡ト云。」と記され、狩野川に大見方面への往来のための遠藤の渡しがあった。その跡に現在は遠藤橋が架っている。

本立野の対岸は日向で、日向山御林という幕府の管理する御林があった。池山ともいい、三島代官伊奈兵蔵の代に日向山御林が設定されたといわれ、松木を中心に管理した。御林内に面積12町歩(約12ヘクタール)余の日向ノ池があり、日向村用水をここから引いていた。延宝2年(1674)の調査では5万9400坪(約18ヘクタール)、松7222本、杉32本としている。下草刈敷は加殿・田代・日向3か村の管理となっていた。

日向字井戸尻、日向公民館の西側には、平安末の狩野茂光の居館があったとされ、日向館という。『静岡・愛知・岐阜の城郭』では「現状は50メートル四方のほぼ正方形の水田で、北側と南側は自然の谷を空堀として利用したらしく、特に南側にその遺構が認められる」と記載されている。伊豆市ホームページは「居館跡はほぼ長方形で南北約77メートル、東西58メートル、南北には堀とその内側に土塁があり、西側は狩野川に浸食されて崖になっているが、元はもっと西方に延び、そこに古い墓地もあったこともわかった」とし、昭和54年(1979)県営圃場整備事業に先立つ予備調査で遺構が確認された。敷地内からは掘立柱建物跡が発見され、宋の青磁・白磁の他、常滑焼・瀬戸焼や鎌倉時代初期建築の韮山の願成就院から出土したものと同様のカワラケが検出された。この場所は狭く要害にならないという理由で柿木に移転という説があるが、一説に日向館跡は加藤景員の居館ともいわれる。南東隅の民家に「堀之内」という屋号が伝承され、遺跡が確認されたので、圃場整備事業は盛り土を主体とする工事内容に変更され、道路敷部分だけの調査となった。平成4年(1992)に調査が行われ、さらに平成20年から県道付替により当該部分にかかるため、調査が行われた。

遠藤橋、古く遠藤の渡しがあった場所で大見方面に向かう岐路

68　本立野（伊豆市）　5

伊能忠敬の測量隊は立野から越路坂を越えて修禅寺まで往復測量を行った。四日町（伊豆の国市）でも八坂神社から江川邸まで往復測量を行っている。表敬訪問、参拝に出掛ける時も測量を必ず行った。

修禅寺は、大同2年（807）空海とその高弟杲隣（こうりん）大徳が建立したといわれる。『今昔物語』巻11「弘法大師渡唐伝真言教帰来語」に弘法大師が苦行した場所の1つとして「伊豆ノ国ノ桂谷ノ山寺」と書かれ、古刹である。越路坂（現在はトンネルになっている）を越え、修善寺温泉に入る入り口付近にロシア正教の修善寺ハリストス正教会がある。「修善寺ハリストス正教会顕栄聖堂」が建造物として、昭和60年（1985）静岡県有形文化財に指定された。建坪37坪（122㎡）で木造平屋建寄棟造の聖堂はビザンチン様式で大正元年（1912）創建されたものである。柏久保にもロシア正教の教会があり、当地の文化を示す建造物として保存されている。

明治初期には旧田方郡内の多くの名士がロシア正教に入信した。本立野出身の岩沢丙吉はロシア正教の布教活動を熱心に行った。丙吉は岩沢平六の長男として生を受け、洗礼名アルセニイ、ペンネームは三里野人（ミリヤニン）。当地の勝良親に句読を学び、明治6年（1873）小学本立黌に入る。また同校教師田辺直、植田卓爾に漢籍を学ぶ。同9年13歳のとき、父平六、叔父相原平八、同甲子郎らとともに神田駿河台の正教会でニコライより受洗した。

正教神学校を第二期生として卒業、同16年には三井道郎とともにロシア留学を命じられた。モスクワの中学校を卒業したのち17年ペテルブルグ神学大学に入学、21年同校を卒業し、帰国。以後大正8年(1919)まで正教神学校教授を務め、一方では、大正6年からは陸軍大学校ロシア語教授を務めた。『露和小辞典』などの編著書があり、日本におけるロシア語教育にも功績を残した。昭和14年(1939)、日本ハリストス正教会代表となった。

修善寺ハリストス正教会

69 大平(伊豆市) 1

地域の人たちは「おいだいら」ともいう。『増訂豆州志稿』に「天正十八年豊臣氏文書伊豆国おいたいら郷」と記載があったと記述している。

当地には鷹匠が居住し、延宝5年(1677)に記載された三島代官の覚書である『伊豆鏡』に「米百俵、但し3斗5升入、三橋弥市右衛門へ切手米5石4斗程を渡す」ことが記載され、さらに「大平村に住宅し、切手米は狩野組にて渡す」とある。当時の狩野組は、加殿村(伊豆市)に大名主がいて、大平村等天城山より北にある27村を組織した村連合である。三橋家は後北条氏に仕えた鷹匠であった。

また、同書にはかつて深沢山に金銀山があり、当時すでに採掘を停止しているとする。金・銀・銅・亜鉛を生産していた。近代になって、大正年間に長山謹三郎が稼行を開始、後に大平金山(株)により小規模に稼行した。昭和8年(1933)一時三菱鉱業(株)との採鉱契約によって採鉱された。同契約終了と共に富国鉱業の所有となり、小規模に稼行、同18年金山整備令により休山。戦後沖貞隆の所有し、20kg金産出という。同26年出鉱量51トン、従業員7名、日興産業(株)が運営。昭和14年と同23から33年の合計鉱量1752トン、品位平均金10・1グラム/トン、銀12グラム/トンであった。

明治18年、伊豆の人たちが静岡県から分離して神奈川県と合併したいと要望し、伊豆をあげて署名した「神奈川県エ管轄替請願」に82人が署名している。その内、滝川・山田が12人と多いが、次いで鈴木・土屋が各9人である。江戸時代、幕府が編さんした武家の系図集である『寛政重修諸家譜』の中に土屋氏家譜があり、相模国土屋を領した土屋昌遠は、武田信虎に従い京師におもむくとき、家系を菩提所伊豆国大平郷眞光院に納めたが、この院が滅亡したことにより家系を紛失したとある。土屋氏の菩提所は伊豆の大平であり、ここの出身ということになる。署名簿に1人ではあるが、三橋氏がいる。後北条時代から江戸初期に鷹匠として当地に居住していた。

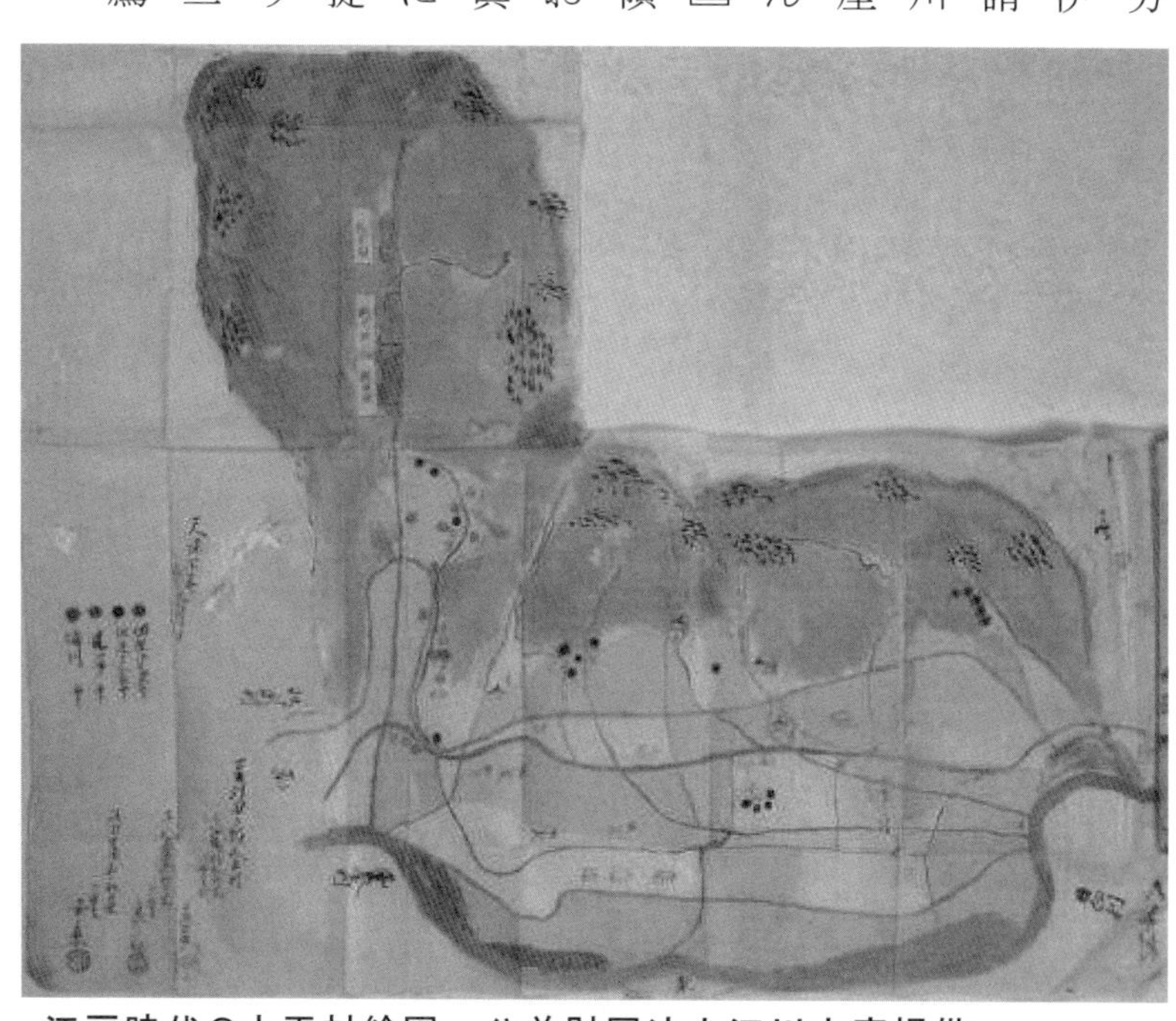

江戸時代の大平村絵図　公益財団法人江川文庫提供

70 大平(伊豆市) 2 北条宗哲

伊豆市大平の天文21年(1552)大平神社棟札銘では「旦那 平朝臣源菴」とあり、北条幻庵のことと考えられる。近くには天正年間(1573～92)に宗哲(幻庵)を開基とする金龍院があり、大平郷は北条早雲の子である宗哲の知行地であり、御殿があったと考えられている。現在、大平字宿の御殿ヶ原(みどのがはら)が幻庵の館跡と考えられ、幻庵の子で氏信(新三郎綱重)は蒲原城主となった。幻庵の養子武田七郎氏秀は北条氏康の第7子である。幼くして武田信玄の養子となり、北条幻庵の娘聟として幻庵とともに大平村に居住したという。

永禄2年(1559)の北条早雲の子3代氏康のまとめた『小田原衆所領役帳』の御家中衆に幻庵御知行と見え、中郡依知郷(厚木市)、東郡茅ヶ崎(茅ヶ崎市)、西郡高田郷(小田原市)、西郡鬼柳(同市)とともに豆州大平等を合わせて2746貫文、この他に御新造(宗哲の妻)知行分として合計332貫文、以上合計3078貫文の本役、この他の知行地を合わせて5130貫文の知行役高を与えられていた。宗哲の子には三郎(宝泉寺殿)・新三郎氏信・長順(箱根少将覚胤)・養子の三郎(北条氏康の七男、のち上杉景虎)、娘には上杉景虎室・鶴松院(吉良氏朝室)があった。家督は氏信戦死ののち嫡孫の氏隆が相続した。大平は箱根権現の神領地であったので宗哲は大平に居住した。

宗哲は技芸・風流の道に通じており、一節切（ひとよぎり）（細い竹の尺八に類するもの）の名人、娘の鶴松院が世田谷城主吉良氏朝に嫁ぐ時持たせたという。永禄５年と推定される12月16日に礼儀作法の覚書「北条宗哲覚書」（「幻庵覚書」は当時の風俗・儀式・故実・国語等の貴重な研究資料として残る。）金龍院蔵の位牌に「金龍院殿明岑宗哲大居士」とある。

永禄10年（１５６７）５月５日に彦山という人物が右京阿闍梨に対して、郷内の天眼山延命寺の仏像・寺屋敷一円を与えている。また、日向（伊豆市）にある春日神社の永正８年（１５１１）修理棟札銘に、鍛冶として大平二郎三郎の名が見え、北条宗哲居住地として、当地域の中心となっていた。

条幻庵の菩提を弔う金龍院

71 大平（伊豆市）３　旭滝と虚無僧寺瀧源寺

朝日に面して落下する高さ１０５メートルの旭滝は、６段になって落ち、基盤の岩は細長い玄武岩の柱状節理である。伊豆の地誌をまとめた『増訂豆州志稿』に大平村に新池があり、流れて瀑布となる、これが旭ノ滝となるとする。滝は真東を向いており、朝日を受けたときが一番美しいのでこの名がついた。平成30年伊豆半島はユネスコから世界ジオパークに認定され、注目されるジオサイトの一つである。

江戸時代、谷文晁『公余探勝図』に「大平瀑布」として描かれる。瀧源寺（りょうげんじ）は、旭滝の直下にある普化（ふけ）宗の寺院。現在「りょうげんじ」と読んでいるが、古くは「りゅうげんじ」で「流源寺」と記載したものがある。山号は功徳山、龍泉寺の奥の院として観音堂であったが、寛永年間（１６２４～44）独立して寺となり普化宗としたという。普化宗は曹洞宗の一派（開祖である普化和尚は禅宗であり、臨済宗の開祖である臨済禅師の身の回りの世話を一時やったという記録はあるが、臨済の弟子というほどでもない）。檀家を持たず、虚無僧として尺八を吹き門付けして生計を立てていた。ここで、北条早雲の子・幻庵（宗哲）が作ったともいわれる尺八の曲「滝落」が作られた。虚無僧・一節截（ひとよぎり）については文政13年（１８３０）に喜多村信節が著した随筆『嬉遊笑覧』に詳しく記される。

普化宗の本山は明暗寺（京都）と鈴法寺（千葉県）で、瀧源寺は鈴法寺の管轄、活惣派11か寺の１。江戸時代偽虚無僧が門付けするので、両寺は特別許可を得ていた。明治４年（１８７１）、普化宗が廃止されたので、当寺の本尊千手観音像・不動明王座像は近くにある曹洞宗金龍院に移された。両像とも県指定文化財。当寺は金龍院管理の中、伊豆横道三十三所霊場の一つ。明治37年晩秋、村内の信者の懇請により旧縁の地に堂宇が復旧されそこに安置されたが、山崩れのため再び金龍院に移された。唯一残った石組みの太鼓橋が往時の名残を留める。寛政４年（１７９２）に著された『槃游余録』や文政７年（１８２４）『甲申旅日記』、天保６年（１８３５）寺本永『雁がね日記』にも同寺院のことが書かれている。

大沢村（現松崎町）名主依田佐次兵衛画「旭滝・瀧源寺」

72 松ヶ瀬村(伊豆市)

大平から松ヶ瀬に入るには、高橋橋を渡り、現道は山が迫り出したその下を通過している。しかし、江戸時代にはその道はなく、ラフォーレ入口あたりから民家の間を一旦山に登る。畑の中の小径を進むと松ヶ瀬の集落の手前に下りる道がある。その後現道の国道が下田街道である。

現道は切り立った崖を切り開いたように見えるが、古絵図を見ると川が雲金側に寄って流れていたようである。現道がそのまま江戸時代の下田街道であった。街道の西側に沿って民家が軒を連ねている。ここからは、狩野川の谷に沿って集落が点在し、下田街道も川に沿って南下する。当地は継立て村である湯ヶ島村へ助郷を務める村であった。

軽野神社は、「狩野」の起こりといわれ、古代に軽野船を作った場所との伝説がある。『日本書記』応神天皇5年(274)10月条に、伊豆国で船を造らせたところ軽くて速かったので「枯野(からの)」と名付けたという説話が記載されている。『増訂豆州志稿』によると、「枯野」は宛字で「から」は「軽」を意味するとされる。船材を出した地が松ヶ瀬であり、当社はそのころの創建と伝える。また、神社近くの楠田や隣接する上船原・下船原の地名、同じく隣接する大平の「大木橋」はその証拠という。応神天皇31年8月条には枯野を廃船とし、その材を薪として塩を焼いたという。

また、その燃え杙(くい)で琴を作ると、その音色はさやかで遠くまできこえたという。

同じく『増訂豆州志稿』によると、中世になり、神社前の道を行く人々が神威を恐れて笠をとって通ったこと、笠を社域の松に懸けたことから神社名を笠離(笠卸)明神、または当地を松笠と呼ぶようになったとされる。天正18年(1590)に出された豊臣秀吉の朱印状が残り、それには「松笠郷」と記さされている。軽野神社の祭典は、古くから三嶋大社酉(とり)の祭と祭日が同じで、祭神は鳥魚を好むといい、境内に池があったという。安産の神として信仰が厚い。

明治6年学制により民家を借り、松ヶ瀬村に啓蒙館を置いた。その分校として本立舎(修善寺東小の前身)、天城舎(湯ヶ島小学校の前身、のち天城小学校)が置かれた。本校は狩野舎と改称、同12年青羽根字栗原の妙聴寺に移転した。

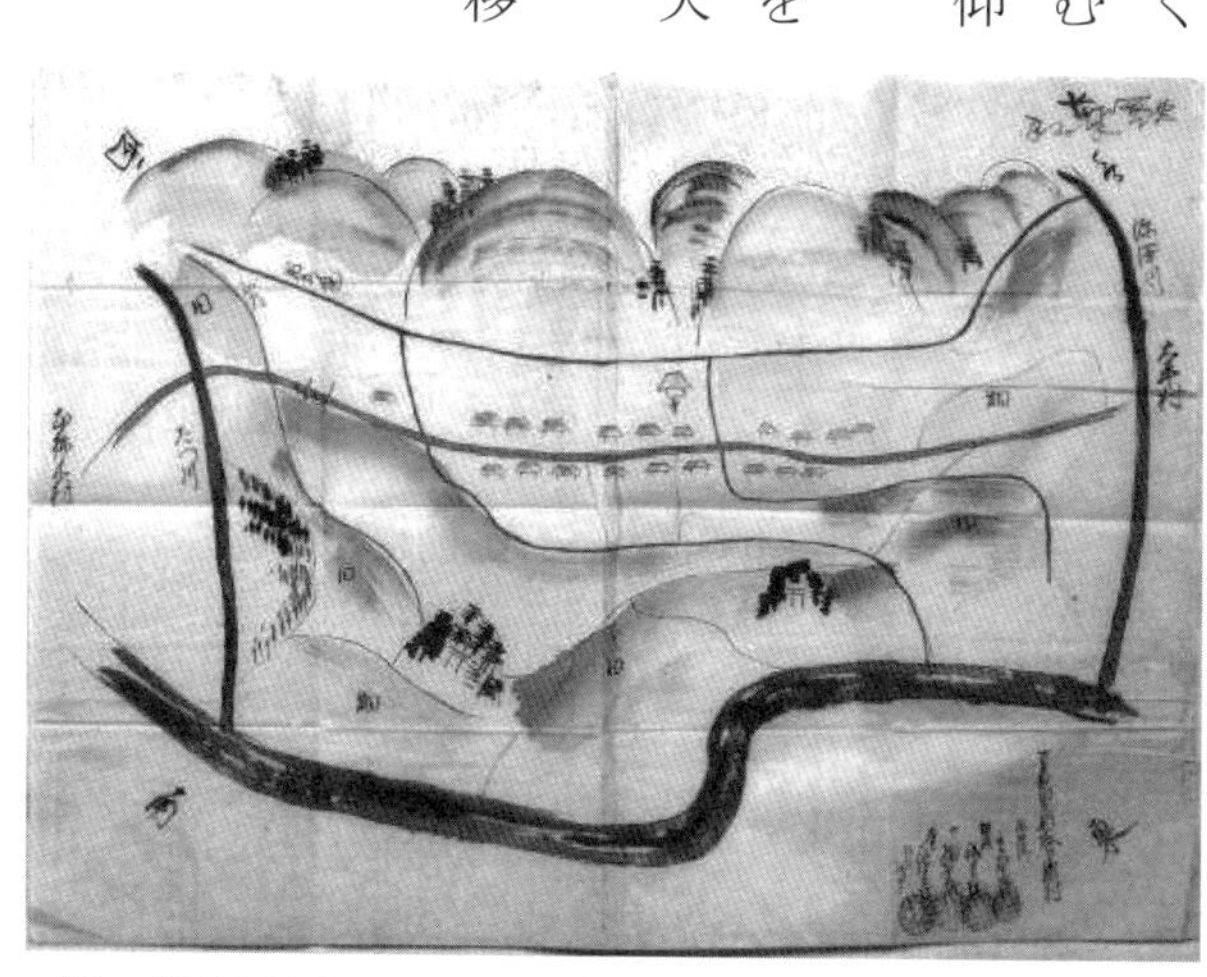

松ヶ瀬村絵図、江川文庫提供

73 佐野・雲金(伊豆市)

松ヶ瀬村と狩野川を挟んだ対岸との間に雲金渡があった。文化7年(1810)伊豆を旅行した江戸の書家である富秋園海若子は『伊豆日記』を文政4年に出版した。そのなかの2葉目の付図に雲金・松ヶ瀬と渡船、青羽根・出口・天城山の遠望した風景を入れている。俳人の六花庵乙児(りっかあんおつじ)が「ここ松(マツ)ヶ瀬、かしこに月ヶ瀬、向ひはと樵(キコリ)に問えは雲かねと指(ユビザ)すかたやほとゝぎす』と詠んだと記載し、秋の紅葉をホトトギスの口にたとえた。

佐野の地名が歴史に登場するのは、明応3年(1494)12月に作成されたと思われる、仏教の在家修行者で霊山・霊地・社寺に参詣する廻国巡礼をする名簿である「伊豆国道者注文」の中の道者名簿に「伊豆さ野の里めふか殿」とある。明応3年は、北条早雲が伊豆へ侵攻した翌年で、まだ、早雲の支配体制が固まっていない時期である。早雲との関係はわからない。その後、『増訂豆州志稿』によると、永正15年(1518)八幡神社を建立したとし、雲金にある佐野の氏神である佐野神社(古くは鮫神社といった)がある。そこに「応永廿五年十一月大吉日」と記載された懸け仏があったとされる。

江戸時代は伊豆全域を韮山代官が治める天領と思っている方が多い。佐野、雲金ともはほとんど韮山代官の支配を受けていない。江戸時代初期は三島代官が支配し、宝永4年（1707）〜享保2年（17）の間高崎藩（群馬県、間部詮房）、同年三島代官が預かり、同14年掛川藩領となった。その後、延享3年（1746）〜天明2年（82）棚倉藩（福島県、小笠原長恭・長堯）、同年韮山代官が預かり、同4年下総関宿藩領（千葉県）、同年再度韮山代官の預かり、そして、文化9年（1812）旗本本多領となって幕末を迎え、幕末の混乱期に西端県となった。

雲金には日蓮宗妙本寺があり、塔頭を持つ大きな寺院であった。後北条氏時代、当地に狩野山を管理する檜奉行が置かれた。中伊豆地域とたびたび争いになった嵩田山（武田山）を含んで天城連山から狩野山とよんだのではないかと考える。

『伊豆日記』に描かれた雲金より天城山を望む図

74 本柿木(伊豆市) 1 本柿木村

松ヶ瀬を過ぎ、田津川橋を渡って青羽根に入る。本柿木は田津川橋部分を通過するにすぎないくらいの下田街道に沿いの集落であるが、西に集落が広がっている。北から西に本柿木をまわるように大平柿木の集落があり、両集落合わせて、のどかな山里の風景を作っている。

下田街道が狩野川を渡るための架橋はなく、渡船を使ったと述べてきた。狩野川の支流である柿木川を渡る田津川橋は、伊豆国中の村々から資金を出し合って架橋、修理を行った。柿木より北に位置する村々は、通行する機会が少なかったと思われるが、それでも修復費を徴収された。下田街道の重要な橋であった。

佐野、雲金の領主の変遷を前回の記事で書いた。本柿木は、240石の村高の村であるが、元禄11年(1698)から、代官支配地と3名の旗本が治める村となった。秋山富南の『豆州志稿』編さんのため、寛政9年(1797)に村の様子を書き上げた書類を作成した。その時、村の家数は58軒あった。本柿木は江戸時代の平均的な家数規模の村である。天領はその後旗本領となる。本柿木のように治める領主が4名いる村を四給村といい、それぞれの石高に応じてそれぞれの領主につく家をくじ引きで決めた。家数を割って18軒・17軒・17軒・6軒となり、それぞれに名主

・組頭・百姓代をおくことになった。本柿木では少なくとも名主だった家は4軒ある。

本柿木は寛政9年以前紙漉きを行っていた記録が残り、すでに通過した本立野や修善寺の他にも紙の生産をしていた地域があった。漉き舟が5台あったとする。また、享保15年(1730)の記録には、耕作の間に男は檜笠を作り、女は木綿織をしたとあり、江戸時代の中心である農業の助けとして商品を生み出していた。大平柿木に寺院がないが、本柿木に大龍寺・法泉寺と2か寺あり、樹勢は衰えたものの静岡県天然記念物となっている法泉寺のシダレザクラの見物に多くの人が訪れる。

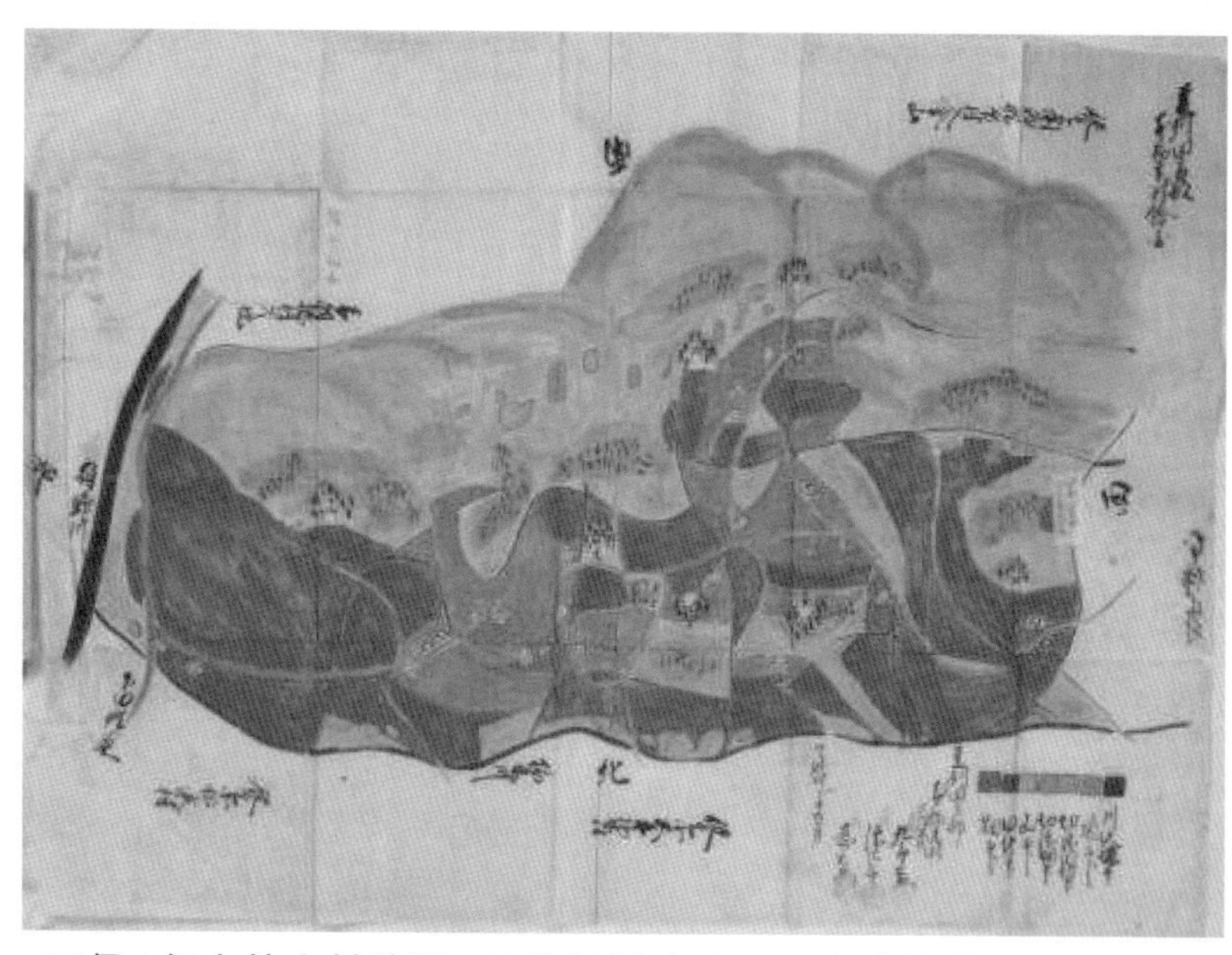

天保4年本柿木村絵図、公益財団法人江川文庫提供

75　本柿木(伊豆市)　2　狩野城

室町時代、永享4年(1432)9月、6代将軍足利義教が富士山賞詠のため、当時有名な文人・武将などを大勢連れて、駿河国守護である今川範政のところへ訪れた。この時、将軍を慰めるため狩野村(伊豆市)在住の武人でもあり絵師でもあった絵師狩野景信が呼ばれ、将軍の前で見事な絵を描いた。京都の文人たちも景信の絵に感嘆し、景信は京都によばれ御用絵師となったという。その子息と伝えられる正信が狩野派の始祖となったとされるが、まだ、真偽が解明されていない。

現在、柿木には狩野姓の家はない。一方、天野(伊豆の国市)に狩野姓がある。『増訂豆州志稿』に、古戦録に狩野一庵は豆州所産の士、北条早雲の孫で、八王子城主北条氏照の祐筆に天野出身狩野家乗がいたという記録、また、武田氏の家来で、武田氏の滅亡で天野に逃れ隠遁して狩野一庵と名乗ったという説がある、と紹介している。

本柿木と青羽根の境の標高180メートルに狩野城がある。平安時代から室町時代の山城で、平安時代からの伊豆国豪族狩野氏の本拠地であった。はじめ日向館(伊豆市日向)を居館としていたが、狭く要害とならないので柿木に移転した。狩野氏は藤原南家為憲流の在庁官人で代々「介」を称した。治承4年（1180）源頼朝の旗揚げに茂光（もちみつ）、親光父子が参陣、狩野茂光は石橋山の合戦で戦死、その子親光も源頼朝に従った。平家没落以来300年平穏無事と思われるが詳細不明。長禄2年（1458）に発給されたと考えられている三嶋神社東大夫に宛てた書状に、三福郷（伊豆の国市）は狩野庄6郷の一つで、狩野道一の支配を受けることになり、三嶋社領ではないことを伝え、広く支配していたことがわかる。

狩野道一は戦国期、明応5年（1496）、伊勢宗瑞（北条早雲）の家来高橋頼元に攻められ宗瑞と協力者伊東祐遠によって狩野城は落とされ、城主狩野道一は自殺、狩野氏は北条氏に従った。狩野城山頂を中心に、本曲輪は東西20メートル、南北10メートルの平場。土塁二重堀、大堀切、曲輪の遺構が残る。近くには本城・城山・城西・柿城・狩野城・松城・古屋敷・城ノ内など狩野氏の城郭に関係した小字が残る。

狩野城跡遠景、狩野川対岸より撮影

76 青羽根(伊豆市)

旧下田街道は狩野川端を通り、現道に出る。狩野川端を通過していたので、災害の時は柿木城の西を回って青羽根へ出たという。青羽根は街道に沿った集落である。『増訂豆州志稿』に、青羽根は青埴で、埴は「ハニ」と読み粘土のこと、青い粘土があることからつけられた地名という。現在も青土の露出した場所がある。吉奈(伊豆市)には赤土がある場所があり、赤バネ」といっている場所があると、する。

街道沿いに製材所が点在する。明治期の殖産興業政策以降、天城の森林資源を木材として利用するため、水車動力を使った製材業が発展した。そのため、街道の河川周辺に製材所が集まった。明治12年栗原の妙聴寺に狩野舎を松ヶ瀬から移転して開校した。その後字栗原に小学校、巡査駐在所が置かれた。青羽根には当集落をはじめとして、上船原・下船原・本柿木・大平柿木・松ヶ瀬・雲金・佐野を管轄する中狩野村の村役場がおかれた。当地の中心として小学校(狩野小学校→現天城小学校)や金融機関が集まっていた。狩野中学校もあったが、天城湯ヶ島町になり、少子化対策として、月ヶ瀬にある天城中学校に統合された。

江戸時代、老中松平定信の伊豆の巡見に同行した谷文晁は、『公余探勝図』に「青羽根村南望」として天城山を描いた。また、文化7年(1810)伊豆を旅行した富秋園海若子は『伊豆日記』を文政4年(1821)板行、付図の2葉目に雲金・松ヶ瀬と渡船、青羽根・出口・天城山の遠望を描き、天城の眺望がよい場所とされたのだろう。

青埴神社は古くは八幡神社といい、明治9年神明神社を合祀して栗原神社と改号。県指定の天然記念物であるしだれ紅葉が美しい。龍爪大明神は古い神社ではないが、戦争中は弾よけの神としてあがめられ。多くの信仰を集めた。

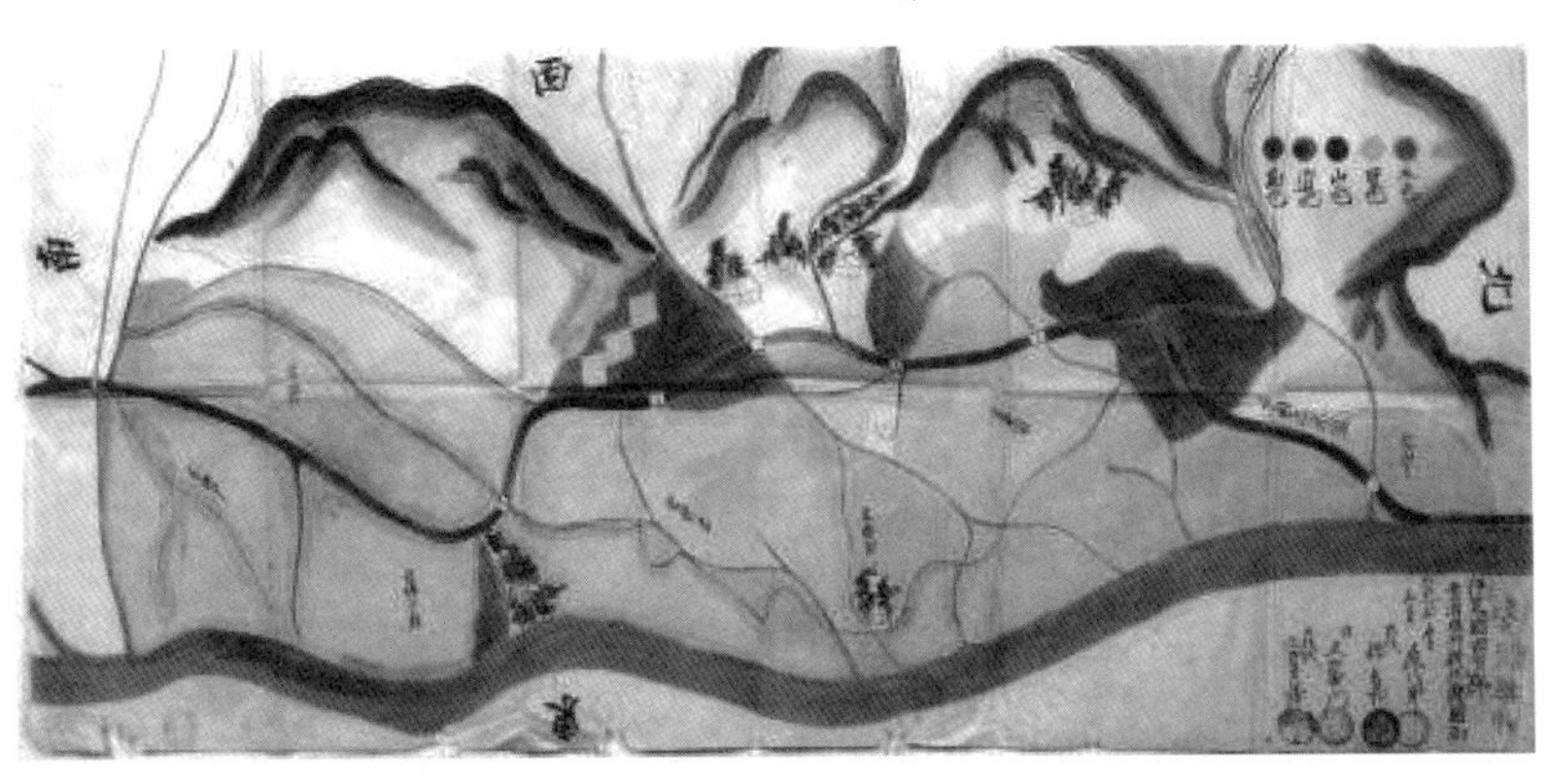

明治2年青羽根村絵図、公益財団法人江川文庫提供

77 下船原(伊豆市) 出口

青羽根集落の南に字「出口」がある。現在の出口は、国道136号と414号の分岐点にあり、青羽根と下船原両村に「字出口」は跨がり、両村絵図に記載されている。これより北は両国道が併用している。そのため、西伊豆方面に向かう車両と天城越えに向かう車両が混雑する場所であった。新たに天城北道路というバイパスが建設され、平成31年1月に一部が開通、渋滞緩和につながった。北上する両国道ともここまでの長い距離に信号がほとんどないということもあり、とくにカワヅザクラの時期は大渋滞となっていた。現国道は曲折する旧下田街道を左右に振りながら直線に切り開いているので、旧道の名残を左右にみることができ、集落の人たちの生活道路となっている。

なぜ出口というのか地名の由来はわからない。伊豆の国市小坂にも出口という字名があり、この地名の由来も不明である。網代街道の三津からの出口とも考えられる。そうなら、船原峠を越えた土肥方面からの出口といえるかもしれない。江戸時代、船原川に出口橋、その上流に倉下橋が架かっていた。文化12年5月4日永井甚左衛門を団長とする第9次伊能忠敬測量隊が出口の名主善右衛門宅で昼休みをとり、さらに南下して測量を行った。当時、すでに出口という字名が使われていたこともわかる。さらに下船原村字堂之前、船原川仮橋巾9間を測った。下田街道は下船原村にある出口橋を通行し、次の月ヶ瀬に向かう途中、下船原が入り込んだ場所になっている。

貞享元年（1684）「門野原村指出帳」（小森家文書）によると下船原村に「御蔵一ヶ所、月ヶ瀬・上船原・門野原と入り会い、内に仕切りがあって共用していた」と記載されている。年貢を一時保管するための蔵が下船原村にあったのは、下田街道の通路によるものであろう。

また、『増訂豆州志稿』に「出口ニ狩野家アリ、狩野氏ニ縁故アル処ナラム」とあり、バス停名にも残る狩野塚は狩野氏に関係した墓跡とする。

明治2年下船原村絵図、下田街道は下船原村の一部を通過していた。公益財団法人江川文庫提供

78 月ヶ瀬（伊豆市）

村絵図には寺院が描かれている。この寺院は源仲寺といった。学制施行により明治6年、ここに学校が設置された。寺は、明治40年愛知県に移転した。現在は集落のほとんどの家が神葬祭を行うので、隣の門野原村とともに、寺院を必要としなくなってしまった。明治初年、旧来の檀家制度による戸籍管理が崩れ、天皇中心の神道が広がるなかで、神葬祭運動が起こった。門野原村の石渡延美（のぶよし）が三嶋大社に努め、当地周辺に大きな影響を与えた。

聖神社には永正9年（1512）、享禄5年（1532）の棟札があり、「伊豆国狩野庄槻瀬村」とある。下船原助神社の天文2年（1533）の社殿造営勧進者のなかに「月ヶ瀬百文左衛門太郎」とあり、すでに月ヶ瀬の名前が使われた。弘治2年（1553）に後北条氏による検地が実施された。聖神社には相撲甚句が伝わる。

貞享4年以後の年貢割付状（内田家文書）から茶畑上木年貢・楮役永・鮎運上の記載があり、茶の栽培、鮎の漁獲をしていた家があったことがわかる。楮は紙の原料である。古くは栽培していたものと思われるが、当時栽培していたかは不明である。嘉永7年（1854）に酒造人三右衛門が韮山役所に届けていることから酒造業を営む家があったことがわかる。

文化7年秋に伊豆を旅行した富秋園海若子は文政4年（1821）『伊豆日記』に「出口（デクチ）の里過ぐるほど 雲かねに風吹きはれて天城山 月の出口（テグチ）の里を行くかな」と著している。文政7年『甲申旅日記』には「月ヶ瀬村は、箕（み）を多く作り出だす村といふ」と記載されている。寛政4年（1792）9月23日昼未上刻～未下刻まで火事があり、6軒焼失する被害があった（門野原小森家文書）。

明治に開湯した月ヶ瀬温泉があり、昭和16年（1941）開設の慶應義塾大学医学部付属月ヶ瀬温泉治療学研究所が開かれた。狩野川台風による被害を受けたため一時閉院していたが、昭和52年（1977）付属リハビリテーション病院として再開した。平成24年3月閉院となり、現在は慶友病院となっている。奈良県にも月ヶ瀬があり、梅の産地である。

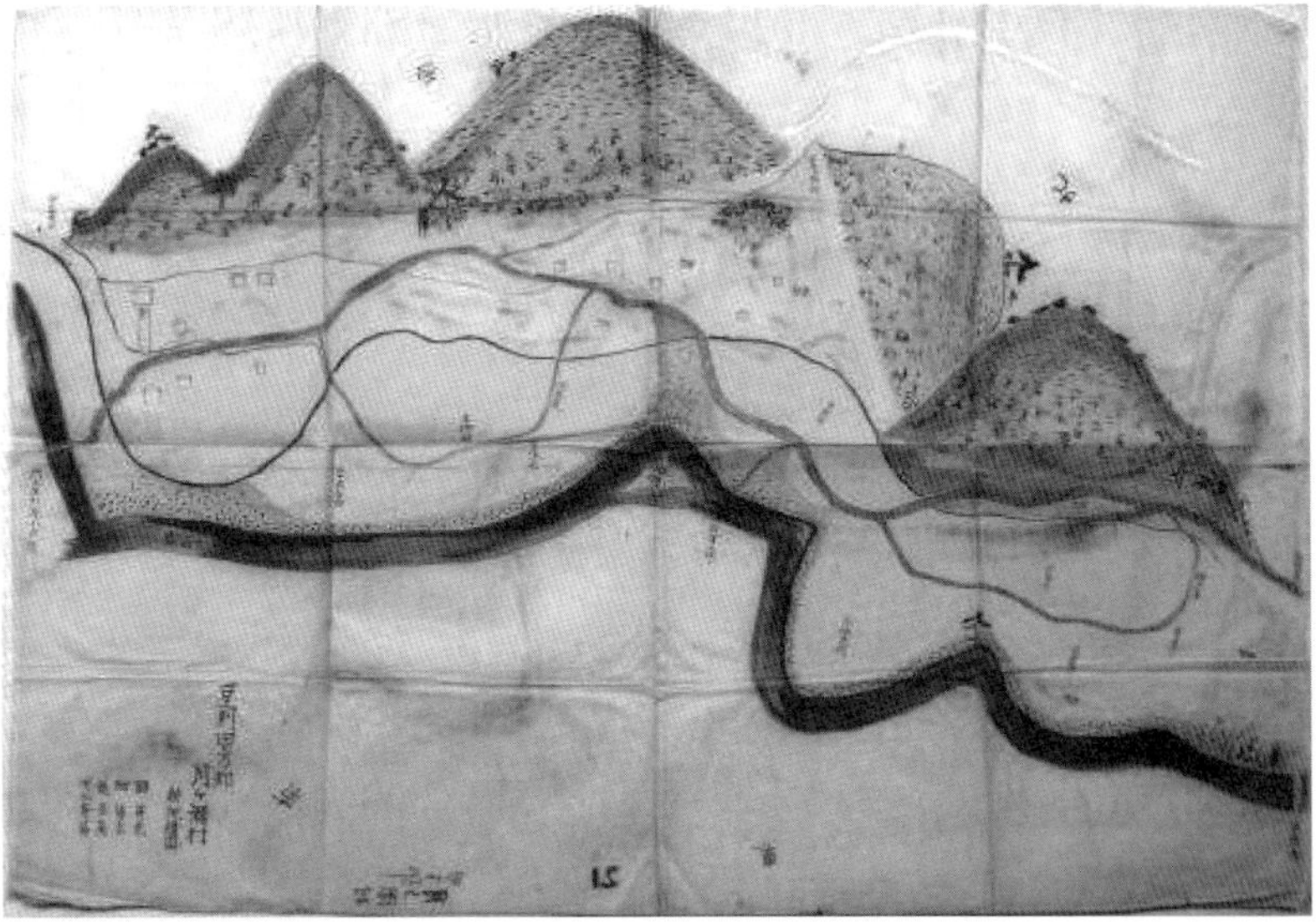

明治2年月ヶ瀬村絵図、公益財団法人江川文庫提供

79 矢熊・田沢（伊豆市）

月ヶ瀬村絵図に田沢の渡しが描かれる。狩野川最上流の渡し場である。江戸時代、大河川には架橋しなかったが、現在の田沢橋付近の流量からすると渡舟が必要だったとは思えない。おそらく瀞場があり、そこを渡ったのではないかと推測する。ここから天城山の材木を筏に組んで流したとも言われる。明治13年（1880）架橋して田沢橋となる。対岸は矢熊・田沢である。下流には矢熊橋があり、従来投渡し橋であったが、明治30年（1897）11月26日橋台石造、橋桁鉄の西洋式の吊り橋を建設した。しかし、翌31年5月大水洪水で流失したので、日本型木造橋にして同33年4月21日落成したという。

矢熊は山隈が語源で山の麓の意味という。矢熊神社に天文16年（1547）霜月17日の金山権現棟札があり、「代官 鳥沢藤右衛門尉」の名が見える。代官は後北条氏の代官で、飯縄明神も祀っている。飯縄明神は後北条氏の守り神であるカラス天狗のことで、後北条氏との関係が深く、伊豆の金を採掘していた可能性を窺わせると同時に、今後の研究によっては後北条氏の財源に迫ることになるかもしれない。

江戸時代は狩野川右岸にある佐野から田沢まで支配がたびたび変遷した。初期は幕府領で三島代官が治め、宝永4年(1707)～享保2年(1717)高崎藩(間部詮房、群馬県)、同年三島代官が預かり、同14年掛川藩領となり、延享3年(1746)～天明2年(1782)棚倉藩(小笠原長恭・長堯、福島県)、同年韮山代官預かり、同4年下総関宿藩領(千葉県)で、同年すぐに再び韮山代官預かり、文化9年(1812)最後に治めた旗本本多領がそのまま幕末に西端県(愛知県)となり、明治に至る。

当地に真言宗当山派の修験北野氏が在住し、各地の神社建築の際に神託を伝える役割をなした。修験者は明治になって教育者になった例が多く、北野氏が北狩野小学校長として名前を残している。川久保のイヌマキは幹周囲380チセン、樹高28メートルで県指定の天然記念物。

田沢橋、狩野川の最上流にあった渡船の場所

80 吉奈（伊豆市）

月ヶ瀬から吉奈川に架かる小戸橋（古い時代は小渡橋と書いた）の手前を旧道は大きく右折する。そして、吉奈に入る入口の信号手前あたりで現国道に出る。ここをまっすぐ行くと吉奈になる。現道はそのまま旧下田街道である。その西に吉奈の集落がある。道から逸れるが、古い温泉ということで紹介したい。

伊豆箱根鉄道の大仁駅が終点だった大正11年当時の記録で、大仁駅から吉奈まで自動車乗合1円50銭・貸切7円80銭、人力車2円50銭、馬車70銭の料金がかかった。昭和12年12月に温泉を利用した豊橋陸軍病院吉奈臨時転地療養所が傷痍軍人の療養施設として開設された。善名寺に昭和16年建立の記念碑がある。温泉として古くから有名な場所であった。

奈良時代行基上人の発見と伝えられ、温泉の多い伊豆の中でも最古の一つ。吉奈の地名は平安時代藤原氏が勢力を伸ばすなかで、応天門の変で嫌疑をかけられた伴善男が流された場所という。伴善男は別名善名善雄といい、その名をとったのが善名寺という。俗謡に「子供ほしけりゃ吉奈へおいで　お湯の力で子ができる」とうたわれるほど「子宝の湯」として有名であった。徳川家康の側室お万の方が逗留して、水戸徳川家の祖頼房、紀伊徳川家の始祖である頼宣を授かったことからその名を一層高めた。江戸時代の巡見使などもしばしば宿泊した。源泉は芒硝（ぼうしょう）泉。ちなみに、善名善雄の末裔が伊豆に多い姓の石井氏となったという。

江戸時代の伊豆を描いた紀行文「槃游余録」の著者吉田桃樹（ももき）は、寛政４年（１７９２）２月22日から29日までと４月19日から５月８日まで逗留、ここを基点に修善寺や船原を訪問。吉奈温泉は「湯槽（ゆぶね）一つを四つに分け、木の湯桁（ゆげた）、底は丸い石が重なり、その間より湧き出でている。旅館四つ、家ごとに客居（まらうどゐ）・炊（かし）き所などたくさん」と表現する。若山牧水が東府屋に逗留して歌を詠み、志賀直哉や北原白秋も宿泊した。

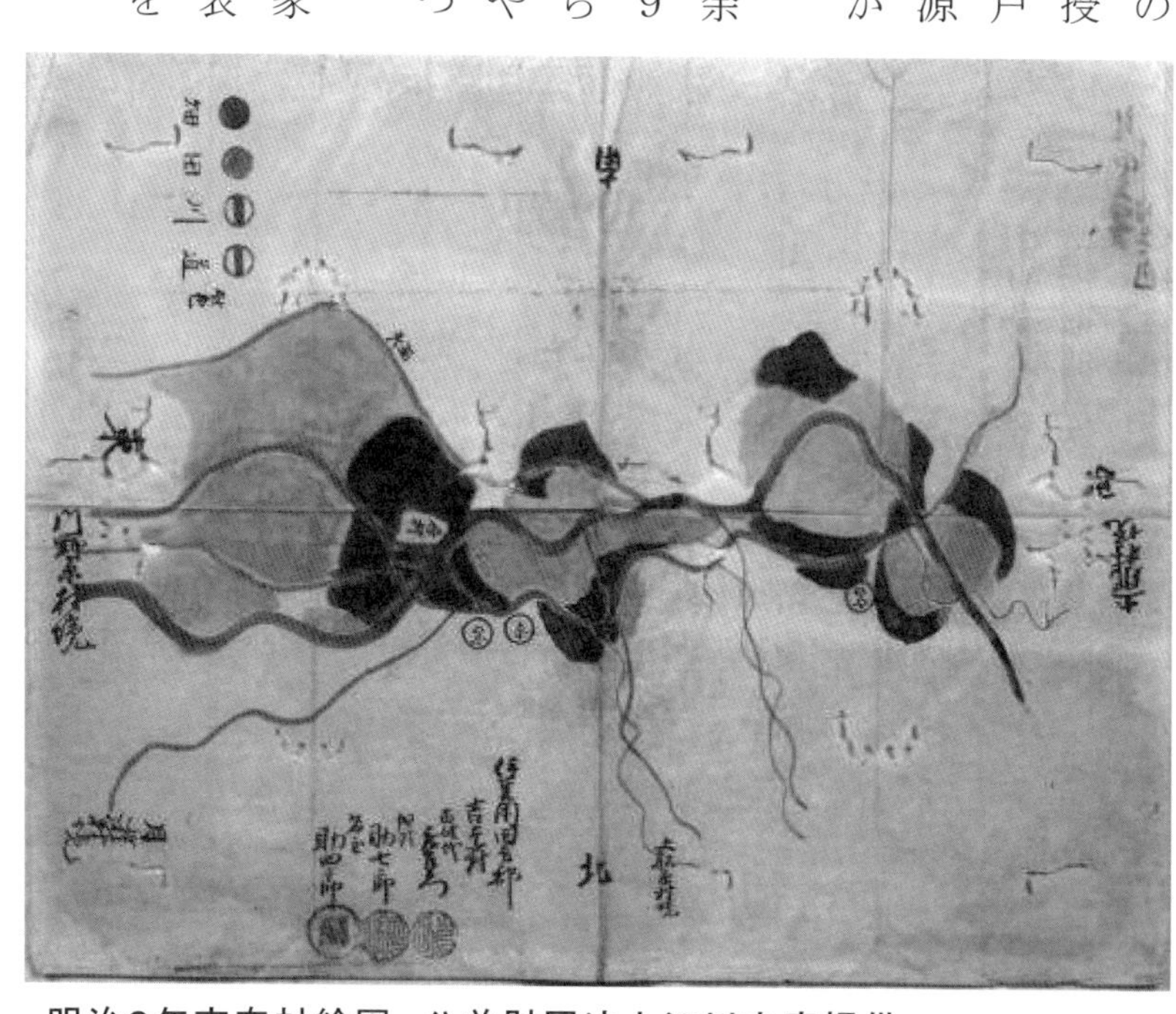

明治２年吉奈村絵図、公益財団法人江川文庫提供

81　門野原（伊豆市）

文化12年（1815）5月4日永井甚左衛門を隊長とする伊能忠敬測量隊が名主善右衛門宅へ宿泊した。

『増訂豆州志稿』によると、旧名神戸原といい、室町時代伊豆を治めた上杉龍若の家臣神戸氏を葬った場所という。但し、龍若の家臣は神尾氏といい、神尾が神戸に転訛したかもしれないとする。門野原神社に合祀された優婆神・神尾霊神があり、優婆神は湯ヶ島・天城神社にも祀られる。上杉龍若の乳母とする。延宝9年（1678）門野原村の内に持越新田畑改帳があり、枝郷となっていた。貞享元年（1684）に家数が34軒あり、その内持越分が11軒だった。

文化10年の運上請取（小森家文書）には山椒魚が産物としてあがっている。山椒魚は修善寺川でも獲れた。椎茸・山葵が特産物。椎茸は明和2年（1765）当村の石渡清助が遠州の椎茸山を買って出稼ぎに行き、同6年にも当村の善六が加わり相月村（現浜松市佐久間地区）などへ出稼ぎに行った。甲州や常陸水戸藩などへの出稼ぎもあった。山葵は門野原・市山・湯ヶ島の3か村で、狩野川上流の天城山御林内の岩尾（いわび）・滑沢（なめさわ）2か所で試作を開始。文化9年の内済証文（小森家文書）によると利益を巡って争論となり、3か村の収益のうち半分は家毎に分配する棟別、半分は高割ということで解決した。また、同時期、３か村共同で山葵を栽培する郷沢（ごうさわ）を持っていた（文化９年「天城山狩野口山葵植付場所見分案内絵図」石渡家文書）。

文禄４年（１５９５）太閤検地で作成された検地帳に慶寿庵と書かれた曹洞宗慶寿院、元和年間（１６１５～24）金鉱開削の際に金山奉行竹村嘉理（よしまさ）が創建したという浄土宗栄安寺があったが、廃仏毀釈で明治５年廃寺となった。門野原神社の境内には天明７年（１７８７）11月吉日、願主小森氏栄良、石工信州非持山村善左衛門の造立したのをはじめとする石灯籠がある。

明治になって戸長役場が字宿におかれ、本村と外湯ヶ島・市山・吉奈・月ヶ瀬・田沢・矢熊の６村を管轄した。

吉奈入り口付近にある戸長役場跡

82 市　山(伊豆市)

門野原と市山境にある嵯峨沢(さがさわ)橋は、江戸時代の画家で、老中松平定信の伊豆巡見に同行した谷文晁が、『公余探勝図』の内の絵として狩野川の源流の題で、嵯峨沢橋が投げ渡しの橋として描いている。長野川に架かる簀子(すのこ)橋が南にある湯ヶ島村との境となる。下田街道の宿場は湯ヶ島であるが、市山と湯ヶ島で1か月の内15日番にて梨本・立野まで継ぎ送りした。

市山神社は天津神を祀る神社であるが、天文3年(1534)の棟札に狩野庄櫟山村百姓中、地頭石巻殿(家貞)代官上野孫左衛門の造営とある。「櫟」は「一位」とも記載される樹の名前である。永禄2年(1559)に後北条家の家来名を記録した『小田原衆所領役帳』に御馬廻衆として石巻家貞の名があり、市山は後北条家の家来が治める地であった。

天保6年(1835)寺本永(ひさし)の旅日記である『雁がね日記』の中で、湯ヶ島から修善寺に向かう途中で、「市山の里を行くほど、かしこの山に炭竈のかむりいと寒げに立つ見て、(歌略)ようやうくだり行けば、滝川にかけわたせるこごしき丸木橋あり。渡るほど、流れゆく水のいはもにふれて、みなぎる音いと恐しう覚えぬ。こは天城山より落つる流れなりけり」と記している。市山には炭焼きの窯がたくさんあり、生業としている家が多い、そして、嵯峨沢橋は丸木橋で音も恐ろしいという。同9年には藤枝宿の画家大塚荷渓が旅籠主人石野雲嶺、田中藩(藤枝市)儒官で下田出身の石井縄斎を伴って下田へ向かう間の休憩をとり、石野雲嶺は漢詩で「市山村 村店ノ壁ニ題ス」として漢詩をしたためた。

現在は伊豆市に統合したが、天城湯ヶ島町時代、天城中学校跡地に町役場(伊豆市天城湯ヶ島支所、平成30年湯ヶ島へ移動)があった。明徳寺はうすさま大明神を祀り、便所の神として、特に婦人が下の世話にならないということで8月29日祭日には下着を販売する。道元さんで親しまれる狩野地区の夏の終わりを告げる祭りとなる。

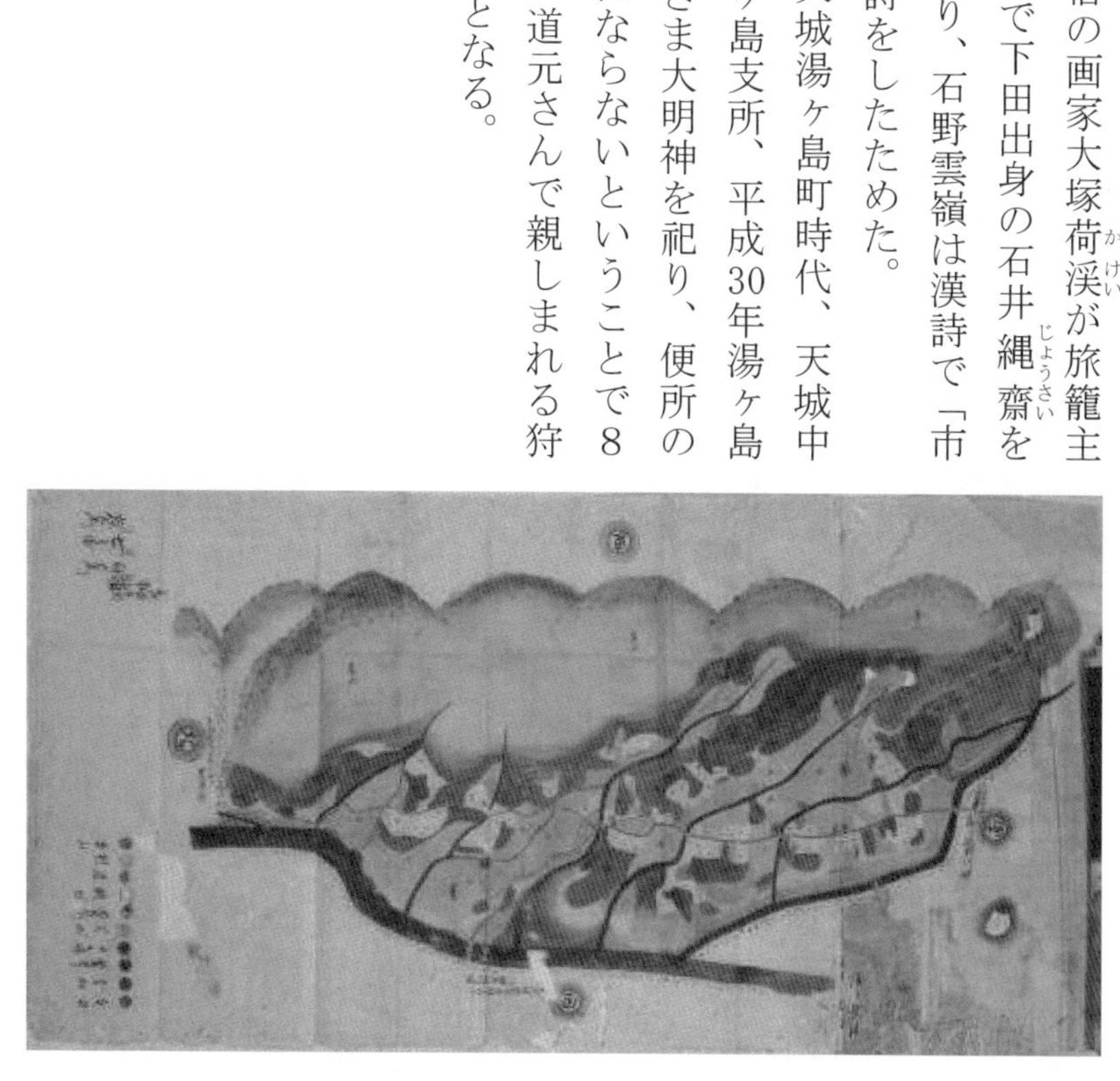

天保14年市山村絵図、公益財団法人江川文庫提供

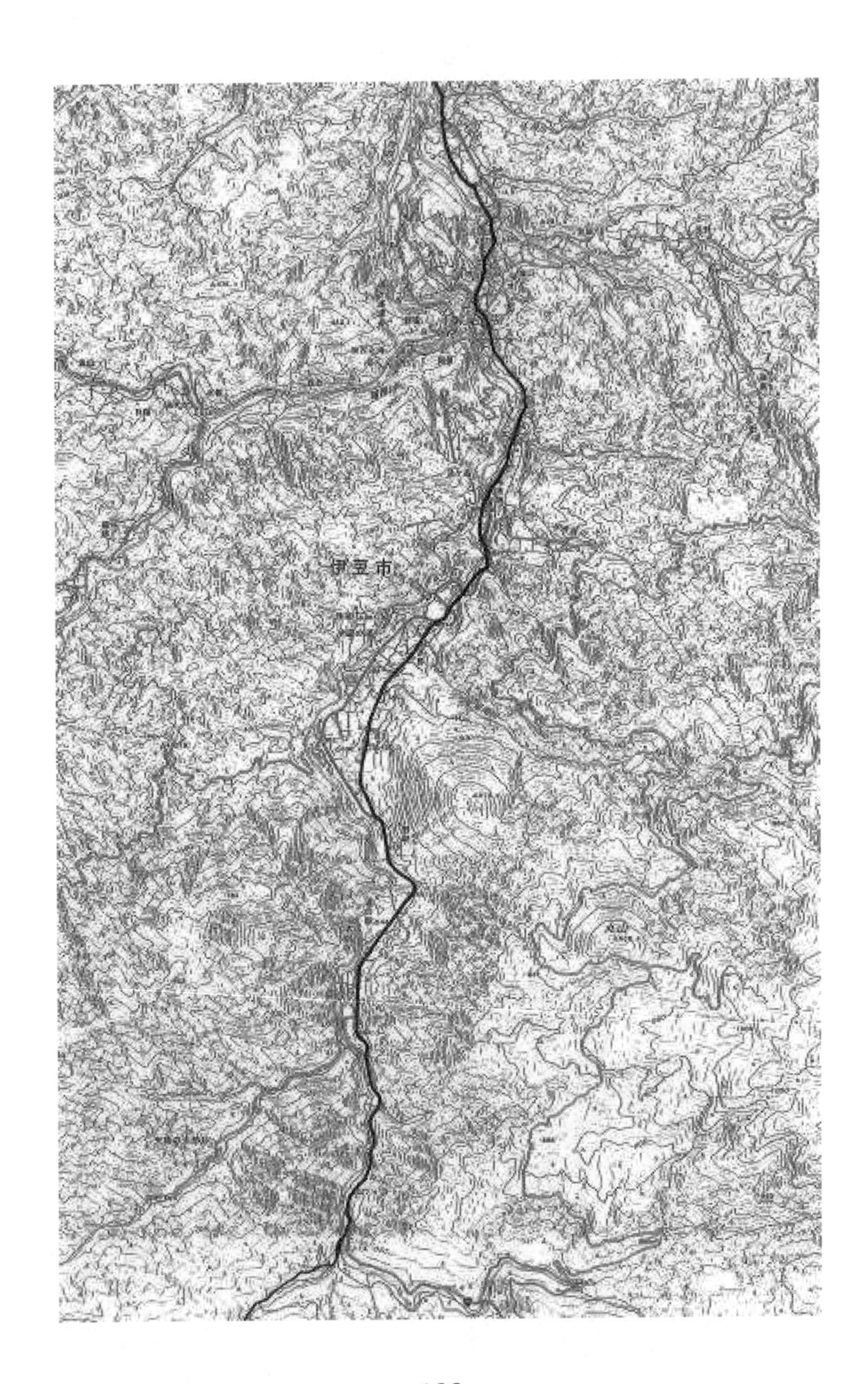
伊豆市

第6章　天城峠を越える　湯ケ島

83　湯ヶ島(伊豆市)　1　湯ヶ島村

伊豆箱根鉄道の大仁駅が終点だった大正11年当時の記録で、大仁駅から自動車乗合1円50銭、馬車75銭。吉奈までは人力車が通ったが、大仁から湯ヶ野までは自動車・馬車、下田までは自動車だけが運行した。本谷川と猫越川が合流し、狩野川へ流れ込む渓谷、世古の滝・西平・木立の3か所から湧出する温泉保養地として江戸時代から多くの湯治客を迎えていた。

江戸時代には、寛政4年(1792)「槃游余録」で著者吉田桃樹が吉奈温泉に逗留中訪問、「ここにも出湯あンなれば案内の者と共に七八町下り、狩野川の水上、谷川の岸に到る」とある。滝沢馬琴は文化7年(1810)刊『伊豆の海』で梨本から天城山を越え、湯ヶ島で1泊したことを記す。

文政4年(1821)伊豆を旅行した江戸の書家である富秋園海若子は湯ヶ島温泉に宿泊した。その時の紀行文『伊豆日記』に「市山の里過ぎて、天城山の麓(フモト)なる、湯(ユ)ヶ島の里に宿るぬ、この家の女肴(サカナ)つくるとて、あたりなる家より、藁づとに入れて、豆腐もて来るも、いとひなびてめづらかなれば、盃とりあへず　釣ゝりさぐる豆腐ハ石の枕にて　あたまをわらす酒ぞ呑みうき」と詠む。また、「湯かしまハ名のみなりけり夜もすがら、水かしましき秋の山里と読(ヨ)みけむもげにさなりと覚ゆ」とある。海若子は、別名寺本永(ひさし)の名前で『雁がね日記』を著し、伊豆の秋を楽しんでいる。

下田奉行の小笠原長保が文政7年(1824)『甲申旅日記』を書き、「一(いち)の山村の土橋を行き、登り坂にて湯ヶ島村に、・・・この宿は軒端の山いと近く、空を見ず。この所の名産椎茸(しいたけ)を出だす。村より五六丁に温泉あり。」と記す。天保9年(1838)賀茂郡笹原村より浜村を不分明の土地があるということを訴えたため翌10年両村を検地することとなった。勘定方関源之進・田中新五兵衛・内藤隼人外5名が出張、両村の検地を仰せ付けられ、同年7月で任務終了。その時の検地の様子、笹原へ向かう途中で休息した湯ヶ島温泉場の入浴の様子が描かれ、川の近くに香りのよい「利木」と「徳本墨すりの石」を入れる。これは日大国際関係学部図書館に所蔵されている。

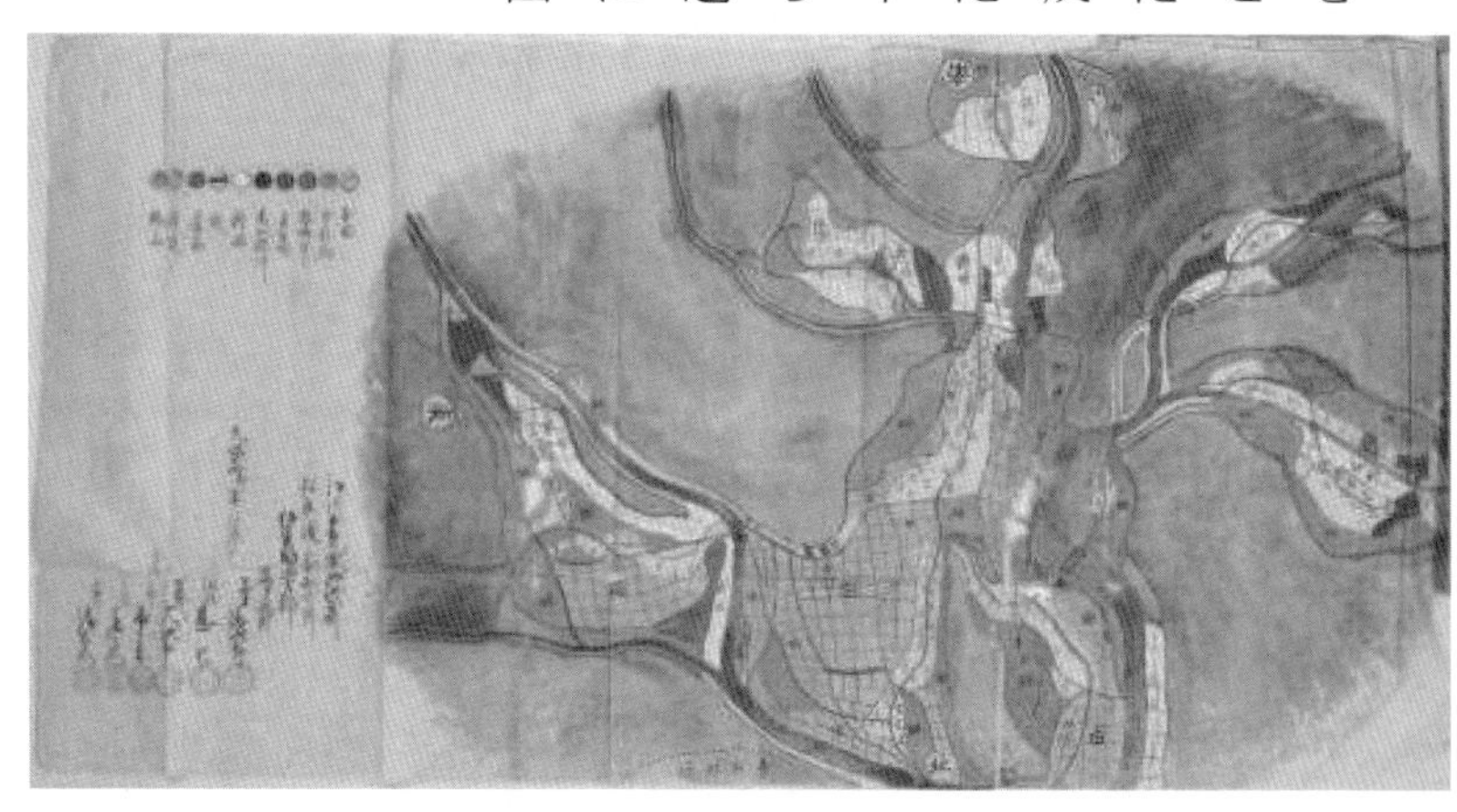
天保14年湯ヶ島村絵図、公益財団法人江川文庫提供

84　湯ヶ島(伊豆市)　2　湯ヶ島温泉

明治15年(1882)に出版された『諸国温泉遊覧記』(木版本)には温泉宿の様子、瀬古瀧湯・木立湯・箱湯・河原湯を載せ、温泉宿として木立屋才次郎・瀬古楼九一など7軒を掲載している。滝・原生林・ワサビ沢と、森と静寂に包まれた文学ゆかりの湯の里でもある。川端康成『伊豆の踊子』、少年時代を過ごした井上靖『しろばんば』をはじめとして、この地を訪れた文人は島崎藤村・梶井基次郎・若山牧水・木下順二・佐多稲子・三好達治・宇野千代・林芙美子など枚挙に暇がない。

落合楼の宿泊者には明治42年2月22日の島崎藤村・田山花袋・蒲原有明などがいる。翌43年5月18日柳田國男は大仁に到着してそこから人力車で湯ヶ島温泉に来て落合楼に泊まる。『伊豆日記』に「湯ヶ島に来てとまる。落合楼は流れを隔てゝ低き処に在り。水の音高し。三度まで湯に入る。夜カジカを聴く。こゝ内湯には、村の者断り無く来て入る也。のんきなものなり。午後四時からは定めなれど、おかまひ無しといふ。」と書く。

大正15年(1926)の夏、尾崎士郎が初めて宿泊、昭和2年(1927)宇野千代と結婚し、東京府荏原郡馬込に住んだので「文士村」といわれた。そして、川端康成・広津和郎・梶井基次郎らが次々と天城湯ヶ島に滞在したので湯ヶ島は「伊豆の馬込」と言われた。尾崎はここで、『鶺鴒の巣』『河鹿』などを書いた。北原白秋は同10年1月4日から20日に落合楼に滞在し、「湯ヶ島音頭」を完成させた。川端康成は、大正7年秋、湯本館に宿泊したのち、毎年同旅館に長期滞在し、処女作『ちよ』にはじまり、『湯ヶ島の思い出』を経て『有難う』『夏の靴』『処女の祈り』などを含む一連の『掌(たなごころ)の小説』(創作集『感情装飾』所収)を書き連ね、ついに『伊豆の踊子』を完成させた。

若山牧水の『山ざくら』23首は湯本館に逗留中の作である。梶井基次郎は川端康成の口利きで落合楼から湯川屋へと移り、約1年4か月滞在し胸の病を癒すことにつとめた。この間、『蒼穹』『筧(かけい)の話』『冬の蝿』などを執筆した。白壁荘には、戦後、木下順二・椎名麟三・井上靖・山本健吉らがよく来て泊まつた。横光利一の長編『寝園』に天城と湯ヶ島が描かれ、昭和15年に来た時の体験をもとに『天城』を執筆した。

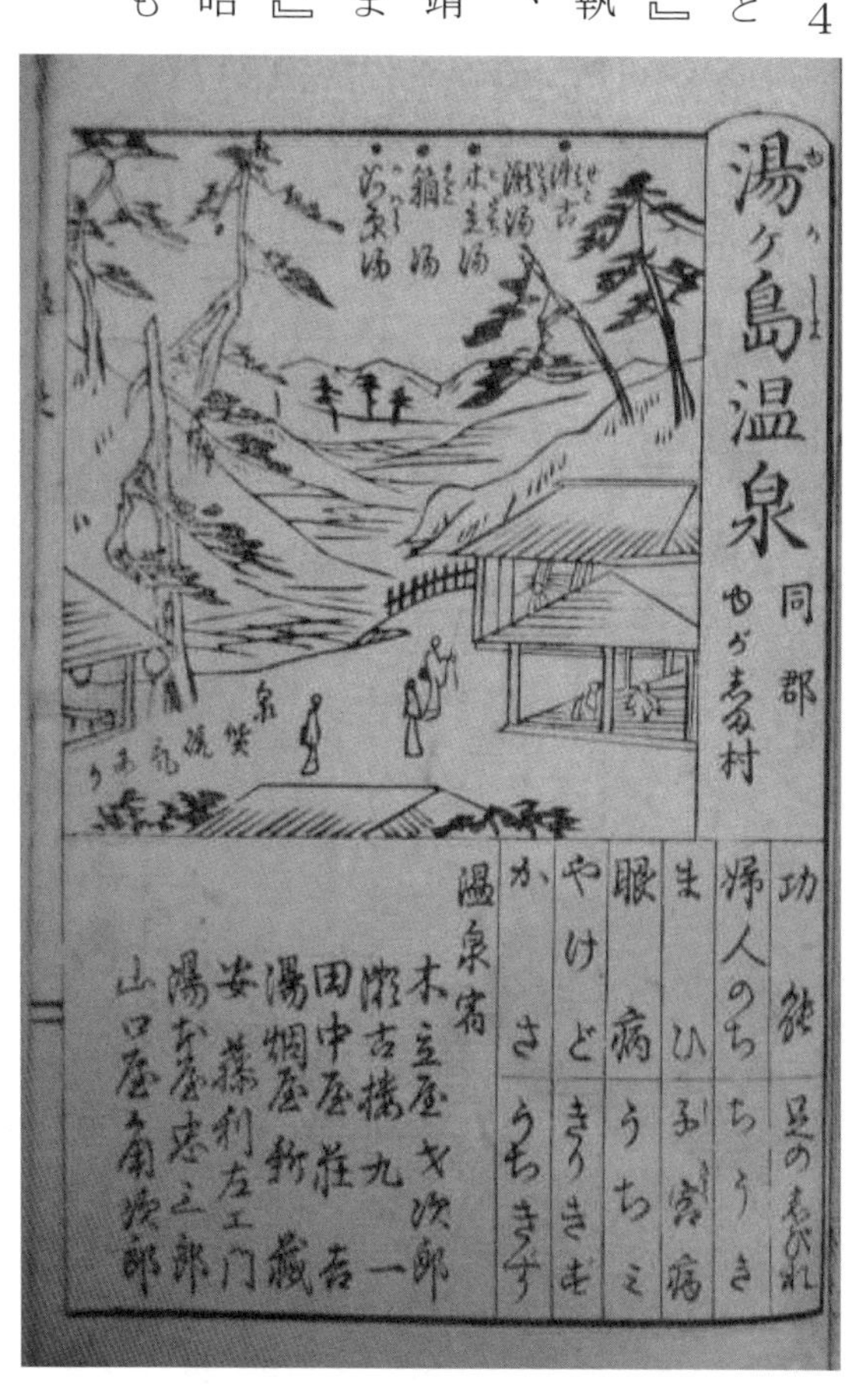

明治15年刊行『諸国温泉遊覧記』に記載された湯ヶ島温泉旅館

85 湯ヶ島(伊豆市) 3 下田街道の宿場

湯ヶ島が歴史に初めて名前が出るのは、永禄2年(1559)の『小田原衆所領役帳』の御馬廻衆の筆頭にある山角四郎左衛門が、豆州狩野田沢(伊豆市)、豆州湯ヶ島、中郡北矢奈(神奈川県秦野市)、豆州東浦赤沢に領地を持っていたことの記録である。

慶長12年(1607)、江戸幕府の金山奉行大久保長安(ながやす)によって金を江戸へ運ぶための天城越えルートの整備が指示されて以来、天城越えの休泊所として下田街道の人馬継立場となっていた。現在さかのぼれる古い史料として、宝永7年(1710)当時、市山・門野原村とともに当村と梨本村までの間6里、立野村(伊豆市)間3里を月に15日ずつ継ぎ立てていた。駄賃は宝永年間には立野村まで本馬207文・軽尻138文・人足94文、梨本まで本馬666文・軽尻444文・人足222文。幕末になって下田が開港すると通行が頻繁になり、安政2年(1855)差村(さしむら)という助郷を、天城湯ヶ島地区から中伊豆・土肥地区、西伊豆町方面35か村に指定した。寛政5年(1793)老中松平定信一行が伊豆を巡視、3月20日当地に一泊している。御供衆は250人余であった。同行した画家の谷文晁は『公余探勝図』に「湯島」「茅野」が描いている。

ハリスは、安政3年(1856)7月21日、下田に到着して下田奉行と謁見し、領事館の設置を要請、仮領事館を玉泉寺に置く。オランダ人通訳ヒュースケン、中国人の召使とともに住んだ。同4年、条約交渉のため下田から江戸に向う途中、10月8日湯ヶ島の弘道寺に泊、同行の通訳のヒュースケンは寺の部屋から富士山をスケッチしている(『日本滞在記・日本日記』)。当時のハリスが使用した倚子などの遺品が残っている。

天保6年(1835)江戸の文人・寺本永(ひさし)(別名富秋園海若子)が筏場村から峠を越え、紀行文『雁がね日記』に「このわたり(筏場村)より登り登りて、小草木峠といふ峠に出でたり。伊東よりここまで四里なり。しるべせる者言へらく、『見おろす谷間の家の見ゆるは、湯ヶ島の里にて、道一筋なればいと知れやすし。かしこまで送りてんと思う給へれど、やがて日も暮れぬべかめり。この野は狼(おほかみ)のいと多かる所なれば、帰らん道のほど心もとなし、ここよりいとまたびてん』と言ふ。(中略)夕まぐれ湯ヶ島の里に泊りぬ。」と書く。現在、県道伊東―西伊豆線になっている道である。

ハリスが江戸に向かう途中宿泊した弘道寺

86 湯ヶ島(伊豆市) 4 天城神社

天城神社は、『上狩野村誌』によると、もとは八幡宮と称し、『伊豆志』に応永2年(1395)重修の棟札があったというが存ぜず、寛永12年(1635)棟札を最古とする。寛永12年の「七社の社企」修造棟札には大工田中室伏小兵衛・鍛冶小下田関権衛門が造立したことが記載されている。田中は現在の伊豆の国市田京、小下田は旧土肥町内である。田中室伏小兵衛は、伊豆市市山の市山神社、湯ヶ島の枝郷にある長野神社の宮殿(くうでん)造営も行っている。

主神は八幡神で湯ヶ島の惣鎮守とし、相殿若宮八幡はもと東原神社の祭神で上杉龍若の霊を祀っていたが、同年11月遷祀。同時に各所にあった山神社・第六天・金山・優婆神・杉崎神・子ノ神等を合祀、天城神社と改称したとある。優婆神は伊豆を治めた関東管領に関係する上杉龍若の乳母を祀ったのではないかといわれる。伊豆市門野原神社にも祀られる。杉崎神は福井県越前市杉崎町に祀られているが、関係は不明である。

明和2年(1765)造立の狛犬、同年の絵馬がある。狛犬は天城山をにらみつけ、やっかいものの山犬を追い払ったという伝説もある。しかし、明和2年正月元〆(もとじめ)江府住吉田屋長右衛門・同住桐屋平右衛門・曲金村三浦屋武右衛門が造立している。天城山からの炭・材木などの出物を扱っている業者が商売繁盛を願って造立したものであろう。すでに下修善寺の項で述べたが、八幡神社には宝暦13年（1763）造立の天城神社のものと同じ顔を持つ狛犬がある。経緯は不明であるが、同じ石工によって制作されたということになる。元禄16年（1703）11月吉日「稲荷大明神勧請」棟札に本願江戸茅場町中村一鏑とある。やはり材木関係とみられる。社内には材木関係の絵馬も掲げられている。

現在残る宮殿は寛政4年（1792）に造立したもので、宇久須の宮大工に地元の大工が入り、精巧な建造物である。その時、高遠の石工が土台を作った。8月11日が例祭日。

天城山の守り神である天城神社

87 湯ヶ島（伊豆市） 5 湯ヶ島金山

伊豆の江戸時代は、金銀の産出量が佐渡の金山に次いで2番目であった。湯ヶ島金山は金山奉行大久保長安が慶長2年（1597）に開いたというが、すでに、慶長元年（1595）正月の広瀬神社棟札銘に福沢明神（広瀬神社）造営に関係して「湯ヶ島金山上小屋山主市川助衛門尉」とある。市川助右衛門（生年不詳〜元和6年〈1620〉）が湯ヶ島金山を開発していたことがわかる。

伊豆の地誌をまとめた『増訂豆州志稿』に「伊豆日記ニ曰、慶長二年ヨリ三十五年ガ間此処ニテ金ヲ掘リ黄金多ク出ヅ、殊ニ上品ナリ、其間ノ諸職人集リ商人競ヒ来リ遊女町御免ヲ蒙ル、其菩提寺ノ迹石塔五輪山中ニ在リト」とある。文禄年中（1592〜96）、奥州の人が、駿州沼津の川岸にて金銀あるを見、水源に尋上り、金鉱を発見とする。石見銀山歴史文献調査団の調査によると、慶長6年（1601）6月3日、石見銀山役人吉岡隼人助が伏見・君ヶ畑・桑名・伊豆などに伝馬朱印状が与えられ、江戸滞在中、江戸から湯ヶ島まで600疋の伝馬役が与えられ、伊豆金銀山の調査に赴くよう命じられたものである。

市川助右衛門は、慶長18年大久保長安死去に伴い、土肥金山奉行となる。信仰心が厚く、元和4年（1618）金銀山光源寺を浄土宗に改宗し、金山坑夫の殉職者の菩提寺とした。伊豆市持越には涌金山福源寺（明治5年廃寺）を建立し、湯ヶ島金山坑夫の菩提寺とした。

延宝5年(1677)『伊豆鏡』には二百枚山で金、横山・たいら・おふぼん間歩・かね沢・はい間歩で銀を採掘したと記されている。『徳川実記』には慶長11年伊豆の金採掘のため京都に立て札を立てたところウンカのごとく集まったと書かれている。元禄年間(17世紀末)まで存続し、元文元年(1736)「伊豆国産物帳」には先年留山となったと記されている。慶長年間(1596~1615)、茶相場も立ったといわれている。

平成2年伊豆地域広域地質構造調査報告書』には、二百枚・横沢平・宝本鉱・金沢・占・椎ノ鉱等7か所、昭和12~47年18万トン出鉱、同47年休山となった。

伊豆で土肥金山に次いで古い湯ヶ島金山の間歩

88 湯ヶ島(伊豆市) 6 しいたけ

天保6年(1835)江戸の文人・寺本永(ひさし)が筏場村から峠を越え、湯ヶ島へ向かった。彼の紀行文『雁がね日記』に「このわたり(筏場村)より登り登りて、小草木峠といふ峠に出でたり。伊東よりここまで四里なり。しるべせる者言へらく、『見おろす谷間の家の見ゆるは、湯ヶ島の里にて、道一筋なればいと知れやすし。このわたりより椎茸(しひたけ)、山葵(わさび)など作りて、大江戸のかたに出(い)だすとて、伊東の浦に運び行きたる帰りなりとぞ。この男子(おのこ)共とともにいざなわれて、夕まぐれ湯ヶ島の里に泊りぬ。」と書く。湯ヶ島から筏場越で伊東へ続く道があり、現在は県道伊東西伊豆線となっている。

静岡県は古くからシイタケの産地として知られる。昭和46年(1971)、林業試験場に「しいたけ現場適用試験地」が設置され、現在は「東部農林事務所きのこ総合センター」となっている。

伊豆の椎茸が歴史に現れるのは、寛正6年(1465)、伊豆韮山にある円城寺から椎茸を将軍足利義政に贈ったことである。椎茸ははじめ上流社会の食物であったが、江戸時代になると盛んに庶民の食膳にのぼるようになった。寛文4年(1664)には豊後国竹田藩(大分県)が伊豆の椎茸師を招いて試作を始めた。

『増訂豆州志稿』によると、シデの木に鉈で傷をつける栽培方法を湯ヶ島村西平の者が発見したとされる。伊豆の椎茸が全国的に知られるようになり、需要が増加してくると伊豆の原木が不足した。そのため、宝暦期(1751～64)以降には椎茸師が各地に指導と称してシデの木を求めて出稼ぎを行った。明和2年(1765)門野原村石渡清助が遠州の椎茸山を買って出稼ぎに行き、同6年には同村の善六が加わり相月村(現浜松市佐久間地区)などへ出稼ぎに行った。甲州や常陸水戸藩などへの出稼ぎもあった。山葵の栽培に尽力した板垣勘四郎もその1人であるが、遠州などで栽培指導にあたった門野原村石渡清助や善六の功績は大変なものである。これ以後、全国で伊豆の椎茸師が活躍するようになる。鉈目を入れる栽培法は湯ヶ島村の秘密とされていたが、寛政2年(1790)岩地村(松崎町)の齋藤重蔵は日向国に出奔して同所に栽培法を教示したとされる。

シイタケ栽培のようす

89 湯ヶ島(伊豆市) 7 浄蓮の滝

湯ヶ島・宿を出て、大滝を過ぎると現道では山葵沢を経営する民家と水力発電所以外に浄蓮の滝近くまで民家がない。しかし、バス停で与一坂入り口とあるように、下田に向かって左に入る道がある。ここを上がると与一坂の集落に入る。

茅野新田は湯ヶ島新田ともいわれ、新宿(あらじゅく)新田・金山(かねやま)新田とともに万治2年(1659)に開発されて高を結んだ。文化12年5月5日永井甚左衞門を隊長とする第9次測量隊が百姓三郎左衞門宅・利兵衞宅に分宿した。門野原からここまで測量しながら歩いてきた。

狩野川の上流本谷川に浄蓮の滝がある。高さ25メートル、幅7メートル、滝壺の深さ15メートルで伊豆一の名瀑。かつては三階滝と呼ばれ、上流の高さ5丈、中流7丈、下流20丈あったという(『増訂豆州志稿』)。日本名瀑百選に選ばれる。天城寄生火山鉢窪山を左手にした谷にあり、玄武岩質の六方柱状節理が見られる。大正年間に発見されたハイコモチシダ(一名ジョウレンシダ)が滝の玄武岩に群生し、北限。ハイコモチシダの群落は県指定の天然記念物。明治43年(1910)兒玉親輔がイズエンシスの学名をつけたミゾシダモドキを発見した。滝壺から右岸にはワサビ沢があり、板垣勘四郎がワサビを試作した場所の1つ。

滝の主は、1匹の美しい大きな女郎蜘蛛(じょろうぐも)であるといわれる。その昔、きこりが滝壺に落とした斧を美しい女に姿を変えた女郎蜘蛛が拾い、他言しないよう約束させて返したが、後日仲間に話したため、二度と目覚めることがなかったという。

明治13年(1880)旅館「湯本館」を創設した安藤藤右衛門は、明治39年浄蓮の滝降下道を独力で開き、滝壷への往来を可能にした。昭和9年(1934)湯ヶ島財産区は、浄蓮の滝降下道わきに懐徳碑を建立した。碑文は、遠縁にあたる井上靖の父隼雄等の手によるものである。他に穂積忠の歌碑、滝壺付近に流行歌「天城越え」の歌碑が建立されている。

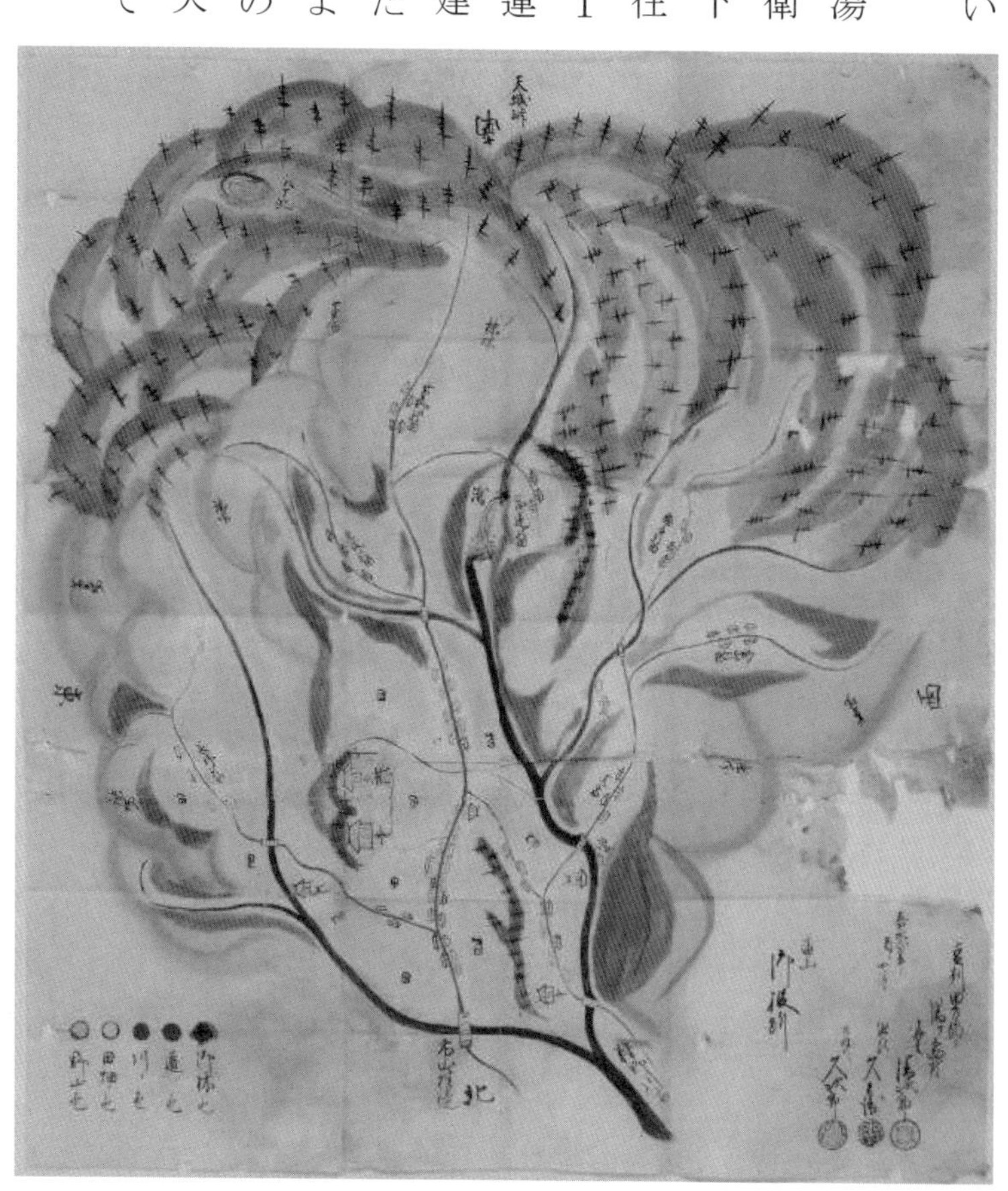

嘉永2年(1849)湯ヶ島村絵図、公益財団法人江川文庫提供

90 湯ヶ島（伊豆市）8 狩野川と滑沢渓谷、山葵

伊豆のワサビは天城御林守板垣勘四郎が駿州有東木村（静岡市）から持ち帰り試作したのが始まりといわれる。しかし、実際、椎茸師として各地を回った勘四郎が有東木村にも出かけ山葵栽培を実見しているだろうが、ワサビは全国に自生しているという事実から、その栽培方法に着眼し天城山中で試作したということであろう。『上狩野村誌』でも「山葵に関する伝説」の項に「又傳フ、当時天城山中ニ山葵ト同一ノモノ野生シタリシガ時ノ人其ノ山葵タルコトヲ知ラザリシナリト」とある。

延享元年（1744）天城山内岩尾地蔵伽藍・滑沢2か所で試作したことから天城のワサビ栽培は始まった。文化5年（1808）には山葵仲間ができ175軒が記録され、郷沢と称する仲間の山葵沢と、個人で天城山内に借地した山葵沢があり、狩野口だけで明治初年には8町8反（8・8ヘクタール）に及んだ。また、湯ヶ島・市山・門野原の狩野口3か村が共同ワサビを栽培する郷沢を持っていた。利益が上がるようになると文化9年にはその利益を巡って争いも起こっている。

文化9年12月には江川家で湯ヶ島村から山葵を購入した記録があり、手代佐藤新八郎宛に葉付180本金1分、同90本代金2朱の領収証が名主弥右衛門代から出されている。また、郷沢として岩尾ばかりではなく吉奈洞（伊豆市吉奈）でも栽培を始め、寛政4年（1792）の栽培に関する帳面が残されている。

幕末になると天城山内には広範囲に山葵沢ができ、狩野口ばかりではなく、大見口でも栽培が始まり、さらに箱根山南麓から連なる下畑村などでも栽培が始まった。

湯ヶ島村を例にみると、文化年間ころ、山葵は小物成であったが、天保年間(1830〜44)になると生産が大きく伸び、天保9年(1839)から弘化4年(1847)の記録では金6〜700両(現在の金額で6〜7千万円)の安定した収入があった(湯ヶ島足立家文書)。また、ワサビの品質も定められ、相場も決められるようになった。この頃になると小物成ではなく、冥加金としてワサビ収入の税を支払うようになり、それまでの炭や抹香などの山稼ぎ収入をしのぐ大きな収入源となった。ワサビは、平成30年9月、国連食糧農業機関によって世界農業遺産に指定された。

下田街道沿いのワサビ田＝伊豆市湯ヶ島

91　天城峠（伊豆市）　1

天城峠は、南北伊豆の分水嶺だ。天城山という山はなく、東西に横たわる連山の総称である。湯ヶ島の男の稼ぎは耕作の間天城山にて樫小道具・抹香・皮はぎ・雑木朽木から鍛冶炭焼き、女は茶摘み・野菜・わらび・かんば取、薬草縮砂（しゅくしゃ）御用、茶売少々とある。伝えによると慶長年間（1596～1615）当村に茶相場が立っていたという。天城山は湯ヶ島の人たちの生活を支える源であった。

文治元年（1185）2月12日、源頼朝は伊豆国へ赴き、鎌倉鶴岡八幡宮の伽藍造営料の木材伐採を監督。承元2年（1208）閏4月2日に木材を狩野山の奥から出した。その後、狩野山が文献に見られないが、後北条が治めた永禄2年（1559）、大見山・狩野山の雑木伐採に関する法度を定めたここでいう狩野山が現在の天城山に比定できるか、疑問がある。

明暦3年（1657）の江戸大火復旧のため万治3年（1660）湯ヶ島村杣（そま）に樅材を注文、天城山狩野口から槻1万6千本を伐り出した。天城山は江戸時代には御館山（オタテヤマ、すなわち入山禁止の山）といわれ、用材を確保するために御林奉行が管理する山であった。宝暦8年（1758）「湯ヶ島村差出帳」（足立家文書）によると、元禄9年（1696三島代官）設楽喜兵衛の節から山守を設置、狩野口は市山・湯ヶ島両村年番で勤めているとある。天城山山守2人、給米3石5斗（＝当時の1俵）、外に1日5合宛加扶持、狩野・大見・仁科・河津の四口山守4人へ配分した。

万治3年当時の禁伐木は杉・檜・樫・栢・松の五木で、貞享2年(1685)当時では槻・杉・楠・栢・樫・松・檜の七木が指定されていた。宝暦8年「湯ヶ島村差出帳」に先規より槻・杉・楠・栢・樫・松・檜・樅・栂、この九木御停止とある。

明治4年(1871)廃藩置県に伴い同5年に民間払い下げが計画されたが、海軍省から反対され再び官林となる。明治9年軍艦天城の艦材が、天城山から切り出された。

昭和32年12月、元満州国皇帝薄儀の姪で学習院大学2年の愛親覚羅慧生と同級生大久保武道の2人が天城山向峠近くの雑木林でピストル心中を遂げた事件が起こった。平成24年全国育樹祭お手入れ会場として「天城の森」が決定した。

県指定天然記念物太郎杉＝滑沢渓谷

92　天城峠（伊豆市）　2

松本清張の『天城越え』は、大正10年6月、大仁警察分署内上狩野村で起こった「御料地内土工殺人事件」を題材にしたものである。吉岡治作詞・弦哲也作曲、石川さゆりが唱う「天城越え」の歌詞に「・・・わさび沢　隠れ宿　小雨時雨　寒天橋・・・」というフレーズがある。

歌に唱われる寒天橋は、明治8年仁田村（函南町）の仁田常種（1822〜98）が天城山官有林2町5反歩（2・5ヘクタール）を借りて石花菜製造工場を設立したことに由来する。東伊豆のテングサ（石花菜）を試製して寒天を製造、同10年に製造工場増築、丹州（兵庫・京都）から技術者を招請した。明治10年第1回内国勧業博覧会・同14年第2回博覧会に生産品を出品、賞を得た。常種はそのほか、同10年狩野川水産会社を興し三島小浜（三島宿廣瀬）に養魚場を開設、そこで人工孵卵・養育した鮭や鱒を狩野川に放流する事業を開始し、のち、古奈養魚場に移転。寒天同様、第1回・2回内国勧業博覧会に出品。

氷室は天然の氷を貯蔵したところで、今の電気冷蔵庫の役割を果たした。伊豆市湯ヶ島から旧天城トンネル手前1キロほどの場所に復元されている。天城の厳しい寒さときれいな水によって作られた氷は人工的に保存された。ここの氷室は山の斜面を巧みに利用して山肌を削り込み、三方を石積で囲い屋根を杉皮で覆い、前方を二重扉で仕切って外気を遮断し、室内に積み重ねた氷をオガクズで覆い融けるのを防ぐ。夏になって中伊豆一帯の旅館・飲食店で使用され美味で重用されたという。氷の製法は氷室から少し離れた場所に深さ50センチ位、広さ約150㎡の池を3か所作り、板で碁盤割りしたところへ水をいっぱい張り冬季に凍らせる。1晩で約10センチ厚の氷ができる。これを氷池に沈み込ませ厚みを増していく。4～5回繰り返し、厚くなった氷を、滑り板敷の渡り廊下を滑らせて氷室に積み重ねて保存。昔からあったというが、いつ頃のことか不明。明治から昭和の前半まで利用されたのは事実。今の建物は昭和末に町で復元したものという。

旧下田街道にある寒天橋

93　天城峠（伊豆市）3

森林に自生しているコナラ、ウバメガシなどから焼いた白炭があり、「伊豆備長」として京浜地方ではその名が知られていた。白炭と黒炭は製造法によって分類され、白炭は黒炭に比べ堅くて重く、火持ちがよい。

日本の高度経済成長期までの主要な燃料は木炭であった。『日本木炭史』によると、近世後期に海上から江戸に輸送される木炭は、1か年平均238万2600俵といわれる。天城御用炭は約10万俵を占め、幕府は、天城炭（あまぎすみ）のブランドの元、本丸・西丸御風呂屋御用炭と称して厳重に管理したという。天城の炭は、宝暦・明和年間のころ（1751～72）、紀州尾鷲（三重県）の炭焼き市兵衛が新しい炭焼き技法を伊豆に伝えたとされ、天明7年（1787）2月死去。熊野炭に似た製法になり、石窯法を用いたという。他に湯ケ野（河津町）や天城山中にも炭焼きの墓が残されている。

宝暦・明和期になると、新技法が伝わったことや経済活動の活発化に伴い炭が大量に生産・消費されるようになる。天城山での炭の焼き出しのため、江戸町人が明和期には請負願いを出し、税である冥加金（みょうが）として10年間で1500両の用意があることを述べている。いかに、炭の請負が稼げるかを知ることができる。地元でも下船原村武右衛門（たけえもん）や一色村文之右衛門（ぶんのえもん）（山本雪方）らがしきりに請負願いを出している。天保年間に書かれた『松屋筆記巻64』に「今江戸にて所用の炭は伊豆の天城炭を上品とす。これ堅炭にて石窯を築きて焼く炭也」とある。

文化12年(1815)5月5日、第9次伊能忠敬測量隊が永井甚左衛門を中心に測量を行った。その中に「(湯ケ島村)字大滝、右道下江落滝アリ。左御用炭ヲ集会所、字車場坂。」また、翌5月6日条に「御用炭焼場字大川端ト云」とある。文政4年(1821)伊豆を旅行した富秋園海若子は『伊豆日記』に天城山を梨本に向かって「炭がまの煙が非常に寒そうに立ち、この辺りでは炭を載せた牛を牽く男女も自分自身で炭を背負っている」と、炭焼きの盛んな様子を著している。

現在では、趣味で焼く程度の量のため、山に入る人たちが少なくなっている。

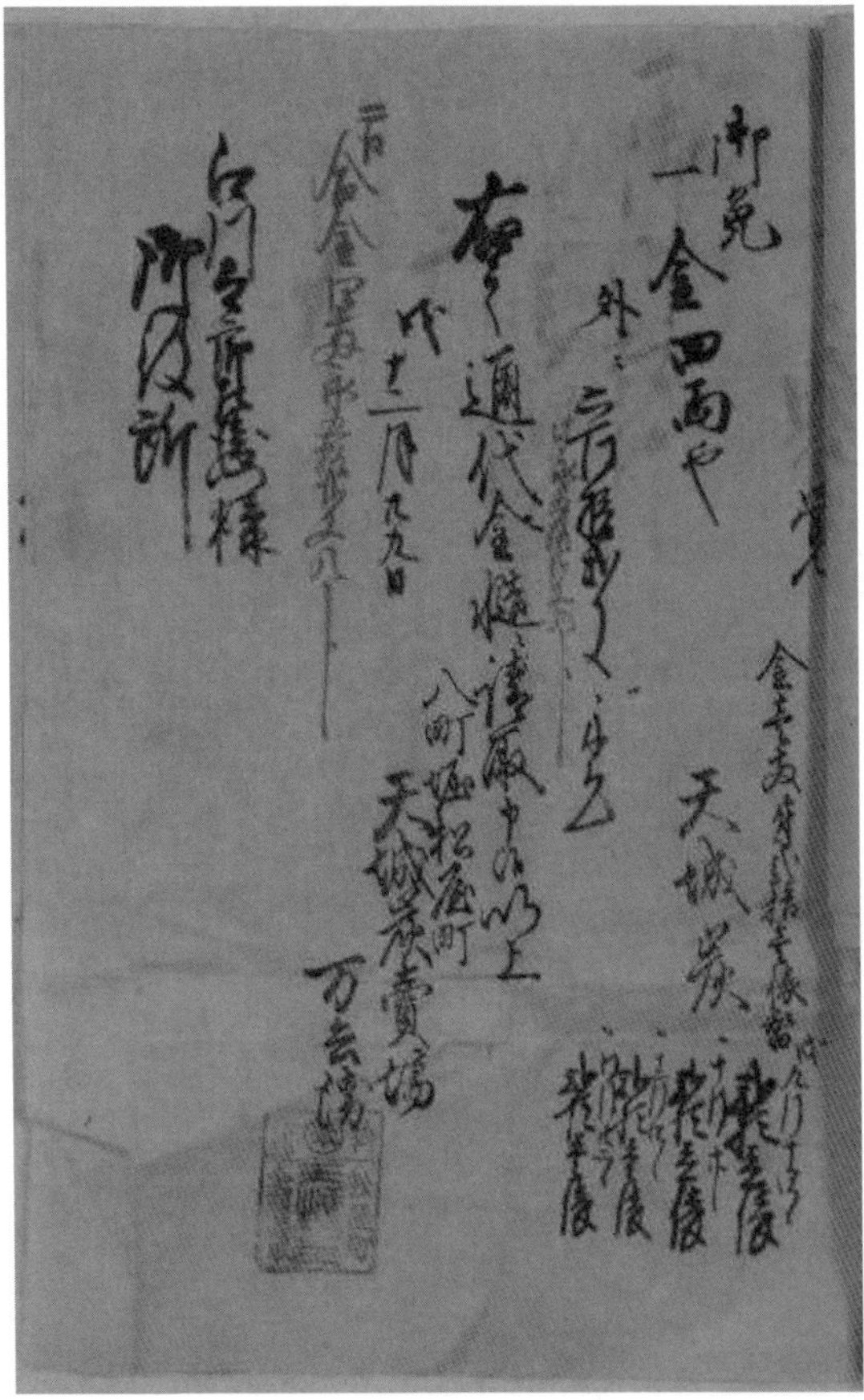

江戸八丁堀松屋町に天城炭売場があった。天保9年
買上代其外請取書、公益財団法人江川文庫提供

94　天城峠（伊豆市・河津町）　4　二本杉峠

天城峠は、伊豆半島のほぼ中央、標高840メートルで、伊豆市湯ヶ島と賀茂郡河津町河津川の境界にある。天城火山と猫越火山との鞍部にもあたり、狩野川と河津川との分水界でもある。旧道は西方の二本杉峠（880メートル）を経て河津七滝に至る。峠から東は八丁池を経て天城の主峰万三郎岳（1406メートル）へ、西は猫越（ねっこ）岳への稜線が続く。天城山の中心で国有林の森林地帯でもあり特色ある火山地形も見られる。

下田往還の峠越えは、慶長12年（1607）、大久保長安によって金を江戸へ運ぶための天城越えルートの整備が指示されたが、開けたのは平安末ともいわれる。幕末の志士吉田松陰やハリスもこの天城峠を越えた昔から旅人になじみの道である。最古の道は、賀茂郡河津町梨本から奥原川沿いに上り新山峠からいったん寒天に下り、寺ノ沢を経て古峠（ふるとうげ）を越え、湯ヶ島へ通じていた。現在も一部に石畳を敷いた古道跡が残る。室町時代には、経路が梨本から登尾（のぼりお）、河津川沿いに宗太郎、平滑の滝、寺ノ沢、古峠越えと変わった。江戸時代には宗太郎から沢を登って、中間業峠（ちゅうけんぎょう）を越え、湯ヶ島の大川端へ下っていたらしい。安永年間（1772～81）頃には中間業峠の道が完成している（「取替証文」小森家文書）。湯ヶ島村から梨本村までの御林内6里の間は下田往還最大の難所であった。「六里が間に一つ家だになく、（中略）このあたり坂路のけはしさいはんかたなし、皆人とばかり行きてはいきつき」（文化7年「伊豆日記」）という心細さであった。

文政2年（１８１９）、梨本村（河津町）の板垣仙蔵の願いが叶い、さらに西側に二本杉峠（旧天城峠）を越える新しい道が開発された（「天城山新道付替書付」江川文庫）。「諸人通路宜敷、功大イ也」（『下田年中行事』）といわれ、造成費の一部は南伊豆の村々の勧化によって賄われた。

新道が開かれたとはいえ道が狭い上に大雨の節は道が欠け崩れて通行が困難な状況もあった（弘化5年「天城山御林内往還道造伺書」江川文庫）。安政2年（１８５５）に至っても「立場といえども番所の如くなる茶屋にて、湯をわかし置くばかり」であったが（『下田年中行事』）、同4年アメリカ初代駐日総領事ハリス一行が峠で休息した際は、「食物を恵んでくれる親切な魔物」がいるようであったという（ヒュースケン『日本記』）。

『熱海日記』より抜粋、天城山図

95 天城峠（伊豆市・河津町） 5 天城山隧道

別名「踊子ライン」の愛称で親しまれ、川端康成の『伊豆の踊子』の通った道。伊豆半島南北縦貫のトンネルが南伊豆の住民にとって悲願であった。明治34年（1901）トンネルが貫通、同38年全線開通。標高約709メートルの地点（伊豆市側）にあり、全長445・5メートル、幅員4・1メートル、高さ4・2メートルで、隧道前の説明板によると、全体が、アーチ型に積み上げる切石積。南伊豆の交通は馬車によって北伊豆の交通と接続するようになった。

明治42年2月、島崎藤村・田山花袋・蒲原有明・無想庵らは馬車でトンネルを通過し、島崎藤村は『伊豆の旅』で「隧道を出ると、やがて下りだった。馬車は霜崩れのした崖の側を勢いよく通過ぎた。…吾儕は緑色の杉林を見て通った。その色は木曾谿あたりに見られるやうな暗緑のそれではなくて、明るい緑だつた。」と記している。柳田國男は『五十年前の伊豆日記』で、同43年5月19日湯ヶ島から駕籠を雇い天城を越えた。「青葉の盛りなり。藤は少なし、つゝじはあり。石楠花（しゃくなげ）は盛り、人家にも栽ゑて居る。閑古鳥啼く。御料地の中には色々の人住めり。しかも五萬分の一圖を見ると、この邊は何れも村にも属せず。皆どうしているか。峠の近くにも二三の人家あり。木を引いて居る。天城は二十五六年前までは暗き森林なりしが、追々に伐って明るき山となれり。但し大鍋の奥より猫越（ねっこ）に越ゆる所などは今も木深く、蛭の少し居り、猿などもいたづらすといふ。山男の消息は既に絶えつゝあり、御猟場は、猪段々にふえ、年に一度くらゐの猟では中々とれず、麓の村人等は鐵砲その他が下手になるばかり也。湯ヶ島では石垣の間にそら豆の生えて居る家あり。播いたものかと思はれ珍しかりき。椎蕈は湯ヶ島が中心といふ。谷あひをホラといふことは、こゝも美濃などと同じ。梨本のホラ、大鍋のホラ等、いくつか耳にしたり。湯ヶ野温泉に泊まる。」とある。

天城山隧道は(社)土木学会が認定した近代土木遺産の一つ。現存する国内最長の石造トンネルとして、平成13年(23年(1914)写真集『伊豆鏡』に「天城山隧道南口ノ景」を載せ、両口に休茶屋ありとしている。大正15年に発表された『伊豆の踊子』に「暗いトンネルに入ると、冷たい雫がぽたぽた落ちていた。南伊豆への出口が前方に小さく明るんでいた。」と表現されている。

明治34年6月10日天城山隧道貫通式のようす

第7章　賀茂地区の入り口　梨本

96　梨本(河津町)　1　梨本村

文化12年(1815)5月6日の午後は大雨となった。永井甚左衛門を隊長とする第9次伊能忠敬測量隊は雨を突いて測量をしながら、梨本に到着、本陣善左衛門宅と名主仙蔵宅に分宿した。11月22日河津浜村から再測量して測量精度の確認を行った。携行する測量荷物以外にも、宿泊に用いるものも大量に持ち込んでの長旅である。荷物は湯ヶ島村から付け送りされた。多い荷物なので、周辺村々の助けが必要になり、これを助合という。五街道の場合は助郷といった。下田街道沿いに人馬継立場や宿屋があった。

梨本は、文禄3年(1594)検地帳に「河津之内川井野村、川津庄之内奥原村、楠の庄、河津之内大泉村」とあり、もと川井野・奥原・大泉の3村に分かれていたが、その後一村となる。川井野・奥原は小字名が残る。永禄2年(1559)の『小田原衆所領役帳』のうちの御家中衆の北条為昌の家来が治めた地名としてすでに「伊豆奥梨本」とある。

梨本は、江戸時代を通じて幕府領であったが、宝暦9年(1759)までは三島代官、それ以降、韮山代官が治めた。下田街道の宿場であり、天城山の河津口の山守がいる村であったので、村高289石余であるが、『掛川志稿』によると家数128・人数579と、家数・人口ともに多い村であった。文久2年(186

2)「年貢皆済目録」(川横区有文書)では山役や砥石に税が掛けられ、農間には炭焼や山での運搬作業を行っていた。文久3年梨本村から韮山代官へ提出した「天城山砥石切出積方書上帳」が江川文庫に残る。江戸時代、谷文晁『公余探勝図』に「梨本村」として描き、滝沢馬琴は文化7年(1810)刊『伊豆の海』で天城越えの前日1泊して、「小鍋・大鍋坂の水おともまだ程遠し湯が島の道」と口吟(くちずさ)む。

安政4年(1857)アメリカ総領事ハリス一行は曹洞宗慈眼院に宿泊し江戸に向かった(『日本滞在記』)。幕末の下田開港以来往還の通行が頻繁となり、当村には大きな負担となった。明治2年になってもその借入金返済に苦労している。明治6年慈眼院に梨本舎が開校し、同9年誠心舎と改称した。

ハリスが江戸に向かう途中宿泊した慈眼院

97 梨本(河津町) 2 煉瓦洞、七滝

弘化2年(1845)板垣丞四郎の先代が陶土を発見して陶器製造を始めた。嘉永3年(1850)韮山代官江川英龍の家来で反射炉建造の責任者であった八田兵助(ひょうすけ)と長谷川刑部(ぎょうぶ)が梨本の赴いて、茶碗を焼いていることを確認し、絵を描いて報告している。この絵にはまだ建造されていない反射炉を左下片隅に描いている。そして、ここから白土(はくど)を掘り出し、反射炉の重要な反射面に使う耐火レンガの製造を始めた。

安政2年(1855)、幕府はフランス式ケレート法という方法を使って白土の精製を行うことにした。内容は不明であるが、2本の竹樋で流したということは判明している。韮山反射炉は元治元年(1864)廃炉となる。江戸滝野川に新設の反射炉で鉄製の大砲鋳造を行うこととなったので、江戸への積み回しを、河津・谷津から輸送することとなった。大量に生産したので、慶応3年(1867)に下流の用水を取り入れている村々から田に泥が入り収穫量が減少したという苦情があり、検証結果、その通りということになり、耕作期は白土の精製はしないこととなった。

韮山反射炉が廃炉となって、江戸関口・滝野川に反射炉が新設された。慶応元年(1865)「天城山白土関口并瀧之川村大砲御製造場納方見積帳」(江川文庫)によると、梨本村から白土千俵が江戸にでき

た関口鉄砲製造場と瀧之川村大砲製造場へ運搬された。その後、明治6年(1873)、工部省赤羽製作寮が、沼ノ川に耐火煉瓦製造窯を築き、本格的な生産を開始した。同16年民間に払下げられ、同22年ころには閉鎖された。3基の登り窯跡が残る。昭和34年明治大学地方史研究所の煉瓦窯跡の発掘調査、同54年の産業考古学会の調査が行われた。

『増訂豆州志稿』「経ノ山」項)に、枝郷奥原から北20町(約2キロ)ばかりの経ノ山に元禄の頃妖怪が出て、人を魅す、よって大岩に百体観音の像を刻し経を誦す、怪終に息むという、とある。村域内には深根城(下田市)城主関戸播磨守吉信の墓と伝えられるもの、工藤祐経の祖母の水草の墓と伝えられる室町時代の宝篋印塔(ほうきょういんとう)がある。

韮山代手代の八田兵助が描いた梨本村にあった陶器窯の絵、公益財団法人江川文庫提供

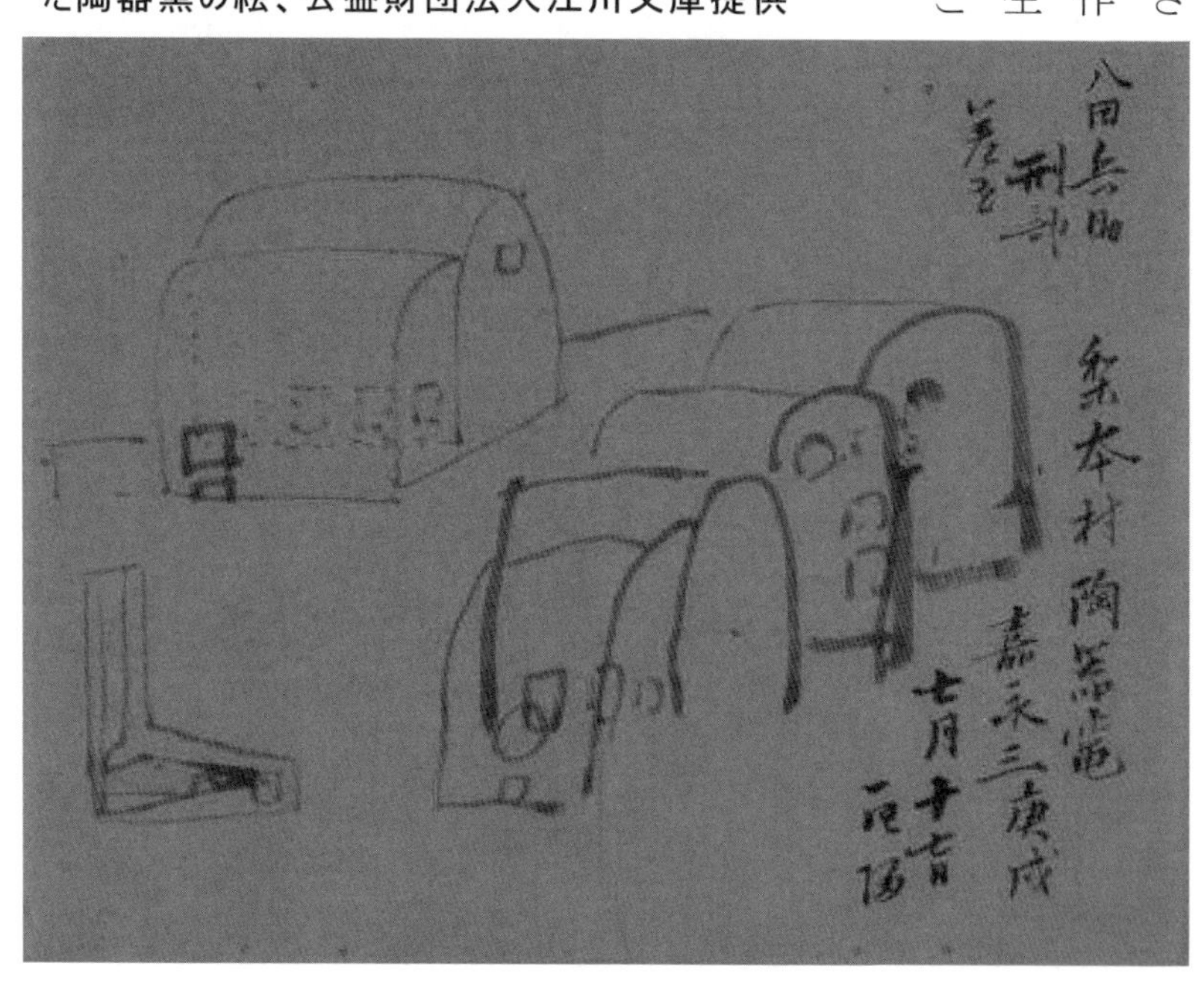

98 大鍋・小鍋（河津町）

今は、ループ橋ができ、天城トンネルから直に梨本へ向かう。ループ橋近くのトンネル名は「鍋失トンネル」という。このトンネルの西側を下田街道は通過し、ループ橋の直下にある道路が下田街道である。大鍋の村名は、『南豆風土誌』によると源頼朝が大きな鍋を借りたことに由来するという。また、小鍋の梵天宮(ぼんてん)（現小鍋神社）があり、近くの真言宗神宮寺（廃寺）は、文覚が配流中の源頼朝に父義朝の髑髏(どくろ)を見せ、源氏再興を決意させたのち、この寺の境内に葬ったといわれ、その上に髑髏木がはえたという（『掛川志稿』）。また、『南豆風土誌』に「此の村に千萬歳と云ふ民家あり。昔源頼朝の宿れる所なりと」とある。源頼朝伝説が残る地域である。

大鍋・小鍋とも、江戸時代初期は幕府領、享保13年（1728）掛川藩領となり、幕末まで続く。掛川藩は柴山藩（千葉県成田市付近）となって領地を移されたので、藩領は韮山県となった。天城山河津口の村で、文政13年（1830）「天城山四口附村五拾九ヶ村村高家数人別書上帳」（奥田家文書）によると両村とも100石以下の村高であるにもかかわらず、大鍋は家数67・人数355、小鍋は家数33・人数149で、村の生産高からして家数の多い村で、天城山の恩恵を受けていた。農間に雑木を伐り出し薪・炭として売り（明治2年「差入申一札之事」同文書）、寛政の頃尾鷲出身の商人が大鍋に会所を置き、炭を焼きだして江戸へ出荷した。

下田街道の梨本村へ助合を勤めた。小鍋峠は、北の沢村(下田市)との境界となり、二本杉峠に次ぐ往還第二の難所として知られていた。河津川河岸には温泉があった。寛政4年(1792)に当地を訪れた吉田桃樹は『槃游余録』で「小鍋峠をまた二十町ばかりのぼり、やゝくだれば小なべ村なり、こゝにもいで湯あれど、にびいろにてきよからねば」と記す。滝沢馬琴は文化7年(1810)刊『伊豆の海』で大鍋・小鍋峠から天城山を越えている。同12年5月7日、第9次伊能忠敬測量隊の永井甚左衛門を中心に測量。明治初期浜―松崎線の道路建設を陳情、同34年大鍋-池代線が開通した。昭和33年(1958)河津町上河津となる。

昭和53年1月の地震被災により建設のループ橋直下が下田街道

99　小鍋峠越え（河津町・下田市）

旧下田街道は梨本の河津七滝を河津川に沿って南下し、宇川横で現道に出る。川横集落を越えるとすぐに慈眼院の西の川に下り、大鍋から来る道との合流点河合野口に達する。嘉永７年（１８５４）の「右三島道、左下田」と書かれた道標、年号は不詳の「右ハ大なべ村道、左はしもだ道」と書かれた道標もある。ここから小鍋集落を通って南に向かう旧道は地形図に記載がない。しかし、伊能忠敬測量隊も歩いた道で、伊能図には掲載されている。

永井甚左衛門を中心とした第9次伊能忠敬測量隊は文化12年(1815)5月7日から測量を開始し、この山道を登り南下する。その後、河津町・下田市の境となる標高290メートルの小鍋峠に着く。小鍋・茅原野・新須郷・本須郷・八木山・北の沢と測量し、現道へ出る。北の沢に年不詳の道標があり、「右小鍋ヲへテ天城街道ニ通ス、左大鍋近道」と銘がある。

測量隊は下田まで測量し、その後伊豆七島を測量して再び下田へ帰り、北上して河津町浜まで測量する。そして、11月22日に浜を出発、ほぼ現県道である梨本まで往復し、小鍋・下佐ヶ野・筏場・矢野・峰・沢田・田中笹原・谷津・浜測量、梨本の慈眼院下、小鍋で測量成果の確認を行った。

通称下田街道といっている国道414号の峰山トンネルは明治25年に工事が行われ開通した。大正5年(1916)には、天城山隧道(通称旧天城トンネル)を通る下田―大仁間のバス路線が開通した。2000年に伊豆全域で観光振興のための伊豆新世紀創造祭という企画事業があった。この時、小鍋峠越えの下田街道の整備を行った。下田街道の資源の再発見という点ではかなりの成果を上げた。ハリスの通った道として小鍋峠越えルート整備、下田から下田街道を歩くという事業も行われ、多くの参加者があった。イベントは一過性の事業で、その後、継続されているものがほとんどないのは残念である。

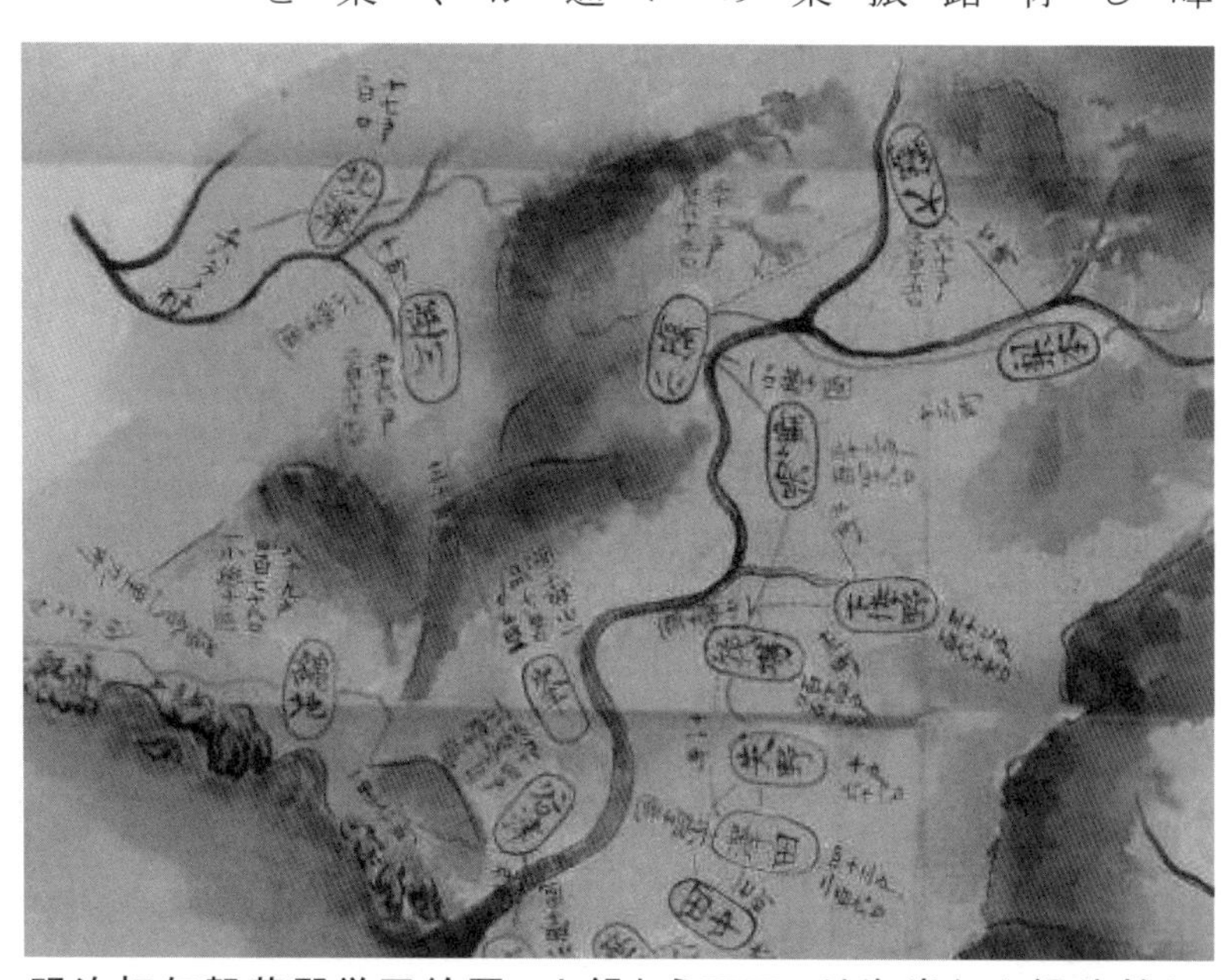

明治初年賀茂郡学区絵図、小鍋から下田へは海岸か小鍋峠越え

100 湯ヶ野（河津町） 1 湯ヶ野村

少し、遠回りになるが、国道414号の峰山トンネル越えをして北の沢へ向かいたい。湯ヶ野の地名は、下田市横川にある日枝神社の文明9年（1477）造営棟札に「湯賀野村諸老」とみえるのが最も古い。戦国期には当地に宮大工が居住しており、明応9年（1500）の大川（東伊豆町）の三島神社棟札銘に「湯可野村」大工左衛門三郎がみえる。大工壬生太郎左衛門吉宗・正宗は河津周辺の神社棟札に見え、大永4年（1524）2月24日の大川の三島神社棟札には「湯峨野村」とみえる。戦国期、多くの宮大工が活躍していた。

嘉永2年（1849）「湯ヶ野村地誌調書上帳」（湯ヶ野区有文書）によると、村名の由来は「温泉が湧出するをもって」とある。年不詳の4月3日「石巻家貞書状」は、戦国大名後北条氏の伊豆国三島・奥郡代官の清水太郎左衛門尉康英に宛てた文書で、治部卿某が河津（湯ヶ野温泉か峯温泉）温泉に来て静養の湯治をしたとある。温泉の歴史も古い。

江戸時代を通じて幕府領だが、宝暦9年（1759）まで三島代官が治め、それ以後韮山代官江川氏の支配となった。嘉永2年（1849）「地誌調書書上帳」（湯ヶ野区有文書）に、炭焼きや山下げの駄賃稼ぎが行われた、温泉が河津川河岸に湧出し風呂屋が建てられていたが、辺鄙なため入湯者はなかった。鹿皮1

枚役・茶畑上木年貢・蜜柑運上がある（宝暦9年「年貢割付状」同文書）。

元禄元年（1688）には下佐ヶ野村と山論があり（「証文」下佐ヶ野区有文書）、その後も同村とは入会についてたびたび争論となった。文化12年（1815）11月22日、永井甚左衛門を中心とする第9次伊能忠敬測量隊の測量が行われた。曹洞宗寿雲寺、水神社がある。

明治維新後、字湯上に戸長役場が置かれ、湯ヶ野の他、梨本・大鍋・小鍋・下佐ヶ野・川津筏場の6村を所管した。明治22年の町村制施行により、上河津村に帰属、昭和33年（1958）河津町上河津となる。県立稲取高校の上河津分校を湯ヶ野西畑に開校、同34年湯ヶ野146-1に移転し、37年閉校となった。

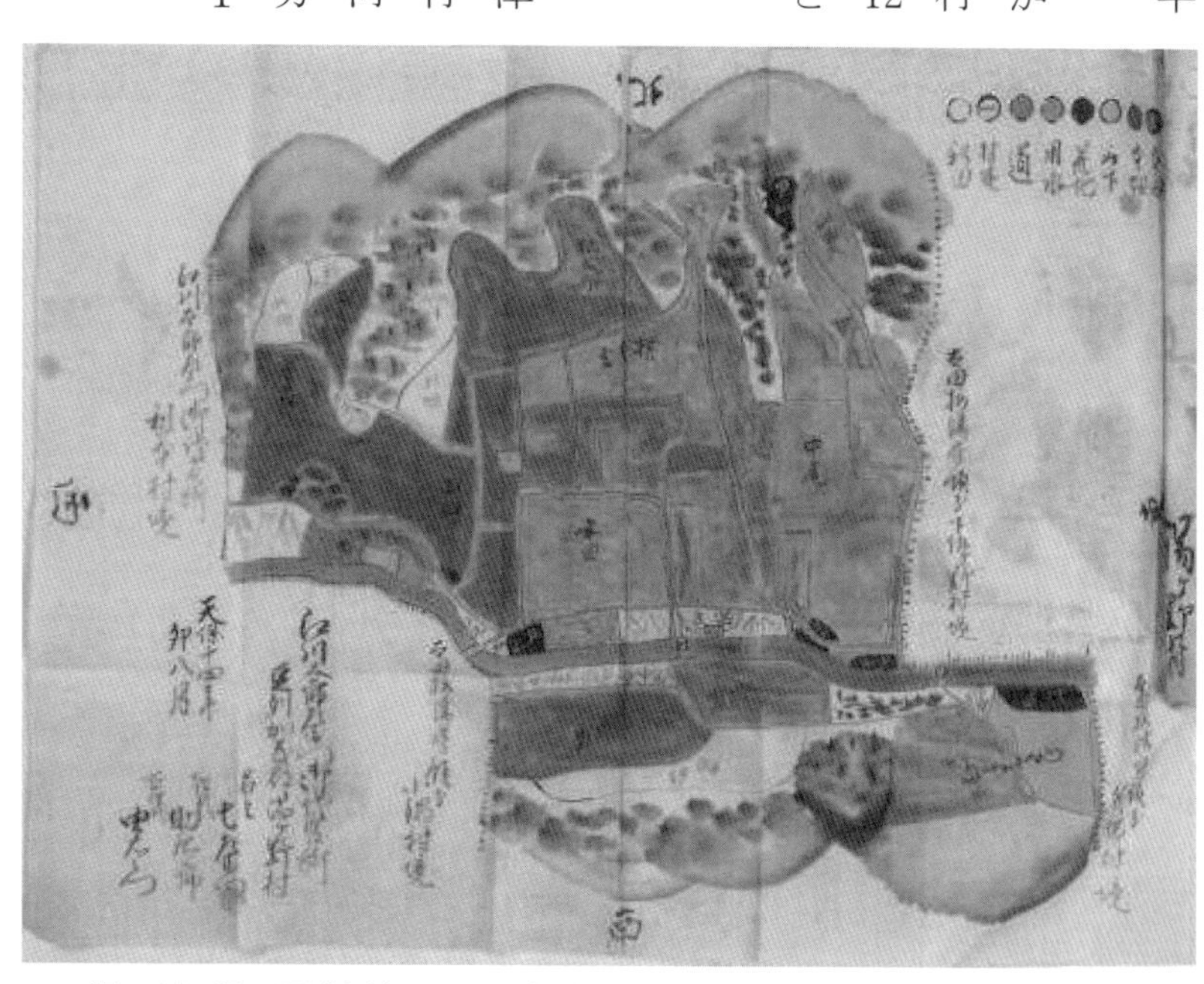

天保14年湯ヶ野村絵図、公益財団法人江川文庫提供

101 湯ヶ野(河津町) 2 湯ヶ野温泉

湯ヶ野温泉は、河津川上流、天城の山麓に湧く温泉。『増訂豆州志稿』には大滝(おおだる)温泉・湯ヶ野温泉・小鍋温泉を記載。『南豆風土誌』には河津谷渓谷の地裂に湧出しているとしている。渓流を挟んで昔ながらの湯宿が並ぶ。川端康成の「伊豆の踊子」の舞台として有名。小説の中で紹介された旅館福田家や共同浴場は今も健在。福田家の前には川端康成自筆の文学碑と踊子のブロンズ像が立つ。

源泉は食塩泉、52℃、神経痛・皮膚病・婦人病・リウマチなどに効果があるといわれている。寛政4年(1792)に漢学者の大槻磐渓が出版した『槃游余録』に、「ここの湯は、山の裾からより湧き出ていて、谷川のふちの滝に落ちる。湯舟を構え、きれいな家もあるが、湯あみがてらの家を宿とした」と記す。また、文政4年(1821)伊豆を旅行した富秋園海若子は『伊豆日記』で「ある家の前の川を渡って、小鍋という、湯が涌き出ている家に宿泊した、今朝早く出発、宿に着いたのは正午であった。人々は湯浴みしていた。夕方になって友達を連れて、湯ヶ野に行くと、そこで湯浴みしていた男女は、このあたりの人のようには見えず、都会の人のようで、、この湯に入れば、目の病また、のぼせをよく癒すというので、他所からも多くここに来るという。」と記している。

大正15年(1926)に田山花袋が出版した『温泉めぐり』は、温泉概説の後、一番最初に「南伊豆の温泉」として湯ヶ野温泉を紹介する。柳田國男はオーストリア大使の仕事が終わり、休養に伊豆を訪れた。その時の様子を『五十年前の伊豆』に著し、湯ヶ島から駕籠で天城峠を越え、明治43年(1910)5月19日、湯ヶ野に1泊し、20日は馬車で下田へ向かう。昭和16年「湘南・箱根・伊豆地方」(ツーリスト案内叢書)に江戸屋(1泊2円20銭)・湯本楼(2円20銭)・福田屋(2円20銭)、他に玉屋が載せる。明治42年田山花袋・島崎藤村・蒲原有明らが訪れて花袋は『日本一周』、藤村は『伊豆の旅』、有明は『豆南豆北』の紀行文を書き、昭和3年中島敦が約1か月静養して随筆『蕨・竹・老人』を書く。同15年福田屋に太宰治が滞在して『東京八景』『貪婪(どんらん)禍』を執筆。

湯ヶ野温泉の風景

102　下佐ヶ野(河津町)

現道を下佐ヶ野から下田方面へ向かうには、上河津郵便局を左に見て信号を右折、河津川を渡って山間部に入るか、河津川沿いにまっすぐ進んで谷津まで行って国道135号へ出るかという方法がある。山間部に入る経路が国道414号となっている。小鍋峠を越える下田街道は明治25年(1892)峰山峠にトンネルが作られ、曲折した道が続く。また、下佐ヶ野から天川を越えて逆川へ向かう山道もある。峰から右折し、峰山までの道が近年開通した。

下佐ヶ野は、文禄3年(1594)の太閤検地による「豆州葛見庄河津之内佐我野之村御縄打水帳」(下佐ヶ野区有文書)が残る。「葛見庄」の範囲が不明ながら、伊東市から旧中伊豆町、河津町付近と考えられる。江戸時代初期は幕府領、享保13年(1728)掛川藩領となり、幕末に至る。

享保20年(1735)の村の様子を記して掛川藩役所へ提出した「村差出帳」(下佐ヶ野区有文書)によると、家数49・人数210、馬17・牛28で、畑作は大麦・粟・稗・大根など、農間に天城山より雑木を伐り出し、薪や炭を売った。宝暦4年(1754)以降の年貢割付状(同文書)には茶畑上木年貢・蜜柑運上が載り、ミカン生産があったことがわかる。用水は河津川の支流佐ヶ野川と湯ヶ野村との入会地から引き、出水も利用したが水が不足し、享保12年には用水の利用権をめぐって隣村の筏場村・矢野村との間で争論となり、昭和になって裁判により当村の権利が認められた。

宝暦・明和年間には天城山の入会地が筏場・下筏場・矢野3か村の入会か、当村を含む4か村かで争い、寛政年間(1789～1801)にも湯ヶ野村と入会地の境界を巡って争っている(『伊豆河津郷』)。明治6年下佐ヶ野分席教場が、同8年逢城学舎が開校した。明治21年の調査によると天神社、曹洞宗柳善院、戸数36、人口201(男115・女86)と記録されている。柳善院は、現在岩手県葛巻町へ移転した。字城の平山頂(240㍍)に城跡があり、誰の居城であったのかまだ明らかにされていないが、土塁・空堀が残る。明治22年の町村制施行に伴い、川津筏場村・梨本村・小鍋村・大鍋村と合併して上河津村となり、昭和33年(1958)河津町上河津となる。

国道414号峰山へ向かう分岐点

103 峰（河津町）

下田方面から天城を越える天城峠は話題にのぼることが多い。小鍋峠越えも難所であった。そのため、峰山峠にトンネルを通して、河津へ出ることも重要な課題であった。現在、峰山へ向かうのは、峰から右折してバラのバガテル公園側を通過峰山へ通じる道が開通し、国道４１４号の曲折した山中の道より車で通過するには快適になった。さらに伊豆縦貫道の建設が進み、完成するとここを通過することなく下田から北伊豆に向かうことができるようになる。伊豆縦貫道は小鍋峠越えの下田街道に沿うように東側を、梨本の小字川横から河津町内の山間部を通過する。

峰は、後北条氏の家来たちの所領書き上げを記した永禄2年（１５５９）『小田原衆所領役帳』によると、家来の１人である小山田弥五郎の所領が「符川名」にあった。地内に符川の地名が残り、同名は当地と考えられる。もと田中村と一村、のち田中村を分村した。江戸時代の支配の変遷が多く、初め幕府領、宝永5年（１７０８）から延享4年（１７４７）まで小田原藩領、同年幕府領にかわり、宝暦11年（１７６１）韮山代官支配、文化8年（１８１１）旗本御船奉行を務めた向井氏の支配となり、幕末に至る。

峰温泉は河津川右岸に湧く温泉。湯の発見は8世紀と古く、温泉の堀口「花田」は昔湯が出ていたといい、『増訂豆州志稿』と『南豆風土誌』は峰縹（はなだ）温泉として紹介している。有名になったのは大正15年（１９

２６）11月22日、稲葉時太郎が大噴湯を掘り当ててから。応永25年（１４１８）の「証羊集」（林際寺文書）によると、林際寺開山の松嶺道秀は縹田（はなだ）の湯で湯治している。一時噴湯は風紀上途絶えさせたが、平成19年（２００７）復活、指定日に地上30メートルにも達する大噴出を公開している。平成５年には町営の日帰り温泉施設「踊り子温泉会館」がオープン。かつては「花田の里」とよばれたように温泉熱を利用して花の栽培が盛んで、カーネーションの花狩り等が楽しめる。昭和16年「湘南・箱根・伊豆地方」（ツーリスト案内叢書第４輯）には天城閣三井屋（１泊５円）・玉峯館（３円半）・菊水館（２円半）・なんや・峯泉館が載る。源泉は炭酸泉、１００℃、リウマチ・神経痛・婦人病・創傷の効果があるといわれている。

峰山トンネル

104　河津川（河津町）

下田街道は初景滝をはじめとする七滝沿いに下流に向かって下る。河津川は、賀茂郡河津町の中央を南東流する。長さ18キロ・流域面積81平方キロ。天城峠南部の荻乗川の流れと、天城山地猿山東方からの天城川（本谷川）が山中で合流。そのあと梨本で天城火山奥原（おきはら）・大鍋からの奥原（おきはわ）川、湯ヶ野で大鍋川、筏場で佐ヶ野川と合流して沢田・田中・笹原を経て谷津の浜で相模灘に注ぐ。河津七滝から湯ヶ野にかけての峡谷部は滝も見られ、観光資源となっている。

承元2年（1208）閏4月2日、鶴岡八幡宮神宮寺造営の用材を、狩野山の奥から河津（沼津とも）の海に運び出す（『吾妻鏡』）。江戸時代には荷の運搬路として重要な川であった。河津上郷各村の山稼商品である薪を矢野村の中瀬に集積し、そこから舟で川を下り谷津村の河口まで運び、小揚船で沖に係留した廻船に運んだ（正徳2年「証文定書」）。享保5年（1720）には天城山入会を巡る上郷と下郷の対立で、下郷が薪の川下げを止めるという事件も起きた（「取替証文」筏場区有文書）。山で伐り出した材木を筏に組み、下流に流した（『増訂豆州志稿』）。

文化12年（1815）の永井甚左衛門を中心にした第9次伊能忠敬測量隊の『伊能忠敬測量日記』に「（笹原村から）河津川尻渡幅十五間。此所より川上は一町ごとに舟渡あり。川上の天城山より流出しておよそ四里程、内一里ほどは小舟通絡あり」とする。文政7年(1824)伊豆を巡見した小笠原長保は『甲申旅日記』で、白田付近の通行に際して「川津川は水上天城山より出でて、この所三四丁にして海に入るなり。船橋〔漁船十艘を横さまに、縄にてつなぎ合せたり〕」を渡り過ぎて村あり」と記す。文政4年(1821)の富秋園海若子が著した『伊豆日記』や『増訂豆州志稿』などには、川舟、渡し、筏の様子を記している。

河津川下流の浜温泉の川沿いにカワヅザクラと菜の花が植栽され、平成3年(1991)より、2月10日から3月10日までの期間「河津桜まつり」を開催している。ズガニは江戸時代の史料にも特産品として登場し、現在も民宿や旅館で調理される。支流ではアマゴの渓流釣りも楽しめる。

河津川河口付近

105　逆川(河津町)

下田街道を小鍋峠越えで北ノ沢に至ると、普門院の案内がある。普門院は、天平年間行基が開いたという説がある。静かな山間の無住の寺だが、永享9年(1437)鈴木采女正が堀越御所に勧請して建立した古刹、模庵(もあん)上人が迎えられた(室町時代末期作とされる模庵宗範禅師坐像がある)。本尊は聖観世音で伊豆横道(よこどう)三十三所巡礼霊場の13番札所(聖観音座像)。寺内にウロコが3枚欠けた龍の絵があり、水戸の龍容寺にある雄龍に逢いに行こうと抜けだし、和尚に叩かれてウロコが落ちたという伝説がある。釈迦涅槃図や山岡鉄舟の書、県文化財指定の笈(おい)がある。峠道の途中にある下田街道と普門院へ通じる分岐点には元文2年(1737)造立の道標がある。『田方郡誌』に末寺として大龍寺(伊豆市本柿木)・法泉寺(伊豆市本柿木)・龍渓院(伊東市)を記載。『増訂豆州志稿』に当寺は五宝五派の内模庵一派の本寺にして末寺50余を有すとある。

三島神社は『延喜式』神名帳に載る賀茂郡の布佐乎宜神社(小座)、「伊豆国神階帳」に載る従四位上「おさめいわかわのみこ」に比定される。

『南豆風土誌』によると、応安3年(1370)足利氏の家臣、本籍下総国野田住人野田源五郎が来てこの地を開いたという。山を隔て河津川の南側にあり、逆川は河津川と逆方向に流れるためにこの名が付いた。古くは新庄あるいは深松村と称したという（『増訂豆州志稿』）。当地の三島神社の棟札には永正15年（１５１８）「（後北条氏の）代官矢野中之五郎左衛門尉家次」が造立し、天文２年（１５３３）「稲生沢郷逆河村惣社」を同じく後北条氏の代官清水右京亮吉政が修造したとある。古い記録が残る集落である。

　江戸時代初期は幕府領、享保13年（１７２８）掛川藩領となり、幕末に至る。文政13年（１８３０）「天城山四口附村五拾九ヶ村村高家数人別書上帳」（奥田家文書）によると家数55・人数２６３が書き上げられている。農間に薪炭を売り、鹿皮２枚役や茶畑上木年貢を負担していた。宝暦９年（１７５９）大水害があり、翌年に「年貢免除願」を提出している。明治６年（１８３７）逆川舎が開校し、同９年弘道館と改称。

普門院

106 須原(下田市)

小鍋峠を越えると、北の沢に着く。その後、ほぼ現道を街道は下田へ向かう。北ノ沢の、下田往還と伊豆東浦道へ抜ける道の分岐点にある山神社の傍らに七抱え半といわれる楠があり、行交う人々の休息所となったという。現在の大楠は孫といわれる。文化12年(1815)5月7日、第9次伊能忠敬測量隊の永井甚左衛門が中心となって測量、山神社の馬次場で昼休をとった。

明治10年北野沢・茅原野・新須郷・本須郷が合併して須原村となった。現在は、下田市須原。北野沢は北の沢村とも書く。本項では茅原野を除く北野沢・新須郷・本須郷について記述する。

3か村とも江戸時代初めは幕領で三島代官が支配、享保13年(1728)上野館林領(群馬県)、同19年幕府領三島代官支配、元文6年(1741)再び館林藩領、延享3年(1746)掛川藩領となって以降幕末まで続く。「掛川志稿」によれば北野沢は家数18の小さな集落で、特産物は黒莨(くろとつら、物を束ねるのに使用)。本須郷は、寛政10年(1798)「村明細帳」(土屋家文書)によると、田3町1反余・畑1町6反余・屋敷1反余、家数14とこちらも小さな集落である。新須郷は、同史料によれば家数47と本須郷より大きい。本須郷は『掛川志稿』によると須川村とも呼ばれたという。同書によると、古くは茅原野村と一村であったため、田畑屋敷が錯綜して村境が定まらなかったという。

北野沢の法雲寺は、はじめ真言宗で如意庵と呼ばれていた。天正年間（１５７３～92）に僧仁叟が寺として曹洞宗に改宗、山号は如意山。本尊釈迦。如意輪観音は秘仏とされ、60年に１回開帳という。伊豆横道（よこどう）三十三所巡礼霊場の12番札所（如意輪観音）。現在は無住で当地の楞沢寺（りょうたくじ）が管理している。同寺にある観音堂は開山の仏宗により観応２年（１３５１）に建立され（「掛川志稿」）、永正９年（１５１２）12月18日付の再建棟札写（法雲寺蔵）には「稲沢郷内北沢村如意山法雲禅寺」とみえる。

新須郷にある曹洞宗楞沢寺は創建不詳であるが、真言宗から文禄年間（１５９２～96）地蔵堂を併せて地福院と改め、後開山鐵山（元禄7年寂）の時改宗して楞沢寺となる。本堂は江戸時代中期の建築と考えられる。境内にあるコウヨウザンは「広葉杉」ともいい、幹周囲３３０センチ、樹高20メートルの巨樹。

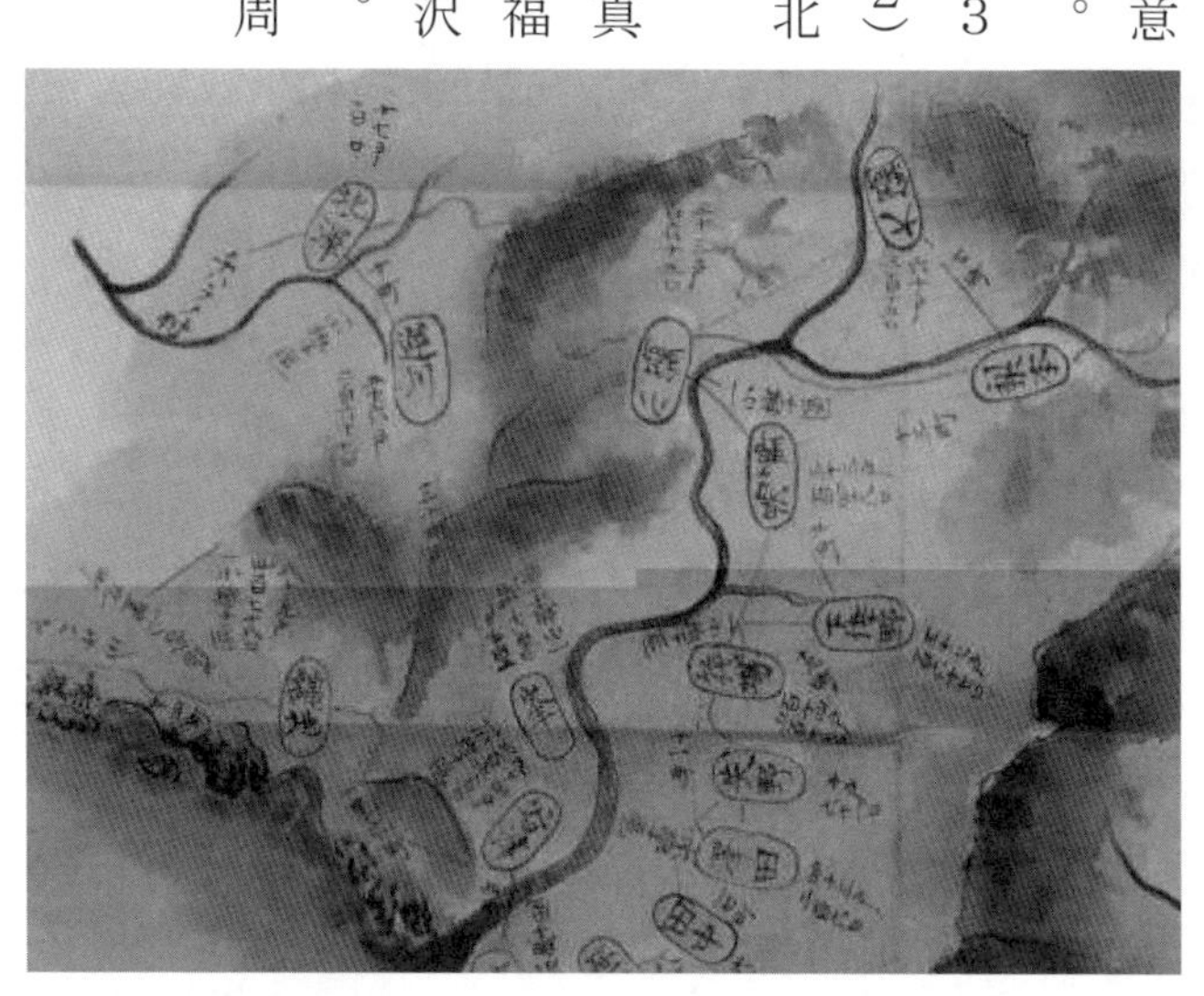

小鍋から下田へ向かう峠越え（明治6年学区絵図）

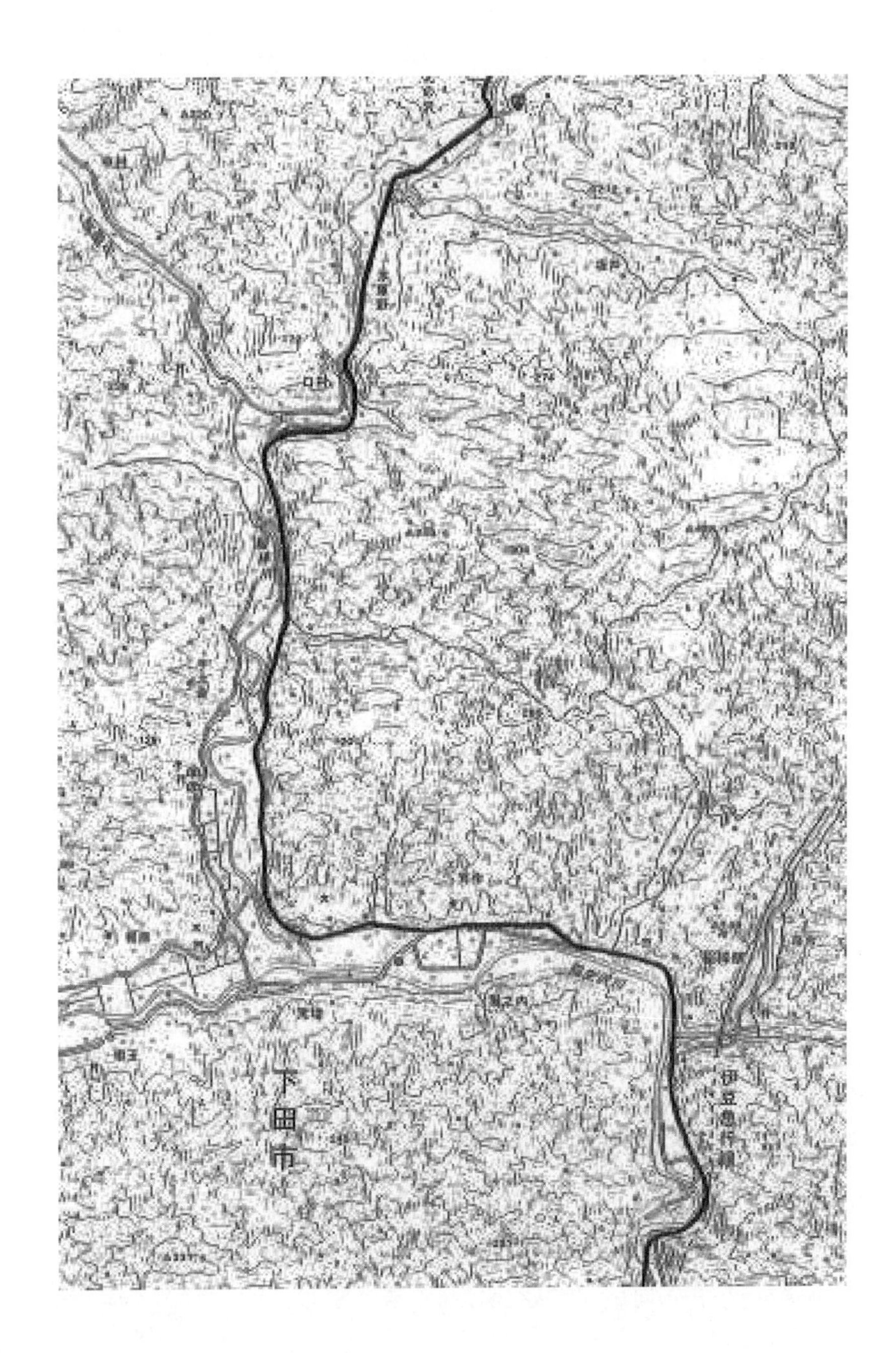
下田市

第8章　下田町への継立て場　茅原野

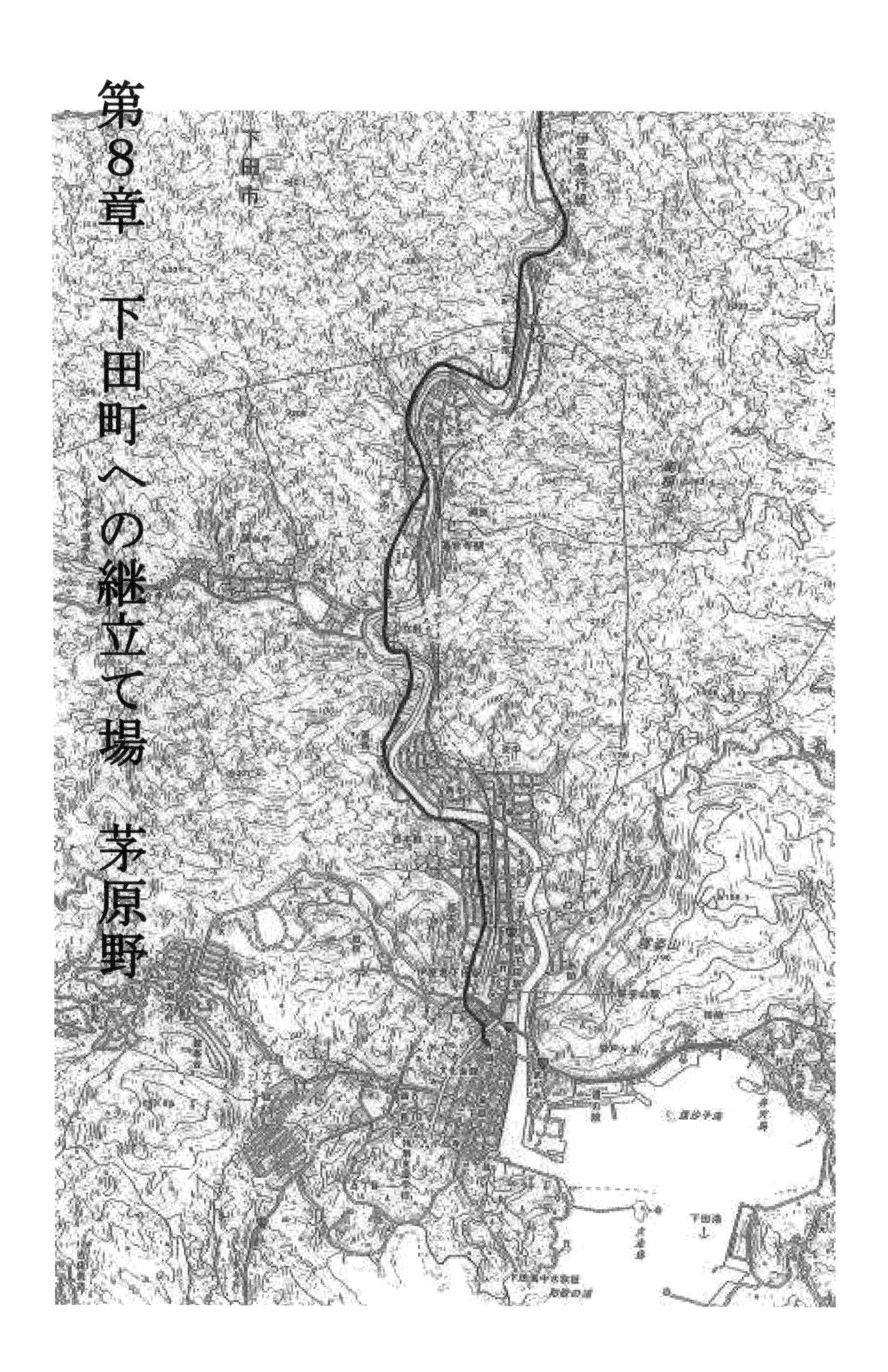

107　茅原野(下田市)

茅原野は「ちわらの」と訓むが「ちはらの」とも訓む。古くは本須郷(ほんすごう)村と一村であったため、田畑屋敷が錯綜して村境が定まらなかったという(『掛川志稿』)。北条氏康が家来の所領の確認のため永禄2年(1559『小田原衆所領役帳』を作成、それには河越(埼玉県)衆の大道寺周勝の役高として88貫文「茅原野」とみえる。また、小田原城主北条5代氏直の家臣で茅原野村の地侍に土屋勝長がいた。同氏は、『掛川志稿』によれば武田勝頼の家臣で天正10年(1582)の武田家滅亡の後に当地に土着したという。『豆州志稿』には須原村の水神社の天正10年の上梁文に「茅原野村氏神　土屋外記之介勝長」と書かれているとする。

江戸時代のそれぞれの村の生産高を記した『元禄郷帳』では高403石余があげられている。寛政10年(1796)「村明細帳」(土屋家文書)によると、田28町3反余・畑11町9反余・屋敷8反余(枝郷坂戸分を含む)、家数126・人数648(内僧3・修験1)、牛25・馬12。『掛川志稿』には坂戸は家数45・人数211が記録されている。下田奉行小笠原長保が伊豆の巡見を行い、その時の旅日記である文政7年(1824)『甲申旅日記』に「げに茅原(ちはら)にて、大和水のながめもえんに、打ち開きたる所なり。ここまでは自ら下りになりにけるが、ここにてなんまことに下り果てぬるとぞ思ふ。湯ヶ島よりこの方、重荷をも人の背に負はせて来たりしを、ここにて初めて馬に負はせたり。この野にしばし休む。村里は遠くて見ず」とある。下田街道の天城越えからようやく開けた場所に来たと書いている。

下田往還の継場になっており、享保2年(1717)からは南隣の箕作村4年、当村5年の年番勤めとなった(「済口証文」箕作区有文書)。下田街道の荷物運搬を助けるため、箕作とともに定助村として新須郷・本須郷・宇土金・椎原・北湯ヶ野・横川・加増野・相玉、加助村として吉佐美・田牛・大賀茂・青市・湊・上賀茂・一条・毛倉野・下小野・青市・一之瀬に出役を要請した。

明治6年、臨済宗建長寺派三玄寺を借りて茅原舎が開校した。

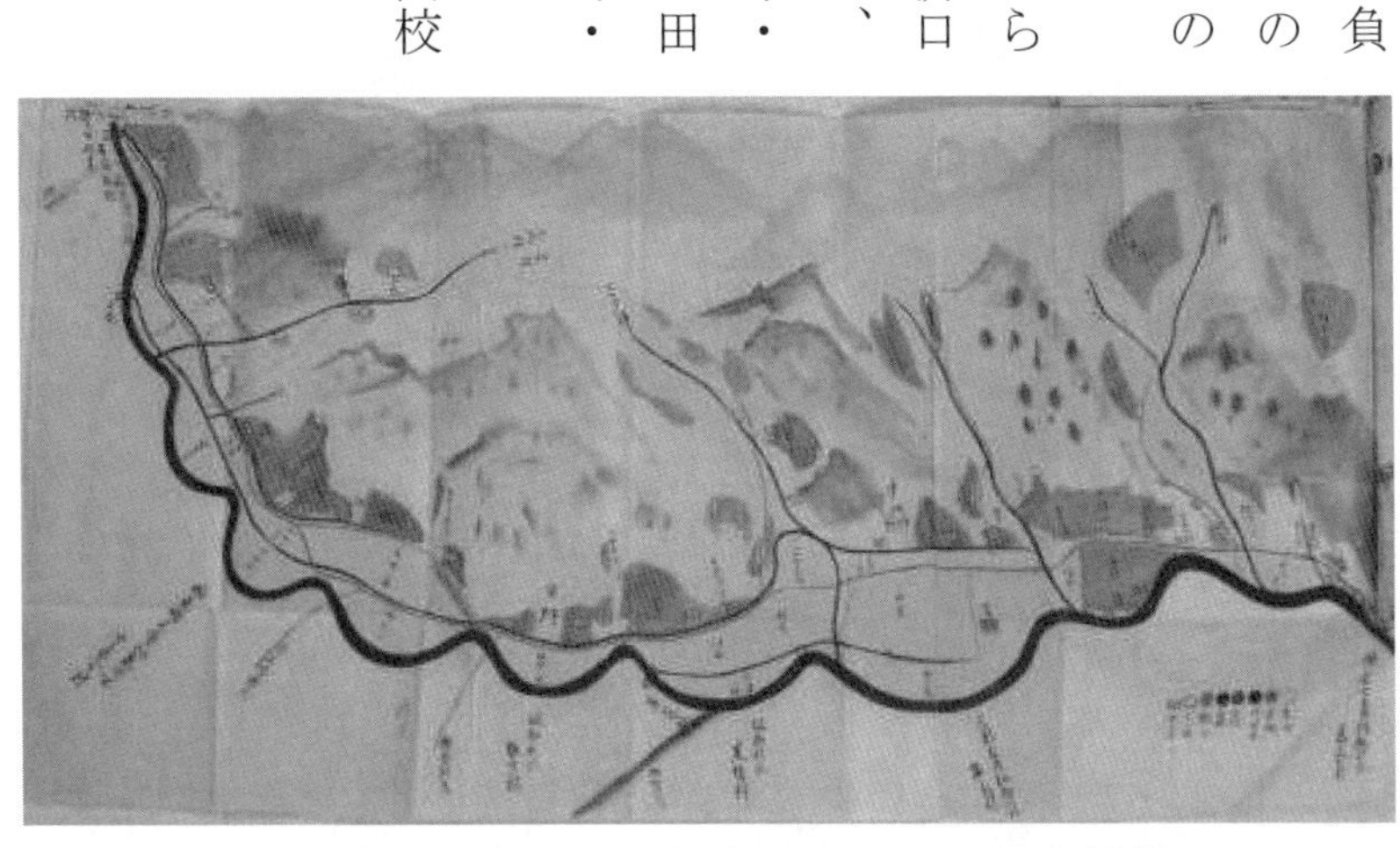

江戸時代の茅原野村絵図、公益財団法人江川文庫提供

108　宇土金（下田市）

宇土金（うどがね）の地名の起こりは、『増訂豆州志稿』によると、付近に独活（うど）が多く自生することから「うどが野」の転訛であろうとする。応永３年（１３９６）「管領斯波義将奉書」（上杉家文書）に「稲津郷内宇土賀禰村」とみえ、上杉（山内）憲方の遺領である宇土金の土地が子憲定に、落合村とともに領地として認めるよう命じられた。関東管領上杉氏が広く一帯を治めていたことがわかる。また、室町時代から見える地名である。後北条氏の時代には下田城主清水康英が下田から南伊豆を治めていた。宇土金と子浦（南伊豆町）の売却証文がある。

天正18年（１５９０）12月太閤検地が行われ、その時に作成された「稲生沢宇土金之郷御縄打水帳」（『伊豆下田』）によると、田畑19町８反余・屋敷３０３９坪・所有者18人が登録された。江戸時代初期は幕府領で三島代官が支配し、宝暦11年（１７６１）から韮山代官支配地となった。その後、一部は天明６年（１７８６）旗本稲葉領（高１９０石余）、残部は文化９年（１８１２）旗本酒井領（高33石余）となり、旗本酒井・稲葉氏の相給で幕末に至る。

各村の生産高を示す『元禄郷帳』には高２２３石余と記されてる。宝暦14年（１７６４）「名寄帳」（宇土金区有文書）によれば、田15町５反余・畑４町４反余・屋敷１町余とで田が多い集落である。慶安３年（１６５０）には秣（まぐさ）（馬草）刈場のこめ山について、野火のことで茅原野村と争論を起こしている。また北湯ヶ野村にあった当村の秣刈敷山について、北湯ヶ野村が新林をつくり刈敷山への道を掘切ったことなどから争論が起きたが、貞享３年（１６８６）内済証文（同書）が作られていた。田を中心とした村のため、馬草の安定的な供給が必要だったと思われる。

明治22年町村制の施行により稲梓村となり、昭和30年（１９５５）下田町と合併、昭和46年（１９７１）市制施行により下田市となる。大正製薬株式会社名誉会長の上原昭二氏の近代絵画コレクションを展示する上原近代美術館と奈良時代の古写経、近現代の仏像まで幅広い仏教美術を収蔵する上原仏教美術館が平成29年に一つとなり、リニューアルオープンした。

上原仏教美術館遠景

109　箕作(下田市)　1　箕作村

礪杵道作（ときのみつくり）は朱鳥元年(686)10月2日、大津皇子が起こした謀反事件に連座した罪で伊豆に流罪となった。下田箕作に流され、箕作の地名の起こりはここからといわれる。箕作は下田往還の継場となっており、延宝7年(1679)から北隣の茅原野村と5年交替で継場を勤めてきた。享保2年(1717)からは当村が4年、茅原野村が5年の年番勤めとなった(「済口証文」箕作区有文書)。安政元年(1854)の下田開港に伴い急増した公用人馬の継立ては、当村より北の梨本と南の下田までについて、15人以下の場合には継立村である当村か茅原野村が請負い、15人以上300人以下の場合には助合村として稲生沢上郷10か村(新須郷・本須郷・宇土金・椎原・北湯ヶ野・横川・加増野・相玉・箕作・茅原野各村)が担当した。300人以上の場合は稲生沢下郷13か村(本郷・柿崎・須崎・白浜・落合・堀之内・荒増・河内・立野・蓮台寺・大沢・中・岡方の各村)も手伝う仕組みとなった(「助合等に関する書上帳」土屋家文書)。

箕作八幡宮は礪杵道作を祀り、「伊豆神階帳」に載る「みちつくりの明神」に比定される。『南豆風土誌』に、正平4年(南朝、1349)「源基氏伝帖」に見作堤坂城主進士美濃守と記載がある。天文元年(1532)から開始された鎌倉鶴岡八幡宮の造営工事に参加した一人に当地の渡辺次郎三郎がいる。北条氏康の家来の領地を書き上げた永禄2年（1559）の『小田原衆所領役帳』によると、河越（埼玉県）衆の渡辺次郎三郎が当地に120貫文の領地を持っていた。

江戸時代初期は幕府領で三島代官が支配した。宝永5年（1708）小田原藩領、延享4年（1747）再び幕府領となり、宝暦9年（1759）韮山代官の支配を受けることになり幕末に至る。江川文庫に残る天保15年（1844）「村々様子大概書」によれば家数76・人数361、牛73・馬1。藍・真木・小竹・大竹・から竹・柱・板を作り藍瓶役や生産した商品の十分一の税を上納を負担したことが記されている。「箕作箕」は箕造り職人の間ではブランド箕であった。砥石の生産地で『増訂豆州志稿』には米山から産する礪（あらと）を砥石に利用したが、現在は生産されていない、とする。

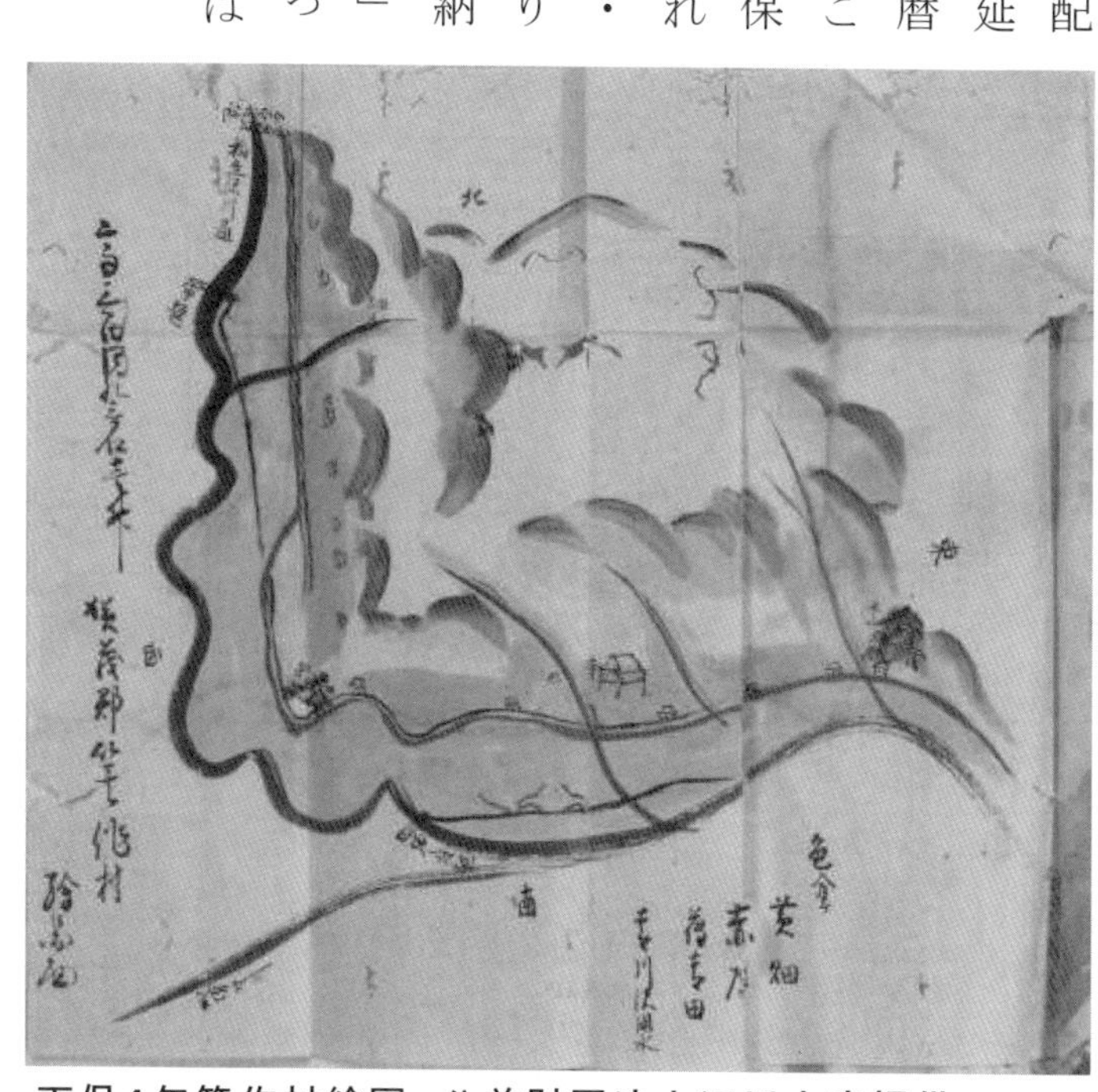

天保4年箕作村絵図、公益財団法人江川文庫提供

110　箕作(下田市)２　箕作の寺社

文化12年(1815)5月7日、第9次伊能忠敬測量隊は永井甚左衛門が中心となって測量、竜巣(りゅうすう)院に止宿した。『伊能忠敬測量日記』5月8日条に米山寺に触れ、「小山の頂きに米山薬師堂、日本三所の薬師と云う。いわゆる越後に1か所、伊予に1か所、当国の当村に1か所」とある。薬師仏は行基が茶がらと薢蘚(ところ)を練って造ったという。文安4年(1447)長山(円覚寺住職)の由来記がある。米山寺は山号を砥石山といい、その山号のとおり米山砥は当寺の山から産出した。伊豆八十八所霊場の46番札所(薬師如来)である。

谷文晁は松平定信の伊豆巡見に同行し、『公余探勝図』に「箕作村」を描く。下田奉行小笠原長保が伊豆の巡見を行い、その時の旅日記である『甲申旅日記』を文政7年(1827)に著し、「ここも又里離れの野路なり。左に米山と言ふあり。砥石(といし)を産すと聞けり。米山薬師を安置す」と記す。

箕作八幡宮は礪杵道作を祀り、「伊豆神階帳」に載る「みちつくりの明神」に比定される。

龍巣院は、山号は稲梓山、本尊釈迦。永享2年(1430)堀之内にある深根城主関戸播磨守宗尚創建、吾宝の開基、模庵の付輿となる。延徳3年(1491)関戸吉信が北条早雲(伊勢長氏)に滅ぼされて模庵が去ったので僧習巌開山となる。かつて法力で付近の沼に棲む毒竜を沼ごと干したと伝えられ、この乾竜が石塔の中に閉じ込められている。日照りの時はこの乾竜に祈って雨乞いをしたといわれる。

明治６年（１８７３）日枝神社を借りて箕作舎が開校したが心斎舎と改称した。明治21年の調査によると、郵便局（兼貯金預）・巡査駐在所、字宮ノ前に小学校。宮ノ前に戸長役場があり、箕作の他、須原・宇土金・北湯ヶ野・加増野・横川・相玉・堀之内・落合・荒増の10か村を所管した。明治22年町村制施行により稲梓村となり、昭和30年（１９５５）下田町と合併、昭和46年（１９７１）市制施行により下田市となる。稲梓中学校がある。

伊能忠敬が止宿した龍巣院

111 落合(下田市)

落合村は応永3年(１３９６)「管領斯波義将奉書」(上杉家文書)に稲津郷内にみえ、室町時代の関東管領上杉(山内家)憲定代に同村などを交付するよう命じられている。室町時代にはすでに見られた地名で、当地の高根神社所蔵の応永９年棟札には「落合村住人左近三郎」とみえる。永正16年(１５１９)2月20日付の棟札には、応永９年補修、尾張国(愛知県)より長田庄司の三男が逃れてきて落合に住み、子孫が開拓に努めて神社再興の願主になったことが記されている。北条氏康が編集した永禄2年(１５５９)の『小田原衆所領役帳』に直属の家来である御家中衆の本光院殿(北条為昌)の家来仙波藤四郎の領地があった。

江戸時代初期は幕府領で三島代官が支配し、宝暦９年(１７５９)から韮山代官の支配、文化８年(１８１１)より旗本蜂屋氏の支配となり、幕末まで続く。寛政4年(１７９２)「村明細帳」によると、延宝6年(１６７８)に検地が行われ、およそ山林、川沿いの平地に水田がある。家数43・人数２０８、牛馬40の村で、稲梓川から取水する大堰2か所があり、堀之内村で取水するものは両村百姓12人で普請、箕作村から取水するものは両村百姓６人で普請した。稲は「弥六」・「ゑん明」・「雪から」の品種を栽培、畑ではたばこ・粟・稗・芋・大根などの作付けをしていた。宝暦・明和ころ（寛政4年から）30年前までは御城米は陸上1里半の岡方村（下田市）の郷蔵、その後は各村の蔵で管理し、下田湊へ年貢を津出しした。御普請は稲生沢川流域に8か所、土橋が1か所あった。

字宮の前に高根白山神社がある。永正16年（1519）の棟札には、大工事で造営したことが見え、毎年10月24日祭礼を行うとある。2月11日の鬼射祭（おびしゃ）は永正17年に長八郎左衞門尉重秀が始めたといわれる。鬼射は昭和51年（1976）下田市無形民俗文化財に指定された。

明治6年汎愛舎が開校。明治22年稲梓村となり、昭和30年（1955）下田町と合併、同46年市制施行により下田市となる。伊豆急行稲梓駅がある。

落合にある稲梓駅近くを通過する伊豆急

112 堀之内（下田市）

元禄11年（1698）「差出帳」（堀之内区有文書）によると、田2町1反余・畑1町8反余、高47石余、家数7・人数28、牛8。明治18年では9軒、同21年の調査によると、社1、戸数11、人口62の小さな集落である。集落のほとんどを山林が占め、市の中央部に位置する。

江戸時代はじめ幕領で三島代官の支配を受け、元禄11年旗本三枝氏の支配となって以降幕末まで継続する。屋根を葺くための茅野山は北湯ヶ野村滑川（納米川）沿いに、燃料である薪取場は加増野村の深山・奥山、須郷村の深山・大鍋山・池代山にあり、秣（馬草）刈場は河内村・箕作村・落合村の山々へ出かけた。稲の品種は北国・けじろ・やらく・すじもちなど、畑では蕎麦などを栽培した。延宝5年（1677）に三島代官が支配地の記録を残した『伊豆鏡』によると竪172間・横92間の竹御林に指定され、竹6690本があった。伊豆の竹御林は畑毛（函南町）・「相玉（下田市）の3か所が指定されていた。

天城・松崎両街道の分岐点、稲生沢川にのぞむ丘陵に深根城跡がある。戦国時代、稲梓（下田市）にあった堀越公方の重臣関戸播磨守吉信が延徳3年（1491）創築した居城。明応7年（1498）北条早雲に最後まで抵抗し、手勢200名、雑兵50名で戦った。曲輪の北側は山、東南面は湿地、西は濠で固めた城で、早雲は攻撃するため、箕作・堀ノ内一帯の家を１００戸ほど打ち壊し、この木材や攻撃陣２千人にそれぞれ一担ぎの土を持ち寄らせ濠を埋めて攻撃した（『北条五代記』）。深根城近くの西方の字槙ヶ窪にある２本の巨木の下に五輪塔と並んである宝篋印塔が足利茶々丸の墓ともいわれる。殿屋敷・大旗小路・大鐘・木戸段・殿畑などの地名が残る。関戸氏の奥方尉奈の前は深根落城後、菩提寺である川向かいの箕作村竜巣院で自刃したといわれ、以後上女参と称され、毎年11月14日に供養されている。城址は昭和51年（１９７６）下田市史跡に指定され、平成８年（１９９６）、石垣を静岡県建設協会・昭和会によって静岡県の土木建造物に選定された。当地区にある山桜は樹高20メートル、根回り３・４５メートルで同51年下田市の天然記念物に指定となった。

深根城の跡を留める石垣

113 河内(下田市) 1 河内村

河内の集落には小字で志戸(しど)・松尾・諏訪・湯原・角栗(かどくり)がある。江戸時代はじめ幕領で三島代官の支配、宝永5年(1708)宝永山噴火で小田原藩救済のため同藩領となり、延享4年(1747)172石を旗本大草氏に分割、50石は幕領に復したが、文政5年(1822)沼津藩領となって幕末に至る。明治元年(1868)韮山県、同4年足柄県、同9年静岡県に帰属。

稲生沢川の洪水に悩まされてきたため字渡瀬より字湯ヶ田に至る長さ1840間・馬踏9尺の堤防が築かれた(『稲生沢沿革誌』)。文政7年(1824)下田奉行の小笠原長保が伊豆を巡見した『甲申旅日記』に「左の方に高根山とて、一際高き山あり。峰に地蔵菩薩の堂ありとぞ、伊豆の海を渡る舟どもの、西東も知らずなりてまどへる時には、この地蔵に祈りを掛れば、うけ引き給ひてたちまちに火の光を現して、それと知らしむることとなん。奇瑞限りなしとぞ言ふ。この村はなべて山々左右に打ち開きて、石川の岸に添ひて来しに、川幅十六七間もや有りぬらん、流れ清くして、所々に瀬々の白波沸き返り、怪岩ども多く絶妙なり。しばし行きて村さかひの板橋を渡る」とある。明治4年の調査では馬17、牛54、運送河船5、薪7万5千束、炭2800俵を生産。

曹洞宗重福院には建武元年（１３３４）、妙忍・覚円らが造立した宝篋印塔がある。諏訪神社には永正15年（１５１８）11月の棟札が残る。明６年臨済宗建長寺派向陽院に日新舎が開校した。

『増訂豆州志稿』に河内温泉、角栗温泉を掲載。北部に角栗温泉、南部に下湯原温泉、さらに南に立野橋畔の川中から湧出。『南豆風土誌』に久しく中絶せしを、天保９年（１８３８）再興せり、とある。天保９年字金谷（かなや）山の共有地を開掘して河内温泉を湧出した（『稲生沢沿革誌』）ともいう。昭和16年「湘南・箱根・伊豆地方」（ツーリスト案内叢書第４輯）に金谷旅館（１泊３円、千人風呂あり）・松本旅館（３円、露天風呂あり）・松泉閣（自然風呂）が載る。金谷旅館は現在も営業を続ける老舗旅館である。源泉は白濁した食塩泉で、眼病・皮膚病に効果があるという。伊豆急行蓮台寺駅、稲生沢中学校があり、当市と加茂郡下５町の事務組合で、各自治体の事務をコンピューターで処理する南伊豆総合計算センターがあったが、２００５年に解散した。

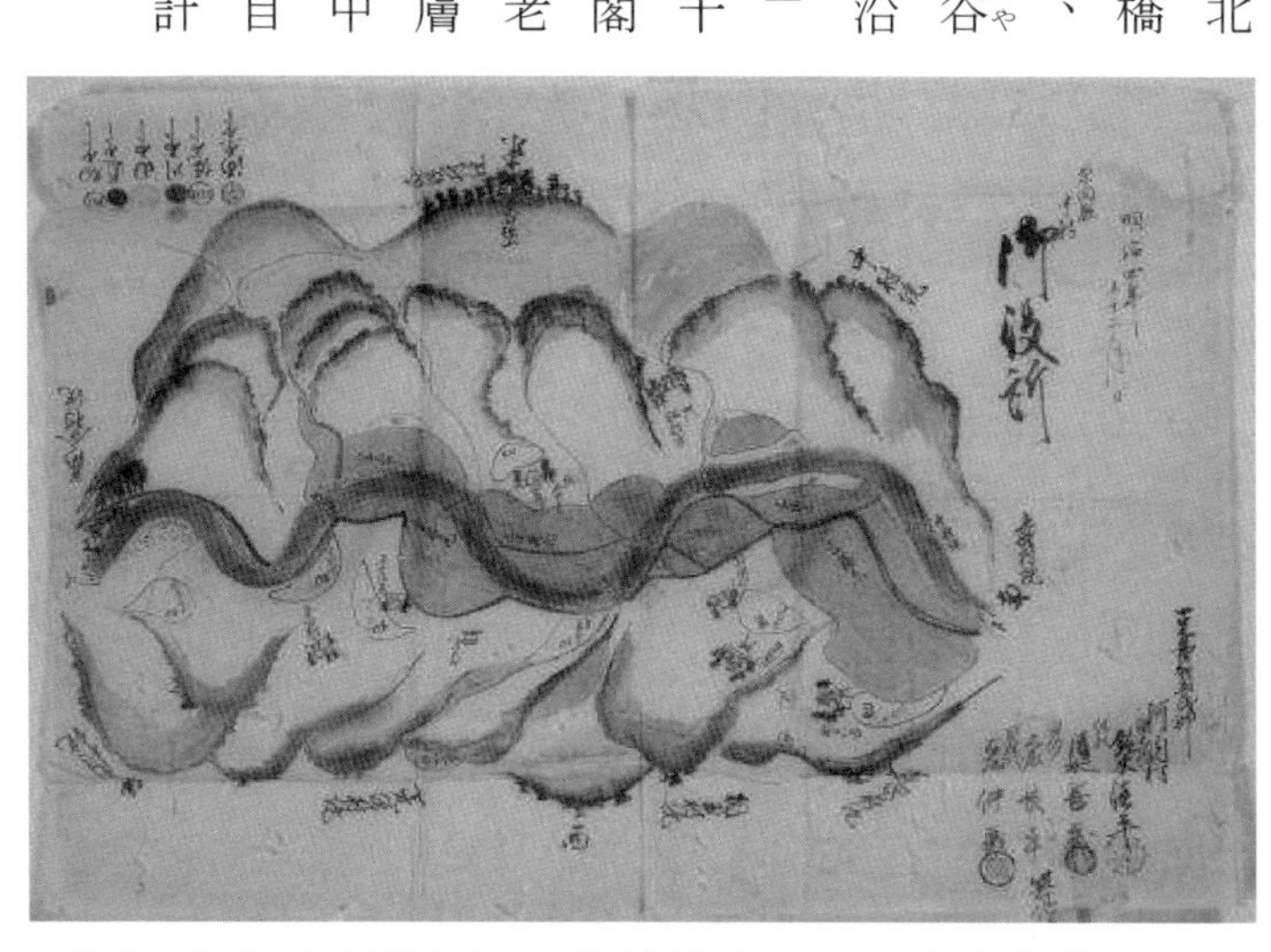

明治４年河内村絵図、公益財団法人江川文庫提供

114 河内(下田市) 2 高根山

高根山は標高３４３メートル。太平洋が眼下に展開し、伊豆諸島を眺望できる。『南豆風土記』に伊豆山子恋の森、堂ヶ島の揺橋(ゆるぎばし)(今はない)とともに「伊豆の三勝」として紹介されている。山頂に地蔵菩薩が祀られ、河内側から登る沿道には点々と丁仏や道標が並び、頂上が18丁となる。頂上には多くの小型の地蔵尊が奉納され、お堂再建の寄進者の名札によれば、下田市内の他、賀茂郡内、伊東市・沼津市・清水市・静岡市・県外では鎌倉市・横浜市・秋田県羽後町などの地名が見える。『伊豆下田』(地方史研究所)に旧稲生沢村では日照りが続くと村中の若い衆が高根山で火を焚いたという、雨乞いの山でもある。地蔵は地震によりお堂が維持できなくなったので向陽院に移した。

向陽院は享保2年(１７１７)「当国高根山略縁起」によると、久安2年(１１４６)、三井寺との争いで無常を感じた公範阿闍梨が比叡山を下りて諸国行脚した後、高根山で草庵を結んだのが始まりという。そのため、初め天台宗という。『全国寺院名鑑』では応永9年(１４０２)公範が草庵を結び道場とし地蔵密寺としたのが起源とある。

明応元年(１４９２)本山建長寺より宜梅が来て再建し、三壺山向陽院と改め、享保9年長州が地蔵尊を高根山頂に安置し、今日に至る。本尊は空海作といわれる虚空蔵尊・高根地蔵尊。1月24日に高根地蔵尊の祭礼が行われる。祭りは高根地蔵に願をかけ祈祷してもらうもので、願掛けの内容としては、海上安全のほか、家内安全・交通安全・大漁満足・商運隆昌・厄難消除・無病息災などである。市内はもとより、市外の南伊豆町・河津町・沼津市あたりから漁師や船員・海女などがお参りにやってくる。かつては高根山から地蔵を1体借りてきて船に祀り、無事航海が終わると新しい地蔵を1体添えて高根山に返していたという。現在、向陽院にはこれらの地蔵の半数が安置され、地蔵には紀州和歌山卜半町・芸州大崎町・沼津市我入道・浜崎村などの地名が見える。安政元年(1854)の地震後幕吏松本十郎兵衛(穀實)の館として使用。伊豆八十八所霊場の45番札所(地蔵菩薩)。伊豆国七福神の霊場の1つ(恵比寿天)。向陽院と地蔵の伝説が残り、海上守護の霊地となったといわれる(後藤江村『伊豆の伝説』)。弘化5年(1848)3月当山講中によって造立された良観の念仏名号碑が門前にあり、境内には造立年不詳の一石六地蔵が安置されている。

韮山代官江川英龍が描いた「高根山から見た伊豆の海」

115 蓮台寺（下田市）１ 蓮台寺村

『稲生沢沿革誌』によると、地名の由来は「藤原」と称していたが、約１３００年前、僧行基によって発見された古い湯で、かつては温泉山蓮台寺の寺域であったことからこの地名になったという。蓮台寺はすでに廃寺である。永禄2年（１５５９）の『小田原衆所領役帳』の御馬廻衆に狩野大膳亮と見え、当地も所領の一部であった。

江戸時代初めは幕府領で三島代官の支配、元禄11年（１６９８）旗本三枝領、安政3年（１８５６）幕府領下田奉行支配、安政6年幕府直轄の韮山代官支配となり幕末に至る。年未詳の村絵図（蓮台寺区有文書）によると広台寺南方に陣屋が記され、旗本三枝氏の陣屋と推定される。

天保15年（１８４４）「村々様子大概書」によると、田7町5反余・畑2町1反余、家数53・人数２４４、牛26・馬3、農間余業として薪をとる、とある。温泉は１３００年前行基によって発見されたというが、『稲生沢村沿革誌』には、寛永元年（１６２４）山崎の地を掘り薬師温泉、同3年には下藤原を開掘して蓮台寺温泉が湧出したとある。天明4年（１７８８）立野・蓮台寺・大沢3か村の入会地屋き山で刈敷秣出入が生じたが、享和3年（１８０３）裁許絵図（蓮台寺区有文書）が作成され、解決した。

嘉永7年(1854)下田湊に碇泊するペリー率いる軍監に乗船しようとやってきた吉田松陰と金子重輔は村内の村山行馬郎方に寄寓し、疥癬の治療をしていた(『南豆風土誌』)。現在吉田松陰寓居処は県指定史跡になっている。同年の安政東海地震による津波により下田が壊滅被害を受けたため、曹洞宗広台寺が一時川路聖謨の宿舎になった(同書)。

文化12年(1815)5月8日、第9次伊能忠敬測量隊が永井甚左衛門を中心に測量し、『伊能忠敬測量日記』に「字藤原。右三十間ばかり山際に三枝主計陣屋あり。当村内湯壺二ヶ所。」とある。ここでも三枝の陣屋のことが記される。明治7年天神社に明倫館開校。同12年大区議事堂を借用して私立豆陽学校(現下田高校)が開校。同21年の調査によると、藤原に豆南高等小学校、山崎に小学校があると記す。

吉田松陰寓居処

116　蓮台寺（下田市）２　蓮台寺温泉

下田市街の北２・５㌔、緑の丘と稲生沢川に囲まれたところに蓮台寺温泉がある。約１３００年前、僧行基によって発見された古い湯といわれる。文政13年（１８３０）『囚山亭百律』には藤原温泉とあり、伊豆の温泉の一つとして紹介。囚山亭は常州（茨城県）潮来の儒者である芳川波山が文政３年（１８２０）下田乳峯山下に建てた、竹で葺いた小亭で、ここで、波山は講釈・解読・詩会を催し、また、子どもにも素読、手跡を教えた。下田を去った後、『囚山亭百律』を著した。『増訂豆州志稿』『南豆風土誌』は薬師温泉（弥五兵衛の湯）・上条温泉（上の湯）・藤原温泉（下の湯）として記載されている。明治15年（１８８２）『諸国温泉遊覧記』（木版本）に温泉場風景と藤の湯・上の湯・薬師湯を載せている。昭和16年「湘南・箱根・伊豆地方」（ツーリスト案内叢書第４輯）に石橋（１泊４円）・掛塚屋（３円）・中田（４円）・蓮台寺荘（５円）・會津屋（３円）・弥五平（３円）・湯端館（３円）・三吉屋（２円半）・静好館（２円半）・小川（２円半）・新湯（２円半）・岡田清流荘が載る。

温泉の湧出量は豊富で、下田市街、白浜に給湯するほど。寛政４年（１７９２）『槃游余録』に「ここのいで湯二所とも、硫黄の香ありて、やはらかなれば、病にはよかるべくおぼゆ」とある。

単純泉、54℃。リウマチ、婦人病、皮膚病、現病などに効果があるとされる。

明治24年に約半年間にわたって滞在した幸田露伴の短編『いさなとり』は当温泉が舞台。明治43年（1910）5月から伊豆を旅行した柳田國男は「五十年前の伊豆日記」を著し、5月18日朝、大仁に汽車で到着、そこから人力車で下田往還を南下、湯ヶ島に泊、翌19日駕籠で天城越え、湯ヶ野温泉泊。20日は馬車で湯ヶ野から下田へ行くが宿泊を断られ、蓮台寺に1泊。21日馬車で加増野から婆娑羅峠を越え松崎へ行き、ここで泊。松崎に逗留し、22日帰路を船「松丸」で沼津に向かう。「乗合多けれど皆田子という処にて下りたり」とあり、10時前に沼津へ着く。「狩野川を上りて船を岸に繫ぐ」、東海道線で車中にて弁当とイチゴを買い、吉原へ向かった。

蓮台寺川沿いに枝垂れ花桃が植栽され、花の名所となっている。

明治15年『諸国温泉遊覧記』に見る蓮台寺温泉の賑わい

117 立野(下田市)

北条氏康が家来の領地の確認のために編集した永禄2年(1559)『小田原衆所領役帳』で伊豆衆江川氏の所領であったことがわかる。江川氏は江戸時代に韮山代官を勤めるのであるが、ここに飛び地で領地をもっていた。天正14年(1586)10月18日「北条家朱印状」(三嶋大社文書)にみえる立野は10か所列記されている郷村名の1つで、三嶋社(三嶋大社)との関係もあった。

江戸時代初期は幕府領で三島代官の支配、宝永山の噴火により宝永5年(1708)小田原藩救済のため小田原領となる。延享4年(1747)三島代官の支配に戻り、文政5年(1822)沼津藩領、安政3年(1856)幕府領下田奉行支配、安政6年幕府直轄の韮山代官支配となり幕末に至る。天保15年(1844)「村々様子大概書」(江川文庫)によると、家数60・人数272、牛3、馬4、農間に縄・筵を編む。米の津出しは下田湊と記されている。

伊豆における天明の飢饉の状況はあまり知られていないが、当村では天明6年(1786)には村民285人のうち飢人277人を数えた。伊豆市立野と同名の字で、どちらも物資の集散地となっていた。当村の中ノ瀬は下田湊の隆盛につれて周辺諸村からの物資集積地として栄え、集められた物資を当村から艜(ひらた)(底の平らな船)に乗せ稲生沢川を下り、下田湊まで運んだ。その後も薪炭の集散地として賑わった。慶応3年(1867)の調査によると、5人乗り伍大力船1艘と川舟6艘を所有していた。文化12年(1815)5月8日、第9次伊能忠敬測量隊の永井甚左衛門を中心に測量、『伊能忠敬測量日記』5月8日条に「稲生沢川渡巾二十一間。此辺ヨリ下田町迄小舟之通舟アリ。左右町並人家続、同村内字中之瀬。」とある。文政13年(1830)刊の『囚山亭百律』に立野温泉が記載され、『南豆風土誌』では河内南方の立野橋畔の川中に温泉が湧出している、とある。

曹洞宗仏源寺があり、大王院(現廃寺)があった。明治21年の調査によると、巡査駐在所、中ノ瀬に戸長役場が置かれ、立野の他、大沢・河内・蓮台寺・本郷・中村の6村を所管した。同22年稲生沢村稲生沢村役場が置かれ、当地域の中心だった。稲生沢小学校の所在地。北部は蓮台寺につながる住宅地域。当地には正月3日まで餅を食べない風習があり、氏神が餅を食べて死んだため、餅を食べると火にたたられると信じられている。

蓮台寺温泉入り口にある立野橋

118　稲生沢川（下田市）　箕作まで筏舟利用

二級河川稲生沢川は下田市と賀茂郡松崎町との境界の婆娑羅山南東斜面に源をもち下田港に注ぐ。長さ18キロ、流域面積78平方キロ。上流の下田市加増野から箕作までは白浜層群からなる地域を直線的に東流、谷底平野や山麓部に狭い段丘を作りながら、荒増（あらぞう）では北からの稲梓川と合流する。アユやハヤ（オイカワ）が釣れる。流路を南に変え峡谷部を通過したのち立野で蓮台寺温泉から東流する流路と合流、その一帯は湯ヶ島層群の分布する地域である。合流点から河口部までは谷底平野の幅も広くなり下田市街地が展開する。河川勾配が緩いためにかつては河口から約3・5キロ程上流の立野（通称中ノ瀬）まで舟運が利用され、石材・薪炭・竹類を積載し（『稲生沢村沿革誌』）、舟運の盛時にはさらに上流の箕作・堀之内辺りまで筏舟が利用された（「箕作村外十ケ村村誌調」）。文政4年（1821）伊豆を旅行した富秋園海若子は『伊豆日記』に蓮台寺から「田面道（タノモミチ）四五丁ゆきて中の瀬村にいたる、爰なる川舟に乗りて、一里かほど下り行けば、たそがれに下田の港に出でたり」とある。河口部は港湾施設による改変が進行している。

津波の被害も大きく、安政の大地震（1854年）の時の津波は河口から立野まで浸水域が及んだという。元禄11年（1698）、狩野川では狩野・大見組で、稲生沢（いのうざわ）川では稲生沢組によって堤川除普請が行われた。文化14年（１８１７）10月、稲生沢川・仁科川・那賀川・石部山道川で国役御普請が行われた。『増訂豆州志稿』に「下田の渡」として、下田町柿崎の間、稲生沢川を渡る、広さ50歩、明治11年（１８７８）架橋とある。

明治23年（１８９０）唐人お吉が身を投げたというお吉ヶ淵がある。下田の船大工の娘であったが、「旦那持つなら異人さんを持ちゃれ、二朱の女郎に二分くれた」の俗謡がうたわれ、ハリスとお吉の物語はあまりにも有名である。日米通称条約を締結するために下田の玉泉寺に滞在していたアメリカ総領事ハリスの侍妾として選ばれた。お吉は拒絶したが、唐人お吉、異人の女房などと白眼視された。ハリスが江戸へ出てから三島で娼妓となっていた。最後は身を持ち崩し、稲生沢川に身を投げたという。ただ、お吉の処遇やその後は諸説あり、はっきりしない。

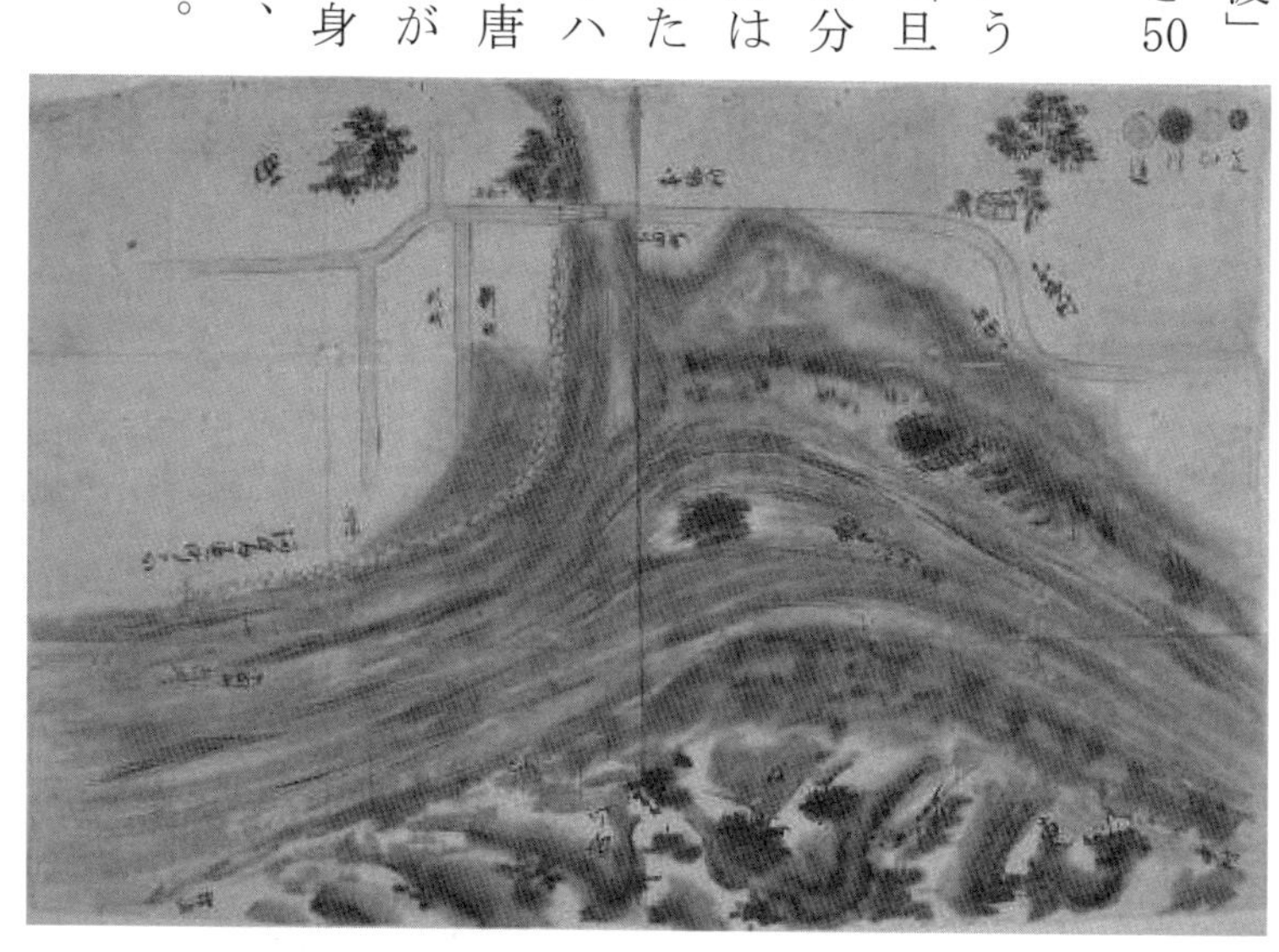

稲生沢川絵図、公益財団法人江川文庫提供

119 本郷村(下田市) 高馬に反射炉計画

本郷村は現下田市一丁目・西本郷・東本郷・高馬・敷根・本郷。『南豆風土誌』に往昔岡方・下田・柿崎・州崎等、其の名は分れても、戸数僅少にして未だ村をなすに至らず、之を以て土地広しと雖も統べて一村として、これを本郷といひき、とある。

江戸時代は幕府領が長く、うち下田番所支配が元和2年(1616)より元禄4年(1691)まで、下田奉行支配が正徳2年(1712)より享保5年(1720)までと嘉永7年(1854)から安政6年(1859)まで。天明5年(1785)石見浜田藩領(島根県)となり翌6年12月幕府領に上知された。なお寛永2年(1625)下田御番今村彦兵衛重長に本郷村の高296石余が与えられている(「記録御用書本古文書」)。

天保15年(1844)「村々様子大概書」(江川文庫)によると田19町8反余・畑9町1反余、家数115・人数576、牛24・馬3、水損場であり、川除普請所・用水堰2か所、草刈場は近村との入会、農間に男女とも薪売、米の津出しは下田湊に行く、とある。

文化12年(1815)5月8日、第9次伊能忠敬測量隊の永井甚左衛門を中心に測量、その測量日記に「本郷村高馬。右三十間引込式内高麻神社。祭神不詳、祭礼八月十五日、当時八幡神社ト称。別当修験竜蔵院」とある。文政７年（１８２４）下田奉行の小笠原長保が伊豆の巡見記である『甲申旅日記』に「下田富士と言ふ山を見る。この奥よりみ影の石も切り出だすとなん」とある。高馬の稲荷神社の裏山から青石を産出した。文政５年本郷山から下田町の請負人が白青石運上敷金１９５両受け取っている（江川文庫史料）。

嘉永６年（１８５３）高馬に反射炉建設を計画したが、韮山中（なか）へ移転、現在はバス停名「反射炉跡」にその名を残す。安政東海地震時には波布比咩命（はぶひめのみこと）神社上手（現下田市役所辺り）まで千石船が押流され、被害は半潰水入７軒、田畑３００石のうち６割が荒地となったという（「下田栞」）。波布比咩命神社・意波与命（おはよのみこと）神社・稲荷神社・竹麻神社、曹洞宗福仙寺がある。明治６年衆説舎、同７年知新舎が開校。明治22年稲生沢村、昭和30年（１９５５）下田町、同46年下田市に帰属。

「反射炉跡」バス停と下田富士

第9章　街道の終点　下田町

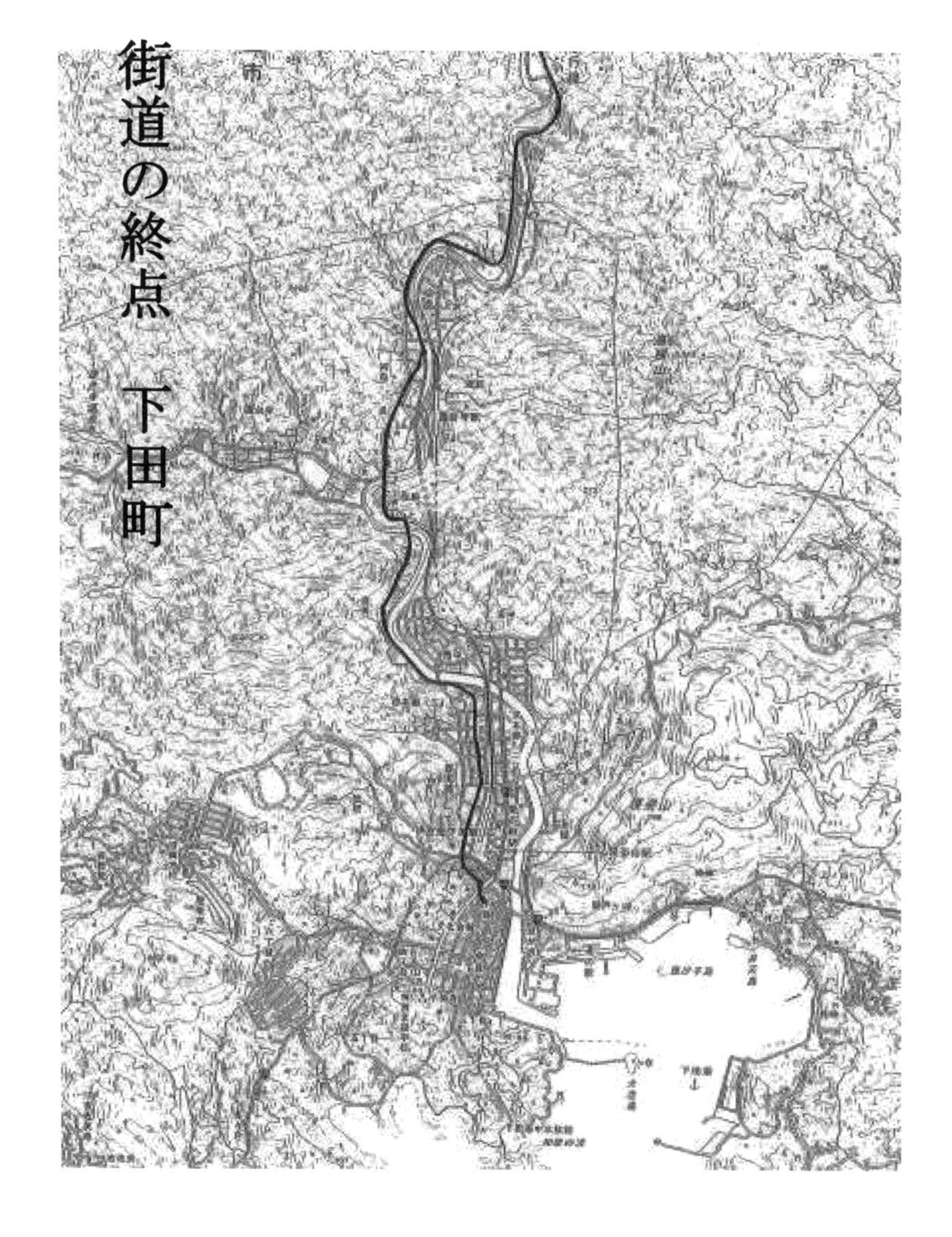

120　岡方村(下田市)　下田の入り口

岡方村は現下田市1丁目～6丁目・敷根・旧岡方村となっている。もとは下田町(本郷村を含む)の一部であったが、慶安2年(1649)、一説には慶長年間(1596～1615)に分離独立したという(『下田の栞』)。『元禄郷帳』では下田村枝郷と肩書されて村名がみえ、元禄当時(17世紀末)は完全に独立してはいなかった。江戸時代は幕府領の時代が長いが、小田原藩領が宝永5年(1708)から延享3年(1746)までと安永7年(1778)から天明5年(1785)まで、同年109石余が大久保加賀守から幕府領に上知、当分預りとなる。天明5年石見浜田藩領(島根県)となり翌6年12月幕府領に上知、嘉永7年(1854)から安政6年(1859)まで下田奉行の支配となる。

伊豆石を産出(『増訂豆州志稿』)、慶応3年(1867)には白石が払底したと江川文庫の記録に残る。下田町との境界線は飛地などもあって複雑であったため、八幡神社の田畠や岡方村の地子屋敷などをめぐって下田町との間でしばしば争論が起こった。山岸屋・和泉屋・吉佐美屋・清水屋などの下田商人仲間に入っている商人があり、中通りに街並みを形成していたようで、寛政期(1789～1801)には店の軒先を3尺も出す者もあった。商人達は経済力を背景に村役人層と対立を繰返していた(『下田年中行事』)。

下田町の町並に連続しているため、災害に悩まされた。大火が享保16年(1731)、宝暦6年(1756)、安永5年(1776)にあり、文化元年(1804)には72軒が焼失して68両の拝借金を、同10年には47軒が焼失して35両1分の拝借金を受けている。同13年には2軒が焼失(同書)。

安政東海大地震では大津波で96軒が流失・全壊、溺死人2人の被害があり、幕府からの拝借金を願い、当村・下田町など4か村で合わせて計9855両が下された(『下田栞』、「下田湊地震津浪噺」早稲田大学図書館蔵)。同年下田湊に碇泊していたアメリカ船に乗ろうと下田に来た吉田松陰は当村の岡村屋(元下田屋)を宿舎とし、捕えられると一時延命寺(現廃寺)に預けられた(『南豆風土誌』)。浄土真宗本願寺派宝福寺・曹洞宗大安寺・日蓮宗本覚寺・臨済宗建長寺派泰平寺・同理源寺(現廃寺)がある。明治6年新民学校が泰平寺に開校。明治10年下田町に吸収合併、岡方村は下田町広岡町となる。

下田の町の入り口岡方村の現況

121　下田町(下田市)　1　下田町

下田町は現在の下田市一丁目～六丁目、武が浜・下田。江戸時代から明治22年(1889)まで賀茂郡内で唯一の町。古くは下田村とも称した。下田は低地の意味で、もと本郷村に属す。慶安2年(1649、一説には慶長年間)岡方村を分村(『下田年中行事』)、下田と岡方は別町村であったが、明治10年合併して下田町となった。当時、伊豆地域で町は三島と韮山(明治22年広域の村となる)と下田の3か所である。寛政4年(1792)の家数795・人数3110、廻船24、船主21軒・水主稼(かこ)120軒、漁船30・小艜(せり)船1・伝馬船40(「小田原より豆州海辺通村領控帳」奥田家文書)。天保15年(1844)の「村々様子大概書」(江川文庫)によると家数877・人数4015、御林4か所とある。

天正18年(1590)関東を領有した徳川家康は下田5000石を戸田忠次に与えた(『寛政重修諸家譜』)。慶長6年(1601)忠次の子尊次が三河国田原(愛知県田原町)へ転封となり、徳川氏直轄領となる(『同書』)。その後は幕府領の期間が長く、うち元和2年(1616)から元禄4年(1691)まで下田番所支配、正徳2年(1712)から享保5年(1720)までと嘉永7年(1854)から安政6年(1859)まで下田奉行所支配であった。

戸田忠次は城を築かせず海善寺に居を構えたという。この頃から下田の街並が形成されていったと思われる。海善寺から海に至る小路を殿小路、戸田氏の家来が住んでいたのが長屋町で、同町・紺屋町・連尺(連雀)町・町店町(古くは町棚町)などが町の中心であったという。元禄6年書写の元和2年(1616)と推定される検地帳(『下田年中行事』)には弥次河(弥治川)町・島之町・池之町・町棚町・連尺町・紺屋町・殿小路・新田町・中嶋(のち新田町に合併)・長屋町・須崎町・須崎新町(のち須崎町に合併)・長屋町・加納屋町・原町・大工町・田町・新田壱町目・新田弐町目・新田参町目・大平寺町・上田町の21町が記されている。田町はのちにつくられる坂下・七軒両町辺りと考えられ、加納屋町は中原町と改称された。新田壱町目は同心町とみられ、のち弥治川町に含まれ、大平寺町は飛地で岡方村内にあったと考えられる。中嶋は敷根川対岸の本郷村に突き出た耕作地である。

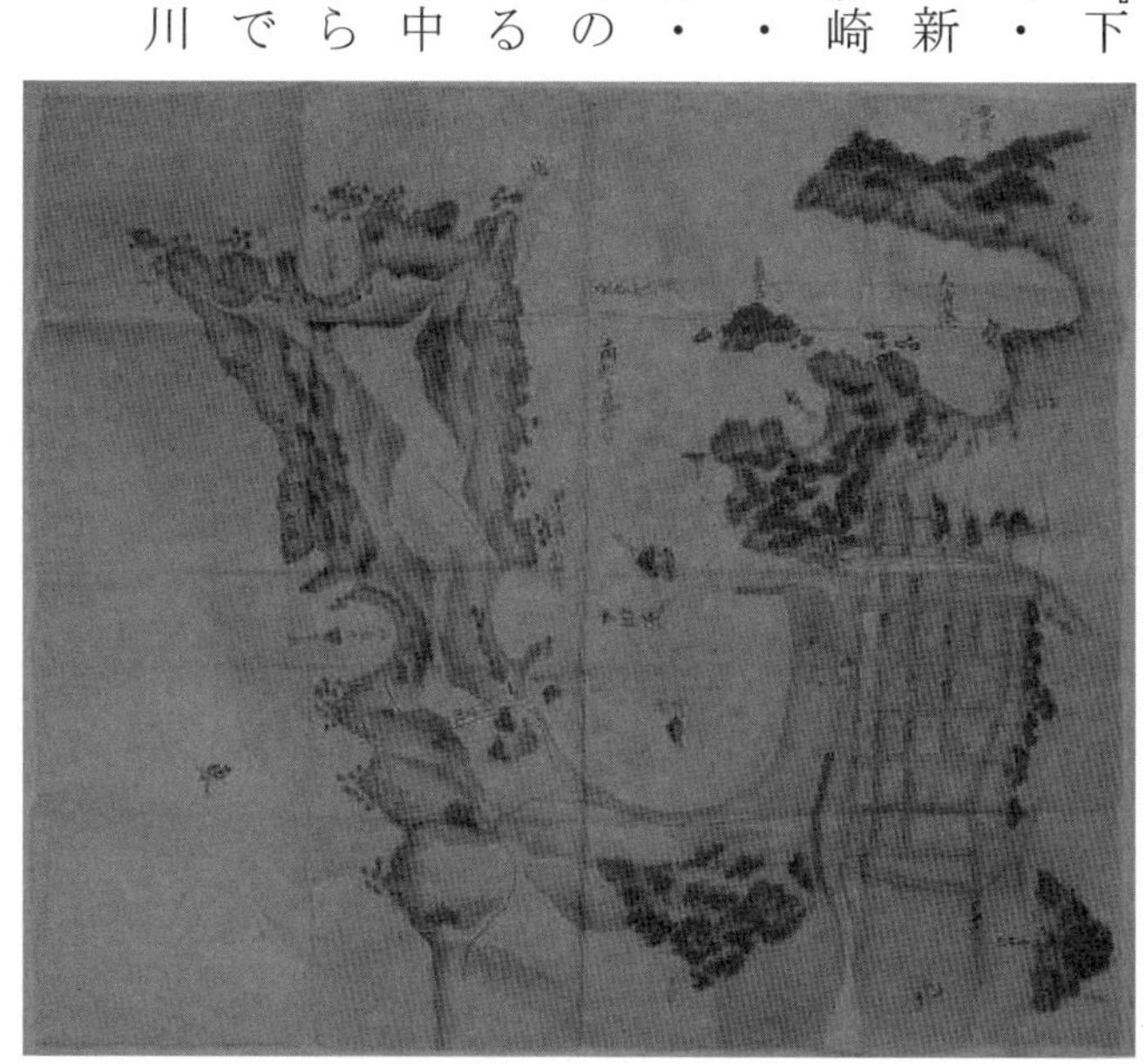

下田絵図、公益財団法人江川文庫提供

122 下田町(下田市) 2 町の形成

新田町は三島から南進する下田往還の終点である。道玄(軒)橋を渡ってすぐの場所を過ぎ、平井製菓と創作料理「なかなか」の間を抜けて突き当たる。この場所である。享保5年(1720)奉行所が浦賀に移転すると海岸は浦賀奉行所の支配となるが、陸地は韮山代官の管轄となったため、新田に代官役所の出張所(新田御用所)が置かれた。

江戸初期には江戸城修造に伊豆産の石材が使われ、その運搬のために慶長11年には石川大隅守・向井将監・今村伝四郎らが下田に駐在した(『伊豆下田』)。政治の中心地江戸と経済の中心地上方を結ぶ海上交通が盛んになり、廻船の往来で賑わった。元和元年(1615)今村伝四郎正長が下田警固を命ぜられ番所が設置された(『下田年中行事』)。

下田の町から大浦へは長楽寺山の巨松がある峠を下ったが、寛文2年(1662)奉行石野八兵衛は大浦の切通しを開削し埋立てを行った。従来坂下町では海が入り込み、平滑(ひらなめ)川河口の湿地帯で葦が茂っていたが、この工事により坂下町と七軒町が整備された。寛文8年(1668)今村伝三郎は工事残金を使って、中嶋口から坂下町橋までの地下5~6尺に木樋を埋設し水道を敷設した。しかし天和3年(1683)下田奉行服部九右衛門は、水は井戸で賄えると木樋を掘出し、その木々を使って各町の木戸をつくり治安の強化を図った(『下田年中行事』)。幕末に来航したペリーは下田町について「街路は互いに直角に交叉し、その大部分は簡単な木の門で護られ番人の屯所がある」と記している(『日本遠征記』)。町政は名主(1、報酬20両)・年寄(6、報酬なし)・書役(1または2)の他に、漁船頭・問屋年寄・町頭・組頭を置く。各町内には五人組にあたる組が2~4組あり、組頭によって統括した。その名残が祭に用いられる「四町組」であるという。

廻船問屋は富裕な町人が多く、その数は江戸中期には63人となり(寛政7年「廻船小船等書上帳」『下田年中行事』)、番所(奉行所)の雑務などを行った。ほかに漁船頭がおり、漁船の取締や難破船の処理に立ち会ったりした(『下田年中行事』)。湊町のため、昔から大津波をはじめさまざまな災害に悩まされた。大火は寛文7年・文化元年(1804)・同10年、同13年に2度、文政11年(1828)には類焼家屋18、天保8年(1837)には類焼家屋52となっている(同書)。天保7年7月打毀しがあった。

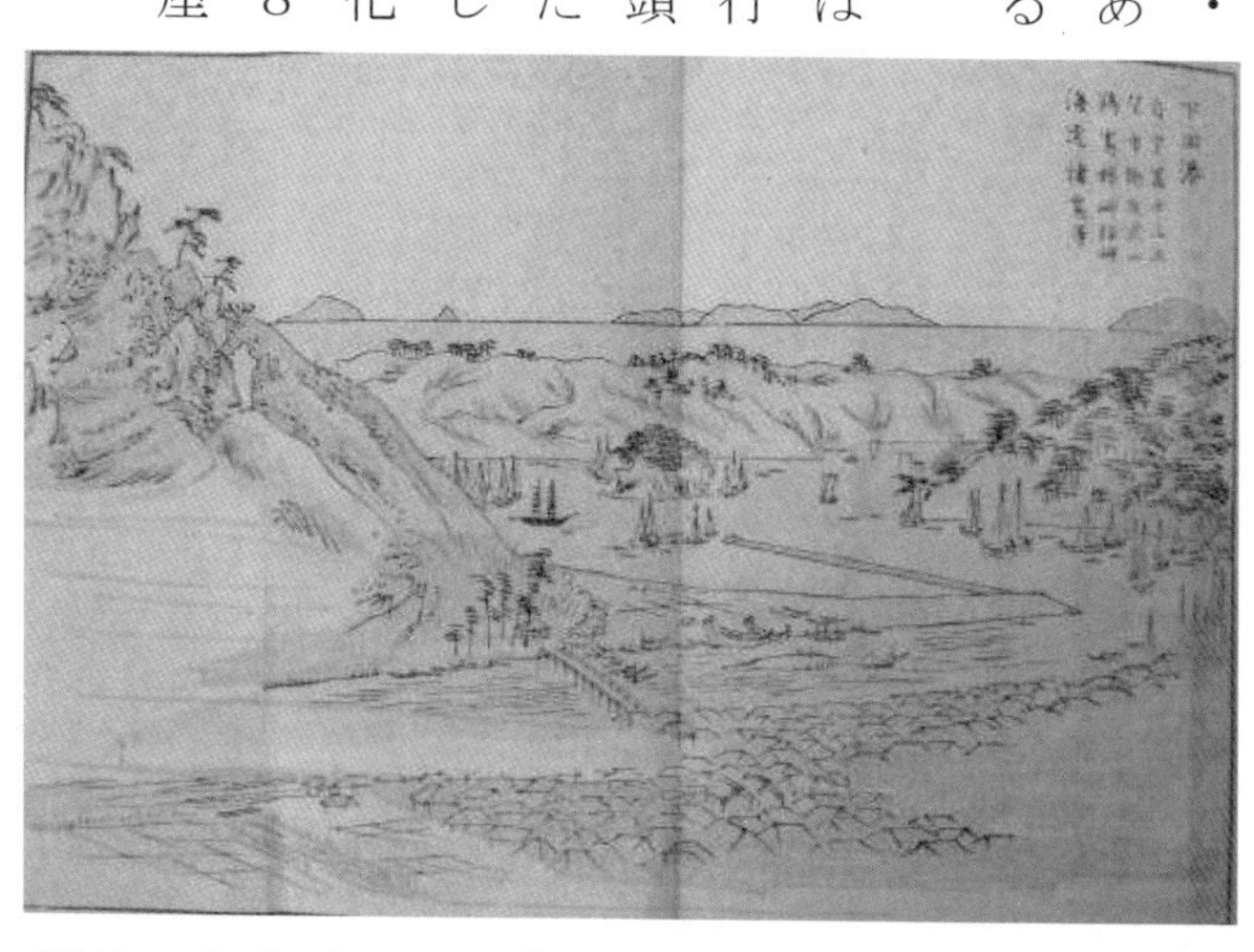

明治22年当時の下田港の風景、「伊豆の浦つたい」より

123 下田町(下田市) 3 下田町の文化

嘉永7年(1854)下田湊が開港されると、町内の寺はアメリカ・ロシア人の休息所となったり、条約交渉の場となったり、同心町には欠乏所が設けられ、食料品や織維品が取引された(ペリー『日本遠征記』・川路聖謨『下田日記』)。また下田奉行の3度目の設置となり、幕府の役人、諸藩の警固兵など3500人以上が出入りし、町家もその宿泊所用や御用掛に任じられて活気に満ちたが、その反面それらの費用の負担と安政の東海大地震による津波被害により、安政6年に開港場が当湊から移転すると破産状態となったという(『下田栞』)。

当地には文化人も多く、文化年間の南京船漂着時に下田にやって来た儒者朝川善庵の機縁により父とともに江戸に出て儒学を学び、女儒の誉れが高かった篠田雲鳳、同じく儒者として田中藩に仕え、藩校日知館の設立と運営に奔走した石井縄齋、下田に来て講釈・解読・詩会などを催した常州(茨城県)の儒者芳川波山などがいる。また下田町の年寄兼書役平井平次郎は下田文庫翁と称され、『下田年中行事』87巻を著している。中原町から出た下岡蓮杖は幕末アメリカ駐日総領事ハリスとともにやってきたヒュースケンより写真術を学び、わが国写真の開祖として知られる(『南豆風土記』など)。慶応元年(1865)田那村淳は韮山代官の命を受けて下田および近在の壮丁を召集し、八幡神社や宝福寺で農兵調練をするが、のちに武が浜に調練場を設けて２年間にわたり砲術・鎗術などの稽古をさせた（『下田栞』）。

江戸時代、谷文晁が『公余探勝図』に「下田」「下田湊」を描き、また、多くの文人墨客が訪れている。享和元年（１８０１）の伊能忠敬による第２次測量があり、文化12年（１８１５）の第９次伊能忠敬測量隊では、宿を長野庄左衛門宅にとった。文政７年（１８２７）『甲申旅日記』の著者である下田奉行小笠原長保は下田及び伊豆見分を行い、３月24日下田到着、坂野源次郎方に本陣を設けた。その時の記述で、「道見橋を渡りて下田に到れば、まづ新田町より入りて家続きいとにぎはし。」と記している。文政４年（１８２１）伊豆を旅行した富秋園海若子は９月26日から29日まで滞在して遊んだ。天保９年（１８３８）笹原村と浜村（河津町）の争論のため見分に勘定方関源之進・田中新五兵衛・内藤隼人外５名が出張、両村の検地を仰せ付けられ、検地終了後、大工町坂野源次郎宅で休み、街の様子を描いた。

天保10年坂野源次郎宅へ休み下田の様子を描く、日本大学国際関係学部図書館蔵

124 下田町(下田市) 下田町と行政

下田町の俚謡に「行こうか柿崎、戻ろうか下田。ここが思案の間戸が浜」「下田流れて、三島は焼ける。沼津地震で、地が割れた」「伊豆の下田を、朝山まけば、晩にゃ志州の、鳥羽浦へ」「伊豆の下田に、長居はおよし。縞の財布が、空になる」(『南豆風土誌』)。文政13年喜多村信節(のぶよ)によって著された随筆『嬉遊笑覧』に、遊女のことに触れ「伊豆の下田にせんびり有り、松崎にくねんぼ有り」などとある。

浄土真宗本願寺派宝福寺は明治12年には賀茂・那賀郡役所の仮庁舎として使用された。境内には唐人お吉の墓、唐人お吉記念館がある。浄土宗稲田寺は文化12年念仏行者徳本が説教の場に使用した寺の一つである。また同寺は嘉永7年(1854)のロシア全権プチャーチンと交渉するために下田に来た川路聖謨(としあきら)らの宿舎となったり、東海地震後の仮奉行所となったりしている(『下田日記』)。長楽寺は伊豆横道(よこどう)三十三所巡礼霊場の23番札所であった宝光院が明治初期の廃仏毀釈によって廃寺となったので聖観音立像を移転管理。本尊は文明7年(1475)鍋田の海中から出現したと伝えられる薬師如来。伊豆八十八所霊場の42番札所(薬師如来)にもなっている。

明治21年(1888)の調査(『増訂豆州志稿』)によると、広岡町に賀茂那賀郡役所、池之町に浦役場、広岡町に下田警察署、同じく広岡町に監獄所・治安裁判所、弥治川町に郵便局（兼貯金預）、新田に電信局、山岸に新民小学校、坂下町に下田銀行があり、豆海丸会社があった。池之町に戸長役場があり、下田町の他、白浜・須崎・柿崎を所管した。

『南豆風土誌』に賀茂郡役所・下田区裁判所・下田警察署・下田税務署・蚕業取締所下田支所・賀茂郡農会事務所・下田税務署税関監視所を置き、下田町役場は上田町に、下田郵便局は池ノ町、河津川水力電気株式会社は伊勢町、下田銀行は二丁目、下田製氷株式会社・下田船渠株式会社は弁天町とある。下田銀行は明治21年（１８８８）下田銀行本店として下田に創業、昭和８年伊豆銀行と合併した。明治22年町村制施行により下田町。同30年下田町・稲梓村・稲生沢村・浜崎村・朝日村・白浜村が合併して下田町となり、同46年市制を施行して下田市。

賀茂・那賀郡役所の仮庁舎として使用された宝福寺

125　下田町(下田市)　5　下田城

下田城は別名鵜嶋城ともいう。下田市三丁目。現在城山公園と呼んでいるが、その全域が下田城址。築城時期・築城者は不明。鵜島城は、『南豆風土誌』に正平4年(南朝、1349)氏島(うじま)城主志水長門守の居城としたとしていることによる。『日本城郭大系』は、天正17年(1589)後北条氏の重臣清水康英が創築した海賊城とする。

天正16年某月9日「北条氏直判物写」(『相州文書』)によると、北条氏直は豊臣秀吉軍の海からの侵攻を必至と見て、伊豆奥郡の備えとして下田の地に注目し、清水康英を下田城主に定めた。同18年正月17日「北条氏広判物」(江戸文書)では、豊臣秀吉の来攻が目前なので下田城の加勢のため江戸朝忠を派遣する事を決め、武蔵国荏原郡沼部郷(大田区田園調布)を宛行い守護不入とした。江戸氏は小田原合戦では伊豆国下田城に籠城し、同年7月に小田原開城の後は徳川家康に仕えている。

天正18年3月に入ると豊臣軍は駿河から伊豆へと進軍し、4月17日「毛利輝元書状写」(萩藩閥閲録)によると下田城には豊臣方の警固衆が詰めているので、その頃下田城は落城したのであろう。他の伊豆の諸城同様、同18年4月、豊臣水軍の猛攻の前に屈したが、城将清水上野介康英はわずか６００余の手兵をもって、１万余の敵を向こうに回し勇戦奮闘、１か月近くも籠城に耐えたことが、豊臣方の大将である脇坂安治・安国寺恵瓊連署起請文で明らかとなる。清水康英は豊臣軍に投降を許され、下田へは天野康景が遣わされた。豊臣水軍に下田城を明け渡した清水康英は、同心高橋丹後守らと共に、沢田(河津町)林際寺に退去し、さらに矢野(河津町)千手庵(現三養院)に移り隠棲したが、翌天正19年６月２日に死去。

下田城は後北条氏没落後、徳川家康が伊豆を領すると、下田には徳川氏譜代の臣戸田三郎左衛門忠次が５千石をもって封ぜられた。忠次は慶長２年(１５９７)、同城で病没、次男尊次(たかつぐ)が跡を継いだが、慶長６年三河国田原城へ転封となった。それ以後、天領となり、下田奉行の支配に属した。城址は昭和48年(１９７３)下田市史跡に指定。

道の駅から下田城址を遠望

126　下田町（下田市）　6　下田奉行

元和元年（１６１５）今村正長が海路の守衛のため下田の警護を命じられた。翌２年（１６１６）５月８日、正長の父彦兵衛重長をもって下田奉行を設置し、浦方のことを司らせた。定員は１～２名。老中の支配に属し、下田の港の整備、船舶の管理、貨物検査、当地の民政を役務とした。芙蓉の間席で浦賀奉行の次席、千石高の職で役料が千俵支給された。

享保５年（１７２０）浦賀奉行が設置され下田奉行は廃職となり、この時、下田奉行は浦賀奉行に任命替えされている。この後、天保13年（１８４２）再置、弘化元年（１８４４）に廃止、安政元年（１８５４）に復活し、幕末期の外交に重要な役割を果たした。安政東海地震により旧奉行所跡地は貿易のために欠乏所を設置したため、安政２年５月には遊歩地区７里内の番所設置案も具体化し、異国船入津監視のための遠見（とおみ）番所を設け、外国人上陸波止場、外国人休息所などの設置、中村への下田奉行所の新設など施設が計画された。安政２年に建設が着手され、江戸の棟梁辻内近江が１万６千両で落札し、翌３年には完成したとみられる（「中村名主日記」もりおの文書）。総構９７９２坪の役所と役宅は木柵と小溝をめぐらし、御役所・武術稽古場・官舎や長屋、山手には牢もあった（明治元年「検地名寄帳」中村区有文書）。配下には与力10騎（吟味懸３、同見習１、地方懸2、同見習1など)・同心50人(組頭5、同見習1、定廻役6、地方懸3、広間役書役6など)・足軽15人・水主頭取20人・足留水主40人が置かれた。

柿崎「浜田与平次日記」に、表御番所は下田大浦に1か所、柿崎磯崎に1か所。見張番所は柿崎庇潟に1か所。門脇、小豆峠、相ノ山、柿崎3か所の関門。奉行預り所は下田町・岡方村・本郷村・柿崎村・須崎村・中村・立野村・蓮台寺村、右8か村、云々とある。安政6年2月神奈川開港が言い渡され、下田は閉港となり、3月4日ハリス一行の神奈川港移転、新しく建てた下田奉行所の取り壊しとなった。下田奉行所跡は昭和51年(1976)下田市史跡に指定。

下田・宝福寺下田奉行所跡

127 下田町（下田市） 7 下田番所

下田番所跡が下田市三丁目にある。間口40間・奥行16間で牢屋があり、隣接して役人の屋敷も並んでいた（寛永5年「番所絵図」『下田年中行事』）。慶長20年（1615）今村正長が幕府より大坂夏の陣に備えて10騎50卒をもって下田の警備を命じられたのが始まりで、元和2年（1616）正長の父重長が下田奉行に就き、須崎越瀬に遠見番所を設置して往来の船を監視した（『同書』）。

正長は賀茂郡内に高2200石（柿崎・本郷・青野・市之瀬・長津呂・大瀬・加茂各村）を与えられ、重長の跡、正長が御番を引継いだ（『寛政重修諸家譜』）。元和9年遠見番所は大浦に移し、寛永13年（1636）に改築、船改番所とした。因みに、物資輸送・販売を業とする回船問屋とは異なり、下田奉行付属の廻船検査係ともいうべきものである。入津する廻船には下田停泊中の宿が決められており、船宿が番所宛に水主数と「手負、女・童」が乗船していないか報告した。当時下田は入津廻船3千艘、縄地金山の盛況もあって家数数千軒、人口5千人の繁栄を誇ったという。

下田番所は天和（1681～84）頃から下田奉行と呼称されるようになり、のち高千石・役料千俵、芙蓉間詰となる。船蔵は武が浜、次に柿崎、さらに大浦に移転し、常時早船・召船などが格納され、鐘を合図に出船していった（『下田年中行事』）。下田は軍事・警察的機能に加え、経済的役割を担った。非常時には「海辺御要害御固め」により江戸防衛の拠点とするとともに、日常的には廻船改を行い「海の関所」としての役割を果たしていた。遠見や遠見番所・鐘楼などに詰めたり、下田町内10か所の木戸番、昼夜の町内巡視などを行った。非常時には遠州灘七五里のうち30里を見渡せる長津呂（南伊豆町）や三崎（神奈川県三浦市）まで見渡せる稲取（東伊豆町）遠見から烽火をあげて須崎遠見に、さらに下田湊入口の狼煙崎に知らせ、そこより御番所の鐘楼に伝え、鐘楼の鐘を打つことによって早船を出動させる仕組みであった（「せきのふるさと」）。

享保6年（1721）、下田番所廃止、浦賀移転後、浦方は浦賀奉行支配となり、同心2人が常駐することになった。地方は三島代官支配となった。この時、下田廻船問屋は浦賀番所へ通勤を願い、認められたので、下田問屋として1年交替で42名が浦賀で勤務を続けることとなった。番所跡は昭和51年（1976）「下田御番所跡」として下田市史跡に指定。

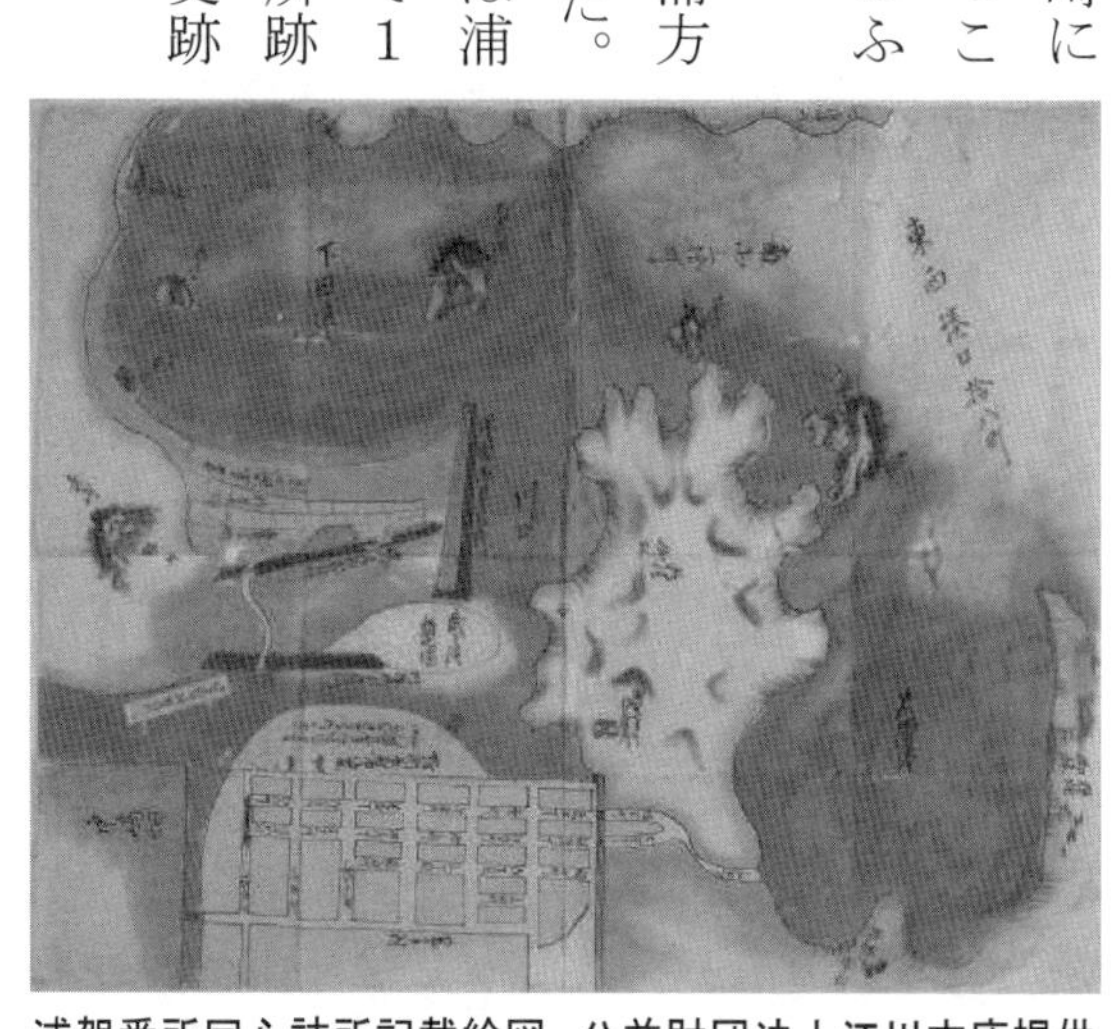
浦賀番所同心詰所記載絵図、公益財団法人江川文庫提供

128 下田町（下田市） 8 下田港1

下田市稲生沢川河口から柿崎に位置する下田港は、中世から起源を持つ古い港で、相模灘・遠州灘をひかえ、他に良港がないため風待ちや避難港、漁港として栄え、戦国期には後北条氏の水軍の根拠地となった。文禄2年（1593）信州深志（現 松本）城主小笠原貞頼は下田から出船して、南海に一新島を発見した。その島に小笠原島と命名した。そのようないわれのある港でもある。

慶長6年（1601）から幕府直轄地となり、伊豆の諸鉱山からの産物や物資の集散地としてにぎわった。元和2年（1616）に須崎に仮番所がおかれ、船改番所として同9年に大浦に移転した。元和5年菱垣廻船の航路が開け、寛文11年（1671）河村瑞賢が奥羽の海運を整理し、当国諸州から江戸に回航する船舶は、房総を廻って必ず一度南相か下田へ寄って江戸湾に入ることとなったため、下田は「伊豆の下田に長居はおよし縞の財布が空になる」（『日本民謡集』）、一時は「出船入船三千艘」といわれたほどの賑わいを示した。

享保15年（1730）酒荷物は菱垣廻船から別船に仕立て、その下積みを砂糖・油樽とすることを確定した。『下田年中行事』に「今の大工町より須崎町川辺の地に至りては、蘆荻はびこり海面より波打或は潮よせ断岸日々換り」と記されるように、防波堤がなかったため大波が押寄せる危険があった。2代御番の今村正長は武が浜波除建設を行った。その後何回は波除堤は増築されたが現在も原型の部分が残る。

番所のもとで船改や海難救助の雑務を受持ったのが今村家の家臣に系譜を引くと伝えられる廻船問屋で、江戸中期には63人となった。享保5年（1720）に番所は浦賀（神奈川県横須賀市）へ移ってからも下田を本拠として番所の事務を続けた（『下田年中行事』）。当港はその後も江戸へ輸送する年貢米の積出しをはじめ稲生沢川流域の村々からの物産の積出し港としての役割は保持してきた。寛政7年（1795）「廻船小船等書上帳」（『下田年中行事』）によると廻船21・小艜（せり）船8・漁船30・魚買伝馬船29・小釣伝馬船16・小宿船44・渡伝馬船3の記録が残る。港内の難破船の取扱いや漁業の引網場をめぐって下田町・柿崎村・須崎村の間でしばしば争論が起こった。

下田奉行今村正長が築いた波除堤

129 下田町(下田市) 9 下田港2

鎖国を解いた江戸幕府が下田港を開いた。国際的に開港されていた期間はわずか5年間だった。19世紀中頃の嘉永年間、日本近海にも欧米列強の艦船が姿を見せ始め、アメリカ合衆国のペリーが浦賀港へ来航したのが嘉永6年(1853)。翌7年、ペリーの圧力に屈した幕府はついに鎖国を解き、下田港と箱館(現 函館)港を開く。すなわち、鎖国から海外に対して最初にその門戸を開いたのが下田(と箱館)であった。このとき調印したのが「日米和親条約」(神奈川条約)であり、アメリカ艦船への物資供給、漂流民の救助、開港地におけるアメリカ人の自由区の設置などが決められ、さらにはいわゆる「片務的最恵国待遇」を押し付けられた恰好になった(不平等条約)。

黒船を指揮するペリーは下田港に入港したのちに条約の細部を改めて協議し(下田条約)、その後安政3年(1856)に着任したタウンゼント・ハリスがアメリカ領事館を開設した。ただし、同5年に「日米修好通商条約」(これも不平等条約)が結ばれると下田港は閉鎖され、代わって横浜・長崎・箱館・新潟・兵庫などが開港した。この条約締結の際の全権が時の下田奉行井上清直、目付岩瀬忠震であり、アメリカ側の全権大使がハリス領事であった。その後、引き続いて、オランダ・イギリス・ロシアなどとも同様な条約を結ぶことになる。安政元年12月、ロシア使節プチヤーチンとの交渉の場になったのが、下田市にある長楽寺である(この「日露和親条約」も下田条約と呼ばれる)。

現在、下田公園に開国記念碑が建てられており、ペリーの上陸記念地として同公園近くに記念碑およびペリーの胸像も立てられている(彫刻家 故村田徳次郎の作品)。また、安政元年にペリーらを応接し、その後下田条約調印の舞台となったのが下田市にある了仙寺だった。玉泉寺にはハリス記念館があり、さらに下田奉行所が置かれた宝福寺にはハリスの遺品が展示され、彼の侍女だった「お吉」の墓もある。鎖国後、最初に開港された下田には、以上のほかにも当時の様子を偲ばせる史跡が多数残されている。下田開港当時、西洋文明に心を奪われた吉田松陰が米国への密航を企て、黒船に潜入しようと渡ったのが柿崎弁天島である。現在、下田市立公民館にその史跡(下田市指定史跡)が残されており、その一部始終を「豆州下田郷土資料館」が再現している。

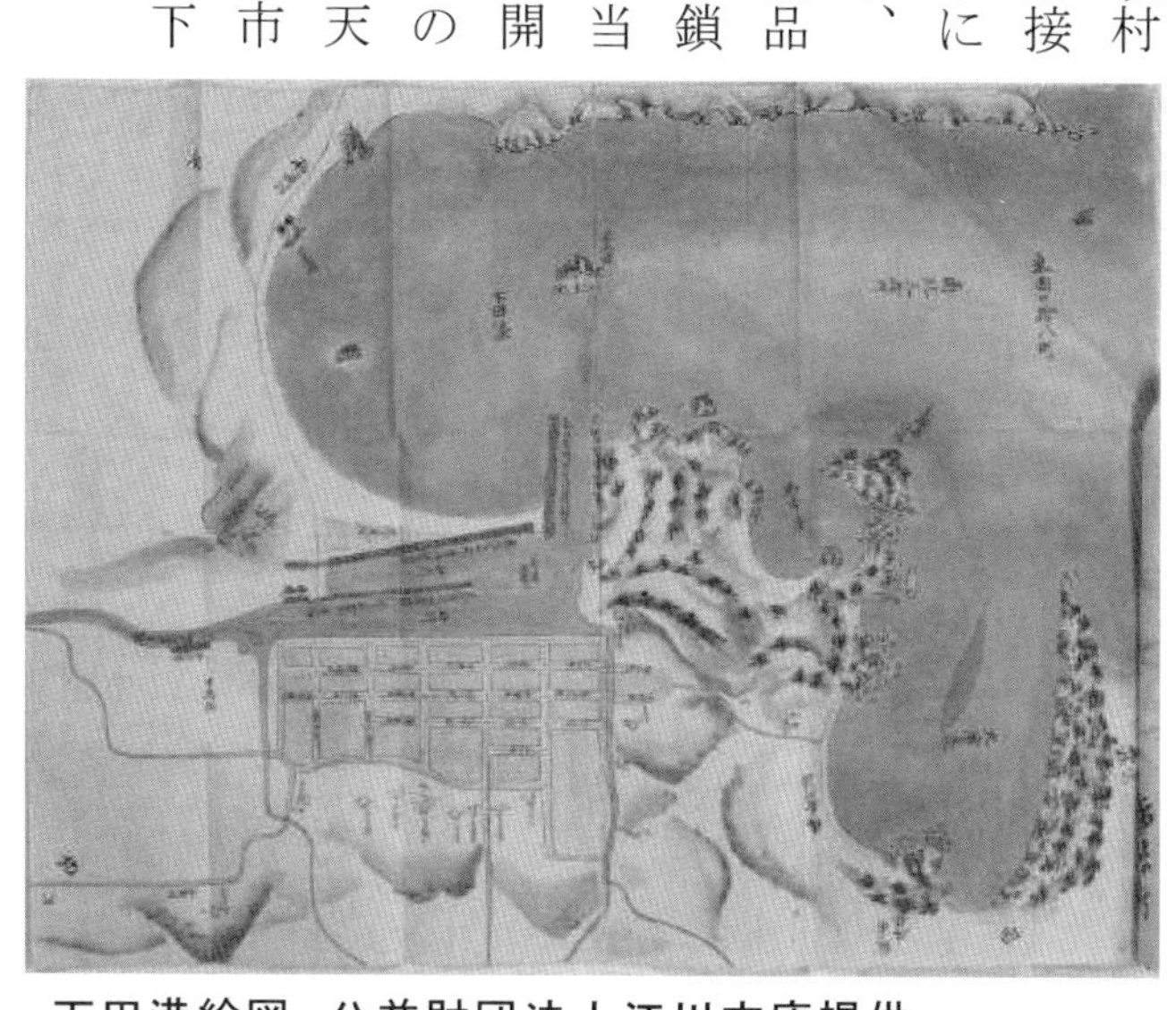

下田港絵図、公益財団法人江川文庫提供

130 下田町(下田市) 10 下田港 3

幕末には外国船の来航も目立った。早い時期としては元文4年(1739)にロシア船聖ガブリイル号が沖に碇泊し、ボートで須崎に上陸している(『日本人とロシア人』)。宝暦4年(1754)には伊豆八丈島に漂着した南京船の乗組員71人が下田湊に上陸した。文化12年(1815)暮には湊口に漂着した南京船の乗組員が上陸し、2か月余滞在している(『下田年中行事』)。嘉永2年イギリス船マリナー号が江戸湾退去後に下田湊に来航している。翌年にもロシア船が漂着民を乗せて来航したが、韮山代官によって退帆させらた(「異国船渡来ニ付日記」須崎区有文書)。

嘉永7年(1854)3月、アメリカの東インド艦隊司令長官ペリーが率いる軍艦が下田湊に入港した。同年5月(西暦3月3日)米和親条約が調印され、下田湊が開港した。同年6月アメリカ軍艦は下田を出航している(ペリー『日本遠征記』)。開港以来、外国船の来航が相次ぎ、嘉永7年10月にはロシア船ディアナ号が入港した。同船は湾内に停泊中大津波に遭遇し破船、戸田で代艦を建造することとなった(「中村名主日記」)。安政元年(1854)12月、日露和親条約が結ばれ、下田湊はロシアにも開かれた(川路聖謨『下田日記』など)。

安政3年7月、初代アメリカ駐日総領事ハリスはサンジャシント号で下田に来航し、翌4年5

月下田条約が結ばれた（『日本滞在記』）。安政６年神奈川が開港され、その６か月後には下田は鎖港となり、もとの静かな漁港や風待ち港にもどった。

江戸時代、滝沢馬琴は文化７年（１８１０）刊の『伊豆の海』で、江戸から船で９月末下田に入り、10日ほど下田周辺で遊び、天城越えの下田街道を使って三島へ向かった。明治44年（１９１１）の調査では年間出入りの商船のうち、汽船定期８３７・不定期１３９、帆船１１９８、和船４００艘。昭和26年（１９５１）からは避難港防波堤の建設、漁業施設の拡張が行われた。下田港はキンメダイの水揚げ日本一といわれる。

明治31年（１８９８）鵜島の麓に沢村久右衛門が下田船渠合資会社として開始、以来沢村家が経営。明治34年株式会社として創業。東京にも事務所を出した。昭和47年（１９７２）国の中型造船業構造改善事業に参加、３新工場を建設したが、景気悪化により、昭和62年解散、新下田ドック株式会社を設立したが平成５年（１９９３）解散した。

下田城から下田港遠景

131 下田町(下田市) 11 下田温泉

下田温泉は、伊豆半島の東南端に位置し、南伊豆第一の観光地にある温泉。下田湾にゆるやかに流れ入る稲生沢川を境に、西は旧市街、東は下田港に沿って進出した温泉旅館街が立ち並ぶ。温泉は蓮台寺温泉からの引き湯であるが、「三浦湯」「昭和湯」の2つの共同湯がある。『増訂豆州志稿』には赤間温泉が武浜にあるとする。『南豆風土誌』には下田富士の山麓に富士温泉があると記載されている。

市内は開国にまつわる名所や旧跡が多く、それらを結ぶ歴史の散歩道が整備されている。開国記念碑のある城山公園は初夏にはアジサイが見事である。海水浴場で知られる吉佐美、白浜や野水仙の爪木崎、海中水族館のある和歌浦など海辺の景観に優れている。ロープウエーで登る寝姿山(武山)の展望もよい。行事は12月から1月の水仙まつり、5月の黒船祭、6月のアジサイ祭、8月の太鼓祭りなどが行われる。

昭和6年(1931)発行の『静岡県商工録』に下田旅館組合として組合長山田旅館、平野屋旅館・清水屋旅館・式守旅館・阿波屋旅館・浦賀屋旅館・松本旅館・蓬莱館・下田屋・大正館・土橋旅館・中長旅館・保養館・田牛屋旅館・飯田屋・石萬旅館・甲州屋旅館・常磐館・高澤旅館・

赤間旅館が登録されている。昭和14年（1939）「伊豆の温泉旅館案内」には阿波屋旅館・下田温泉ホテル・平野屋旅館の名が見える。

明治42年（1909）2月下旬、島崎藤村・田山花袋・蒲原有明・武林無想庵が旅の途中、松本屋に宿泊、この時の印象を、藤村は『伊豆の旅』、花袋は『日本一周』、有明は『豆南豆北』にそれぞれ書きつづった。大正2年（1913）、若山牧水が訪れて『灯台守』60首を詠む。同9年、佐藤惣之助（1890〜1942）が詩「春の港の街」を作り、同15年の来訪の文学ゆかりの集団に室生犀星・萩原朔太郎・佐藤惣之助・百田宗治・千家元麿・白鳥省吾・福田正夫・川路柳虹があり、そのうちの白鳥は『春の天城を越えて』、柳虹も『天城越え』の中で下田の思い出を作品化した。昭和36年2月初旬、下田海浜ホテルに逗留した瀬戸内晴美（寂聴）は『伊豆下田』と題した紀行文を書く。小説では、昭和3年に喘息発作を癒すべく数か月間滞在した中島敦に『下田の女』があり、三島由紀夫『月澹荘綺譚』があって、下田での見聞が題材になっている。

昭和30年代下田ロープウェー、個人蔵

132 下田町(下田市) 12 下田と安政大地震

下田の里謡に「下田流れて、三島は焼ける。沼津地震で、地が割れた」というのがある。嘉永7年(1854)11月4日に発生した、いわゆる安政の東海大地震では、三島宿は大火に見舞われ、沼津の小林は地面が陥没し、現在でもそれが残っている。そして、下田は大津波に襲われた。

過去の記録で、下田を襲った地震・津波の被害は大きく、元禄16年(1703)には流失家屋332・溺死者27・破船81、富士山の宝永山ができた、宝永4年(1707)10月には流失および皆潰家屋857・溺死者11・破船53が記録されている。嘉永7年(1854)11月の安政東海地震による大津波では流失および皆潰家屋841・溺死者122人に上った(「大震津波ニ付頂戴物見舞其外控」下田町文書)。嘉永7年に5000両余の拝借金を受けたが幕末まで返済できなかったという(「下田栞」)。

さて、地震に話題を戻す津、地震の発生は発生は朝五ツ半(午前7時)。その前に前兆と思われる大地震が発生した。震源地は遠州灘の御前崎沖で、マグニチュード8・4と推定される。南海・駿河トラフに沿うプレート境界の巨大地震。震害のもっとも大きかったのは沼津から袋井にかけての沿岸一帯、津波の被害は房総半島南岸から四国南岸までの広い範囲にわたる。伊勢・志摩から伊豆に至る東海地方沿岸の広い地域が大打撃を受けた。

津波による下田の水位は10㍍を超えたといわれる。ロシアの極東艦隊司令長官プチャーチンは条約締結の命を受け、乗艦ディアナ号で下田へ2度目の入港中であった。4日朝、下田湾内和歌浦に碇泊していたディアナ号も津波に襲われた。修理港として伊豆戸田が選ばれ、回航の途中風に流され富士沖に沈没した。プチャーチンは乗組員500人と戸田に入り、日本側と協力して代艦建造を進めることになった(日本最初の洋式帆船ヘダ号)。

下田市稲田寺には下田奉行伊沢美作守政義が自費で建立したという「つなみ塚」がある。下田の津波のようすは川路聖謨『下田日記』、古賀謹一郎『西使続記』に書かれ、その抄録が『南豆風土誌』に抄録される。下田の津波の様子はモジャイスキーの絵に描かれた。

稲田寺に残る安政元年大地震の津なみ塚

133 下田町（下田市） 13 伊豆急行と下田駅

豆相鉄道南条駅（現 伊豆箱根鉄道伊豆長岡駅）から下田まで鉄道を延長、国策・国防上重要であるとして、明治32年（1899）12月25日、賀茂郡中川村（現 松崎町）依田佐二平他84名が署名し下田鉄道敷設請願書を帝国議会議長あてに提出した。ちょうど大仁駅が同年7月17日に大仁駅まで延伸したので、構想のコースは大仁駅を起点として下狩野から狩野川を上流へ向かい、中狩野村・上狩野村を経由して天城山の北麓に至る。ここで隧道となり同山中腹を貫き南麓から折れ曲がった山系に従って、賀茂郡上河津村・稲梓村・稲生沢村を通って下田港に達するもの、比較線として、上狩野村湯ヶ島より分岐して、天城山中猫越に至り隧道となり、賀茂郡仁科村に出て松崎湾に至り、中川村・岩科村を経て、本線稲梓村に合流して下田港に達するものであった。

駿豆電気鉄道の大正2年（1913）「第弐拾五期営業報告」をみると、修善寺延伸線は実測の結果収支が成り立たないが、更に湯ヶ島方面に延伸することで平均工費を低減でき、実測、設計中で、伊豆線中央部より西方海岸への支線の布設、沼津方面より静浦方面に支線の布設及び伊東温泉場との連絡、は周囲の状況を鑑み、将来の事業として目下調査の歩を進めつつあり」との記載がある。かなり実現性を帯び、検討していたことがわかる。

大正11年（1922）12月、伊豆循環鉄道について賀茂郡町村長会を開催、伊豆循環鉄道速成同盟会を結成し、傘下に賀茂・田方郡有志を組織した。同15年3月15日「熱海・大仁間鉄道速成に関する建議」が賀茂郡町村長会で提起され、この建議はさらに県下町村長大会にも提出。「政府は鉄道敷設法中、静岡県熱海より下田、松崎を経て大仁に至る鉄道を敷設し、これが速成に期せられむことを望む」としている。「理由書」は、この経路が「鉄道敷設法」中の予定線であること、貴族院・衆議院で大正6年以来幾度か請願が採択されていること、熱海から松崎まではおおむね海岸線に沿い、その先は天城山を突破して大仁に至り、私設駿豆線に接続することにより、物資の集散と風光明媚な温泉地帯を結ぶこと、国防上重要な経路でもあることなどを強調していた。昭和27年（1952）1月、再び静岡県知事を名誉会長に「伊豆循環鉄道期成同盟会」が結成、その促進を図った結果、昭和36年（1961）伊豆急行の伊東―下田間の開通につながった。

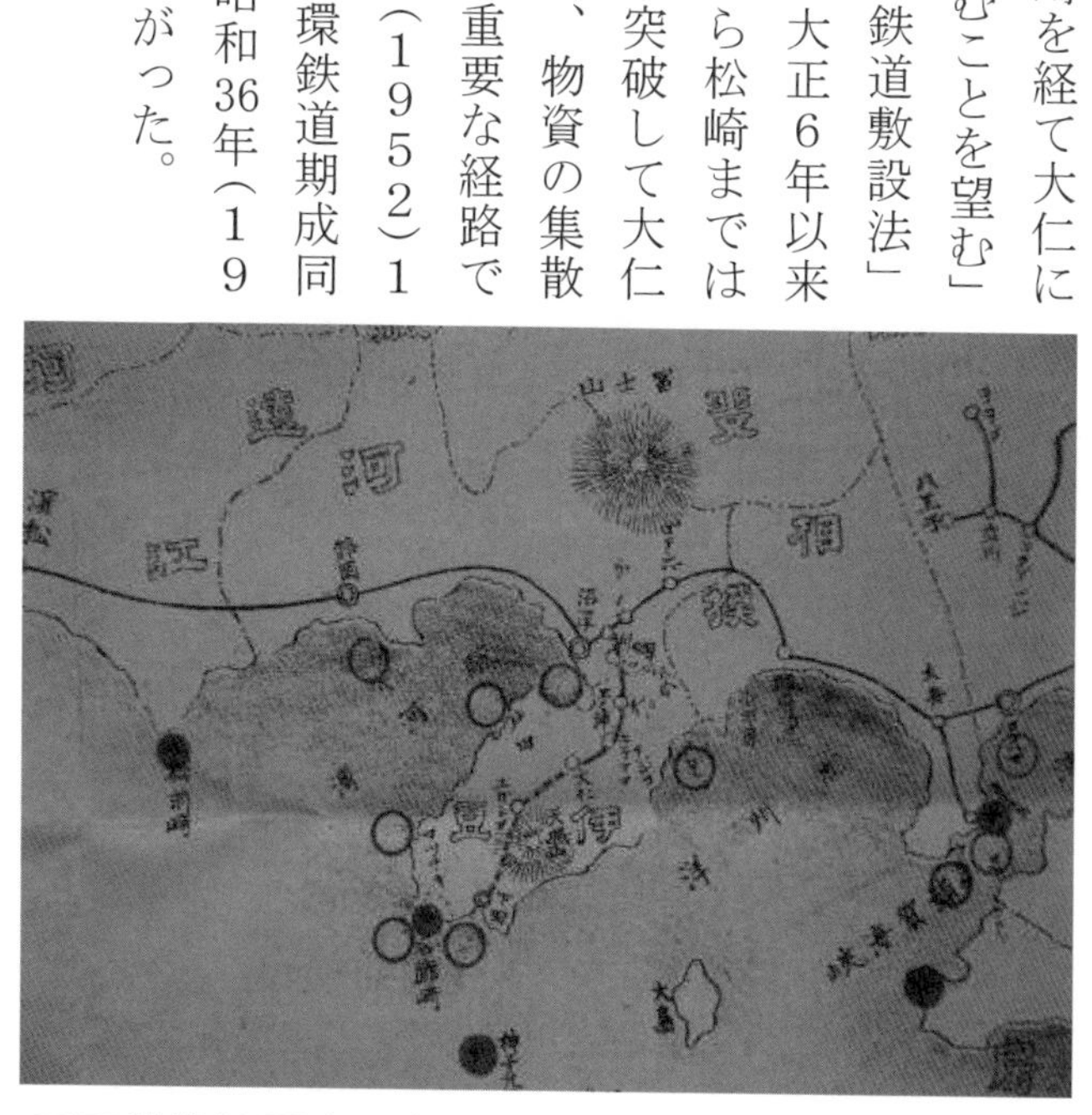

下田鉄道請願書の路線図

第10章　下田街道のまとめと課題

134　下田街道を歩いた旅行記

下田街道を歩いた旅行記、文学の代表は、川端康成の『伊豆の踊子』と富秋園海若子（寺本永、三河口多仲）の『伊豆日記』であろう。『伊豆の踊子』は昭和2年（1927）「文芸時代」に連載、翌年出版された。康成は大正7年（1918）一高在学中、伊豆に旅をして旅芸人と出会い、現伊豆市から下田市まで同行した。この経験を『湯ヶ島での思い出』という草稿の前半に書き、補訂して『伊豆の踊子』とした。「孤児根性」に悩む一高生が、伊豆の旅で無私な踊り子と出会い、救われる過程を描いた青春文学とされる（『広辞苑』）。修善寺・湯ヶ島・湯ヶ野・下田温泉などが舞台になっている。五所平之助監督、田中絹代と大日向伝で最初に作品化され、以後、美空ひばり・鰐淵晴子・吉永小百合・内藤洋子・山口百恵の計6回も映画化されている。

富秋園海若子は、文化7年（1810）9・10月に伊豆を旅行した旅日記『伊豆日記』を刊行した。新川（しんかわ、江戸霊岸島か）を出発、9月18日早朝三嶋明神を出て、下田街道を南下して湯ヶ島村に泊、19日天城山を越え湯ヶ野に着き入浴して泊まる。20日下佐ヶ野から河津を過ぎて稲取に泊、21日大川村で休息、伊東まで来て宿泊し、22日には伊東から熱海・伊豆山を散策して伊東へ戻り泊、23日は伊東へ来た道を稲取へ戻り、24日は稲取から笹原・筏場を経て湯ヶ野から小鍋に着き温泉宿に宿泊する。25日小鍋峠を登り茅原野・箕作から相玉で菖蒲前の墓前へ参り、蓮台寺から中の瀬に行き、ここから川舟で下田へ到着、池の町いづみや某に宿泊。翌26日から29日まで下田周辺を散策、28日には白浜明神へ参詣、29日は吉佐美へ出かけ夜下田へ戻る。10月1日早朝下田を出発、手石村、石廊崎を巡り子浦へ着く。2日は雨、3日に体調を崩し14日朝まで滞留、14日子浦を舟で出発して田子に着き泊、15日はここから徒歩で土肥まで行き宿泊、16日は船原峠を越えて三島へ向かおうとしたが、足が痛くなり舟に乗って沼津に向かい、16日で筆を終わる。当時、どのような道が主要な往還道かを知ることができる。

滝沢馬琴の『伊豆の海』は刊行した年は不明ながら、『豆州志稿』のことが記載されているので、寛政12年(1800)以降であることは確実。江戸から船で下田へ向かい、9月末、下田着。子浦・妻良、蓮台寺温泉などまで足を伸ばし下田周辺で10日ほど遊び、梨本泊、天城峠を越え、湯ヶ島泊、修善寺温泉で1日1泊、そのまま、下田街道を三島へ向かった。滝沢馬琴『燕石雑志』に収載され、『日本随筆大成』に収められる。

「伊豆日記」の挿絵

135 江戸時代の輸送路、舟運

東海道をはじめとする主要街道の架橋しなかったのは、江戸を守るための要害としての機能があったといわれる。それなら、狩野川を渡る下田街道に架橋してよいと考えられるが、そうではなかった。また、河津川・稲生沢川や松崎を流れる那賀川にも架橋を行っていない。

江戸時代まで、年貢をはじめ木炭や薪等の燃料は、大消費地である江戸への供給源として大量輸送をしなければならなかった。陸上交通が貧弱な当時の事情から、船便を活用することで、それを解決した。そのため、河川交通、すなわち舟運が活用された。また、当時の建設技術論がある。建設技術が未熟で架橋できなかったとするのである。明治維新を迎え、陸上交通路の整備、架橋は、要害の必要性の排除により開始したと受け取れる。明治初期の橋は橋脚が多く、通船の妨げになり、舟運には不便であった。また、橋脚が多いことにより、上流から流出する樹木等が堰となる可能性が高い。かくして、明治になると、架橋のため舟運は廃れてしまった。すなわち、要害ではなく、舟運のために架橋できなったということになる。

狩野川での舟運の記録は、延宝5年(1677)に書かれた「伊豆鑑」に記載された川舟である。今後、史料採訪により古い史料が出る可能性もあるが、年貢の輸送に関してみると、元禄期(17世紀前後）は狩野川流域の村々のほとんどが狩野川の舟運を利用していた。ところが、幕末になると、陸路の輸送がおおくなり、舟運利用が少なくなる。船道を作る重労働を避けるようになって、中流以上の流域村々は特に陸路を選び、炭も馬背につけて、中流域まで輸送するようになった。そのため、輸送馬の必要性を度々訴えていた。

下田街道で狩野川を渡るのは大仁の渡しだけで、他は支流の渡川であったが、下田街道に出るためには、それぞれ狩野川に渡船場を設けて、渡しを行っていた。その場所のほとんどには、明治になって順次架橋されていった。

陸上交通前は狩野川を使った舟運で、河口にある沼津湊へ運んだ。沖で待つ廻船に艀で運搬。沼津湊絵図。江川文庫蔵。

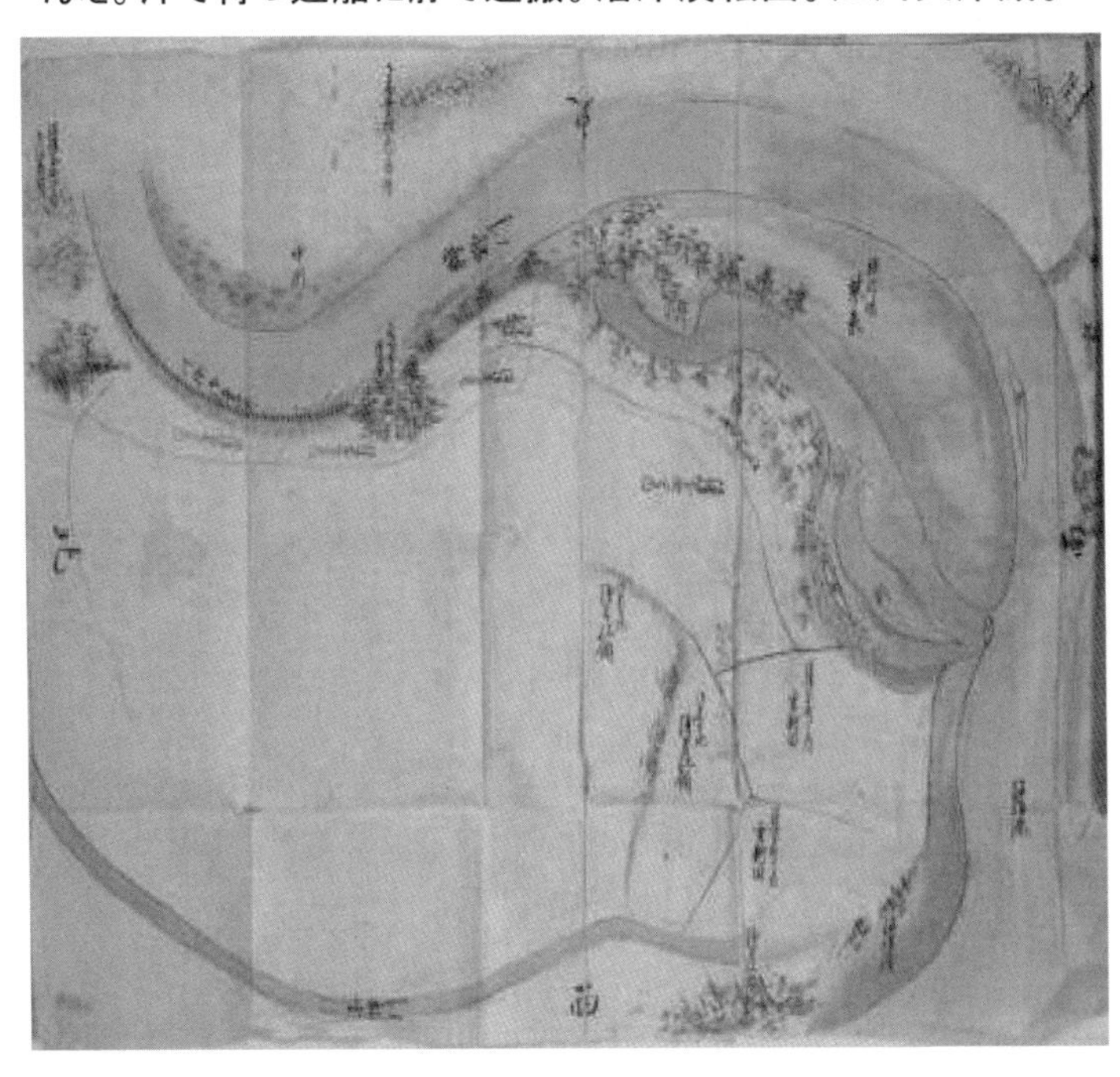

136 東海道敷設と交通路の変化

明治22年（1889）東海道本線が）開通した。国府と沼津間を、小田原・熱海・三島を経由するか、山北・御殿場経由にするかの2案があったが、当時の技術では山越えは難しく、御殿場経由と決定した。その後、大正7年（1918）丹那トンネル工事の着工、昭和9年（1934）の完成により、御殿場経由を変更、小田原～熱海～函南～三島～沼津を通る現在の東海道本線となった。

明治31年、豆相鉄道が三島（現田町駅）・南条（現伊豆長岡駅）間に軽便鉄道を開通させた。その年東海道線三島駅（現下土狩駅）・三島間も開通、翌32年、豆相鉄道は南条より大仁へ延長した。大正6年（1917）、駿豆鉄道（株）となり、同8年6月三島・大仁間が電化され、大正13年には修善寺まで延長した。大正期にかけて、下田鉄道や伊豆循環鉄道、長浜（沼津市内浦）から南条を軽便で結ぶ中豆鉄道等、様々な鉄道構想があったが、実現したのは伊豆急行が下田駅まで鉄路を作ったことだけである。

こうした中で、下田街道をはじめ伊豆各地をバスが公共交通機関としての役割を果たしている。下田街道の難所であった天城峠を越える天城山隧道が明治38年に開通した。南伊豆の交通は馬車によって北伊豆の交通と接続するようになった。その後、大正4年に下田で初めて乗合自動車が運行が開始した。町の有志が共同出資して購入した４人乗りの小型バスで下田・大仁間を１日１往復した。のんびりした時代であったが、同５年、下田自動車に発展、本格的な経営に入ったのである。

一方、大正６年伊東町中村長五郎が伊東自動車を創業、伊東-大仁、大仁-修善寺、伊東-宇佐美間の運行を開始した。翌７年東海自動車と社名を変更、伊東-沼津間に路線を延長、三島-沼津間に全国に先駆けて「郵袋輸送」も開始した。同７年11月下田自動車と合併、本店を下田に置き、下田-土肥間、昭和８年伊東-下田間（東海岸線）のバス運行を開始した。

東海バスと並んで伊豆の公共交通機関を担っている伊豆箱根バス道は駿豆鉄道の鉄道輸送の足りない部分を補うために、乗合バスの運行を開始した。そのため、駅中心に放射状に伸びる路線を確保している。

観光案内書『伊豆の番頭』表紙

現代の交通路と課題 ―あとがきにかえて―

徒歩、馬、駕籠、馬車から鉄道や自動車による交通手段の変化により、狭隘な谷とそこに形成され、点在する集落は開発から取り残され、過疎化が進行している。東海道の幹線から外れた伊豆半島南部においてはなおさらである。

現在、賀茂地域の悲願であった伊豆縦貫道の建設が進んでいる。全国規模で人口減少が進んでいるなかで、新たな道路を作る可否が問われるが、人口減少により、医療機関の存続が問題となり、それを解決するのが新たな道路建設と高速化である。そして、道路の開通は、ドクターヘリも加えて、医療面での心配はかなり薄れた。しかし、通勤圏が広がり、ストロー現象により地方であっても中核的な場所へ転住していく過疎化は深刻さを増している。観光でも宿泊を伴わない日帰りのできる場所になってしまった。

南伊豆町子浦では昭和47年(1972)のマーガレットライン開通によって過疎化が進行し、多くの空き家を生み出した。しかし、そのお陰で住宅の建て替えを行わず、昭和40年代がそのままパックされて残った。非常に魅力的な路地が集落を訪れる人を楽しませてくれる。

伊豆の生き残る道はやはり魅力ある観光であろう。それは、地域性と文化に根ざしたものでなければならない。それぞれの地域には独自の文化が残る。地域から離れた人も、故郷として自分の生きた場所を魅力あるものとして語る語り部となって発信して欲しい。それには、地域の文化を深く知り、地域に自信と誇りを持つことが大事である。幼い時から地域のことに触れる機会を少しで持つことを願う。通勤圏の広がりは地域で活動する時間を奪っている。地域の文化に触れる機会が少なくなっている。積極的に働きかけなければ、故郷の文化が失われ、帰る故郷がなくなってしまう危機が間もなく訪れる。過去の歴史を振り返り、かけがえのない文化を見直し、後世に伝えることを切にお願いして筆を置くことにする。

令和二年十一月

特定非営利活動法人伊豆学研究会

理事長　橋本敬之

著者紹介

橋本敬之

昭和27年生。公益財団法人江川文庫学芸員、NPO 法人伊豆学研究会理事長。

著書に『幕末の知られざる巨人 江川英龍』(KADOKAWA)、『江川家の至宝』(長倉書店)

編著『伊豆大事典』(羽衣出版)、『静岡県史』をはじめ各自治体史編さんに関わる。

下田街道の風景

著　者　　橋本　敬之

発行者　　長倉　一正

発行所　　有限会社　長倉書店
〒410-2407 静岡県伊豆市柏久保552-4
電話 0558-72-0713

編集所　　NPO法人伊豆学研究会
〒410-2323 静岡県伊豆の国市大仁597-2
電話 0558-76-0030

印刷所　　いさぶや印刷工業株式会社
〒410-2322 静岡県伊豆の国市吉田361-2
電話 0558-76-1707

2020年 11月29日 第1刷発行

ISBN 978-4-88850-080-7